LE JOURNAL DE
RYWKA LIPSZYC

Rywka Lipszyc

LE JOURNAL DE
RYWKA
LIPSZYC

Journal et notes traduits du polonais
par Kamil Barbarski

Appareil critique
traduit de l'anglais (États-Unis)
par Agnès Blondel

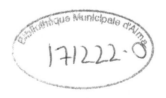

calmann-lévy

Titre original :
THE DIARY OF RYWKA LIPSZYC
Première publication : Jewish Family and Children's Services
Holocaust Center, en partenariat avec Lehrhaus Judaica,
San Francisco

© Jewish Family and Children's Services of San Francisco,
the Peninsula, Marin and Sonoma Counties, 2014

Pour la traduction française :
© Calmann-Lévy, 2015

COUVERTURE
Maquette : Alistair Marca
Gela Seksztajn, *Portrait d'une jeune fille,*
© Emanuel Ringelblum Jewish Historical Institute, Varsovie

HORS-TEXTE
Maquette : Cédric Scandella

ISBN 978-2-7021-5730-5

Rywka Lipszyc est une de ces centaines de milliers d'adolescents juifs qui, dans l'Europe occupée par les nazis, n'ont jamais eu la chance de connaître les joies et les peines d'une adolescence normale. Comme elle, chacun avait des espoirs et des rêves, des craintes et des tourments, des plaisirs et des amours.

Trop peu ont survécu, et parmi les victimes, rares sont ceux qui ont laissé un témoignage. Nous dédions ce livre à ces jeunes hommes et femmes dont les mots sont à jamais perdus, ainsi qu'à leurs familles.

Note de l'éditrice

Souvenez-vous de ceux qui nous ont quittés, prenez soin des vivants et préparez-les à l'avenir.

Inscription à l'entrée du Jewish Family and Children's Services Holocaust Center de San Francisco

Les mots qui viennent du cœur vont droit au cœur. Il en est ainsi des mots délicats de la jeune Rywka Lipszyc, qu'on a failli ne jamais retrouver. Lorsque nous avons reçu les pages abîmées de son journal au JFCS Holocaust Center de San Francisco, nous nous sommes vite rendu compte de leur beauté et de leur importance.

Selon la tradition juive, il faut quarante ans avant de vraiment prendre la mesure d'une grande tragédie qui s'est abattue sur une personne, une famille, voire une nation. Mais les réflexions sur le sens qu'aurait la Shoah pour les générations futures ont commencé dès les années 1980.

Depuis, dans le monde entier, abondent films, livres, monuments, plaques commémoratives et institutions (essentielles) qui sensibilisent les jeunes générations au courage moral et à la responsabilité sociale.

La crainte des survivants (voir le souvenir de la Shoah disparaître après la deuxième génération) ne s'est pas concrétisée. Au contraire. Dans un monde où les génocides font encore rage, cela nous donne de l'espoir.

Quelle vision de la Shoah subsistera et perdurera lorsque les témoins et leurs enfants ne seront plus ? Le JFCS Holocaust Center cherche une réponse. Les publications comme ce *Journal de Rywka Lipszyc* nous montrent la voie et nous offrent les moyens d'enseigner à des milliers de jeunes et d'éducateurs chaque année. Le journal de Rywka est précieux en tant que souvenir de la victime, hommage historique à une génération perdue, mais aussi et surtout en tant qu'histoire qui captivera les meilleures âmes et générations à venir. Le JFCS Holocaust Center Publishing Project, en partenariat avec Lehrhaus Judaica de la région de la baie de San Francisco et Yad Vashem à Jérusalem, a pour objectif de publier des livres, des mémoires et des documents qui préserveront le souvenir et constitueront de riches outils pédagogiques. Nous sommes fiers de faire paraître *Le Journal de Rywka Lipszyc* et remercions les nombreuses personnes dévouées dont la clairvoyance, le savoir et le soutien ont rendu cela possible.

Dr Anita FRIEDMAN
directrice générale des Jewish Family and Children's
Services des comtés de San Francisco,
de la Péninsule, de Marin et de Sonoma

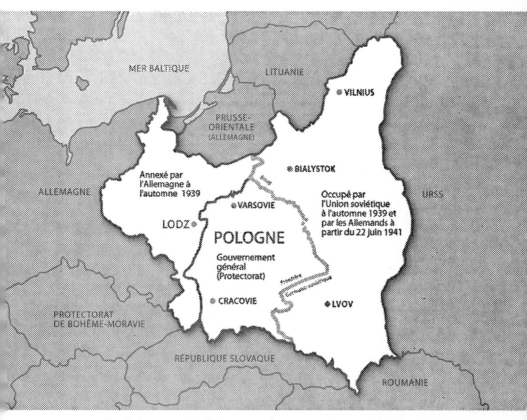

La Pologne après l'invasion des nazis, automne 1939

Préface

Le voyage du journal : d'Auschwitz aux États-Unis

Au printemps 1945, pendant la Libération, un médecin de l'Armée rouge exhume un journal intime des ruines des fours crématoires d'Auschwitz-Birkenau. Zinaida Berezovskaya, c'est son nom, est une farouche partisane soviétique, une communiste endurcie qui a quitté son foyer pour participer à la grande bataille contre l'armée d'invasion nazie et a suivi les troupes de son pays jusqu'à Auschwitz.

Zinaida emporte le journal chez elle à Omsk, dans le sud-ouest de la Sibérie. Il y restera jusqu'à la mort de la vieille dame en 1983. On envoie alors ses affaires à son fils, Ghen Shangin-Berezovsky, qui vit à Moscou. En 1992, lorsqu'il meurt à son tour, sa femme, Lilavati Ramayya, hérite de ses possessions. C'est à Moscou, dans la maison de sa mère, qu'Anastasia Shangina-Berezovskaya, la fille de Ghen (et la petite-fille de Zinaida, donc), trouve le journal au cours d'une visite en 1995. Elle en comprend immédiatement l'importance et le ramène à San Francisco, où elle a émigré en 1991.

Au cours des années suivantes, Anastasia essaie à plusieurs reprises de trouver une institution avec qui collaborer, une qui pourrait évaluer la valeur du journal et éventuellement le traduire en vue d'une publication. En juin 2008, elle contacte Leslie Kane, directrice générale de ce qui s'appelait alors le Holocaust Center de Californie du Nord. Leslie me transmet son e-mail, car je suis l'archiviste et la bibliothécaire du centre et, très rapidement, Anastasia m'apportera le journal.

Cet objet stupéfiant (un journal jusqu'ici inconnu écrit dans le ghetto de Łódź) constituait une occasion unique de contribuer à la sauvegarde de l'Histoire. Rédigé à la main en polonais dans un cahier d'école, il était somme toute en bon état. Les deux premières pages s'étaient détachées, une partie de l'écriture était illisible et il y avait quelques taches d'eau et de rouille. Mais au vu de son âge et de sa provenance (les ruines des fours crématoires d'Auschwitz), il était remarquablement conservé.

Une note et deux coupures de presse d'époque accompagnaient le journal intime de cent douze pages. La première entrée indique le 3 octobre 1943 dans le ghetto de Litzmannstadt et la dernière le 12 avril 1944, également dans le ghetto. Sans conteste, un document fascinant ! Mais à quel point, ni Anastasia ni les autres ne pouvaient le savoir sans aide. Nous avons donc décidé de numériser quelques pages afin de les communiquer à des experts. Avec le plus grand soin, nous avons scanné plusieurs extraits et, ce faisant, avons commencé à mettre en lumière ce journal resté dans l'ombre pendant plus de soixante ans.

Sur la recommandation de Zachary Baker, conservateur de la collection judaïque de Stanford University et membre du conseil d'administration du Holocaust Center, à qui nous avions immédiatement envoyé les fichiers, nous avons contacté le professeur Robert Moses Shapiro du Brooklyn College, éminent universitaire ainsi qu'expert du ghetto de Łódź et de ses journaux intimes, qui maîtrise le polonais, l'hébreu et le yiddish. Il a vite reconnu la valeur unique de ce journal, dont l'authenticité lui semblait certaine au vu des extraits numérisés. Au cours des mois suivants, nous avons franchi plusieurs étapes pour nous assurer que ce journal extraordinaire serait partagé avec le monde entier.

Tout d'abord, il fallait effectuer une reproduction numérique en haute définition. Ainsi, le contenu intellectuel serait à jamais préservé. Même si quelque chose arrivait à l'objet, les mots de la jeune fille seraient sauvés. Ces scans ont été examinés par Marek Web, ancien archiviste de l'Institut YIVO pour la Recherche juive à New York, qui a confirmé leur authenticité.

Ensuite, réaliser une transcription. Sur les conseils du professeur Shapiro, nous nous sommes tournés vers Ewa Wiatr, du Centre de recherche judaïque à l'université de Łódź, qui a accepté de transcrire et d'annoter le journal. C'est elle qui a découvert l'identité de l'auteur et l'a prouvée grâce aux archives du ghetto de Łódź. Elle fut quelque peu aidée par la diariste, qui donnait son nom dans le journal. Ainsi avons-nous fait la connaissance de Rywka Lipszyc.

En décembre 2010, l'Holocaust Center de Californie du Nord a été rattaché au JFCS des comtés de San Francisco, de la Péninsule, de Marin et de Sonoma, sous la direction du Dr Anita Friedman. Pour publier le journal, le JFCS a travaillé en partenariat avec Lehrhaus Judaica, un centre non confessionnel de la région de San Francisco fondé par Fred Rosenbaum. Heureux hasard, ce dernier venait de coécrire un livre[1] sur l'expérience d'une jeune femme dans le ghetto de Łódź et à Auschwitz avec la jeune femme en question, Eva Libitzky.

Il s'agissait dès lors de traduire le journal, ainsi que les annotations d'Ewa Wiatr. Grâce au travail de deux traductrices, Malgorzata Szajbel-Kleck et Malgorzata Markoff, nous avons vite disposé du texte en anglais. Alexandra Zapruder, éditrice de *Salvaged Pages : Young Writers' Diaries of the Holocaust*, lauréate du National Jewish Book Award for Holocaust literature en 2002, a accepté de rejoindre notre projet en tant qu'éditrice du journal et d'écrire une introduction sur l'émergence d'une identité adolescente au cœur de circonstances hors du commun. L'historien Fred Rosenbaum a apporté sa contribution avec un essai sur le ghetto de Łódź, et Hadassa Halamish, fille d'une des cousines de Rywka, a réuni les souvenirs de sa mère Mina et de sa tante Esther sur leur vie dans le ghetto et les camps avec Rywka. Esther a également écrit une postface.

C'est donc avec l'aide d'archivistes, d'historiens, de survivants de l'Holocauste, de traducteurs et d'éditeurs, sans oublier le soutien de philanthropes, de directeurs d'agence, et de nombreuses personnes du monde entier dévouées à la cause de la sensibilisation à la Shoah que nous avons réussi. Rywka Lipszyc ne sera plus une victime anonyme. Ses mots lui survivront.

Judy JANEC

---

1. *Out on a Ledge*, River Forest, Wicker Park Press, 2010.

Introduction

Rywka Lipszyc :
grandir dans le ghetto de Łódź

Rywka Lipszyc a entamé le seul volume restant de son journal dans le ghetto de Łódź peu après son quatorzième anniversaire. En six mois, d'octobre 1943 à avril 1944, elle a couvert de son écriture plus de cent pages, avant d'arrêter brusquement. Un an plus tard, un médecin soviétique des forces de libération de l'Armée rouge retrouvera son journal près des ruines d'un four crématoire d'Auschwitz-Birkenau. Si l'endroit donne un indice quant au chemin que Rywka a parcouru vers une mort presque certaine, les pages nous racontent une histoire bien plus profonde. La jeune fille y a livré sa lutte pour se comprendre et s'exprimer, en capturant à la fois les difficultés physiques de la vie dans le ghetto et l'agitation émotionnelle d'une adolescente grandissant pendant la Shoah.

Née le 15 septembre 1929, Rywka est l'aînée des quatre enfants de Yankel et Miriam Sarah Lipszyc. Un fils, Abram, surnommé Abramek, naît en 1932, suivi de peu en 1933 par une fille, Cypora, dite Cipka. La benjamine,

Estera, qu'on appelle Tamarcia, arrive en 1937. Les deux parents de Rywka sont natifs de Łódź, en Pologne. Yankel, le cinquième des huit enfants d'Avraham Dov et d'Esther Lipszyc, vit à Łódź avec sa famille, non loin de ses frères, ses sœurs et autres parents. Par Hadassah, la femme de son frère aîné Yochanan, il est parent lointain de Mosze Menachem Segał, le célèbre « dernier rabbin » du ghetto de Łódź. Celui-ci fut tourmenté et torturé après l'invasion allemande de Łódź, avant d'être finalement assassiné en 1942 près de Kielce[1].

La famille, juive orthodoxe, est très pratiquante. Dans son journal, Rywka révèle son attachement aux rituels du shabbat, du calendrier religieux et sa foi constante en Dieu. « Comme j'aime Dieu ! » écrit-elle le 2 février 1944 :

> *Je peux me reposer sur lui toujours et partout, mais il faut également que je mette la main à l'ouvrage, car, après tout, rien ne s'accomplira tout seul ! Mais je sais que Dieu m'aidera !*
>
> *Oh, comme c'est bien que je sois juive et comme c'est bien qu'on m'ait appris à chérir Dieu... Je suis reconnaissante pour tout cela ! Merci, mon Dieu.*

Lorsque Rywka commence son journal, elle vit dans le ghetto de Łódź depuis plus de trois ans et a déjà perdu ses parents. Son père ne s'est jamais remis d'avoir été roué de coups par les Allemands. Il est mort le 2 juin 1941 des suites d'une maladie du poumon et d'autres maux. Rywka relate ce souvenir poignant à la fin du journal.

---

1. http://kehilalinks.jewishgen.org/lodz/rabbi.htm, consulté le 28/10/2014.

Sa mère s'est occupée seule de ses quatre enfants pendant un an avant de décéder à son tour le 8 juillet 1942. Nous ne connaissons pas les détails de sa mort, mais il est probable qu'elle ait succombé à des maladies dues à la malnutrition et à l'épuisement, comme des dizaines de milliers d'habitants du ghetto. Le père de Rywka est enterré dans le cimetière juif à Marysin, à la limite nord-est du ghetto ; la dernière demeure de sa mère reste inconnue. Malgré cela, un intense désir d'aller visiter leurs tombes s'empare parfois de Rywka. « Depuis quelques jours, j'ai une grande envie d'aller au cimetière… écrit-elle le 4 février, une sorte de force inconsciente… Comme je voudrais m'y rendre ! Auprès de maman et de papa. Comme j'ai envie ! »

Les membres de la famille encore vivants recueillent les orphelins Lipszyc. Un oncle héberge Abramek et Tamarcia, tandis que Yochanan et Hadassah Lipszyc ouvrent leur porte à Rywka et Cipka. À peine deux mois plus tard, Rywka et sa fratrie subiront l'un des événements les plus traumatiques de l'histoire du ghetto : l'atroce *Szpera* (« couvre-feu » en polonais) de septembre 1942. Les autorités allemandes exigeaient la livraison de 15 000 Juifs de moins de dix ans ou de plus de soixante-cinq ans pour la déportation, et ce en plus des malades et des infirmes.

Mordechai Chaim Rumkowski, le soi-disant « Doyen des Juifs », transmet cet ordre ignoble à la population du ghetto. Dans son discours, il exhorte les parents à commettre l'inconcevable afin d'éviter à l'ensemble de la population un destin pire encore. Il supplie une foule de milliers de parents en larmes : « Un coup terrible a frappé le ghetto. […] Jamais je n'aurais imaginé être obligé d'offrir ce sacrifice de mes propres mains. À l'âge avancé qui est le mien, je dois tendre les mains et supplier : frères et sœurs, confiez-les-moi ! Pères et mères, donnez-moi vos enfants ![1] »

Pendant la *Szpera*, Yochanan et Hadassah, cette dernière gravement malade, feront tout pour se sauver non seulement eux-mêmes et leurs trois filles (Estusia, Chanusia et Minia), mais aussi Rywka, Cipka et une autre cousine du nom d'Esther, qui n'a que trois ans. Finalement, les Allemands ne s'empareront que de Yochanan, laissant Hadassah seule avec six filles. Mais au cours du long week-end de rafle, Abramek et Tamarcia ont été arrachés à leur oncle adoptif. D'une famille qui comptait six membres un an auparavant, seules Rywka et Cipka vivent encore. La *Szpera* sera une blessure toujours à vif pour Rywka et l'ensemble des habitants du ghetto. En janvier 1944, chez une amie, la conversation s'oriente sur ce souvenir douloureux :

> *Nous avons parlé de la Szpera. Ewa s'est confiée un peu, j'ai l'impression que ça lui a fait du bien, moi, j'ai pratiquement gardé le silence, car qu'aurais-je pu dire ? [...] Cette conversation et tout le reste m'ont complètement abattue... je me sens mal... ah, des forces ! Il m'en manque tant... mon cœur est devenu de pierre... oui, ça m'étrangle, quelque chose m'étrangle... (15 janvier 1944)*

Même si à l'époque on ne connaît pas le sort exact des malheureux, la population du ghetto craint le pire. Rywka

---

1. Chaim Rumkowski, « Give me your children ! », Alan Adelson et Robert Lapides (éd.), *Lodz Ghetto : Inside a Community Under Siege*, New York, Penguin Books Ltd., 1989, pp. 328-331.

exprime à de nombreuses reprises sa peur – ou plutôt, ses soupçons tenaces – de ne jamais revoir son frère et sa sœur. La vérité ne jaillira pas avant la fin de la guerre : les autorités allemandes emmenaient les déportés au centre de mise à mort de Chełmno, destination de 70 000 Juifs de Łódź avant la liquidation finale en août 1944. Là, on les dépouillait de leurs habits et de leurs objets de valeurs avant de les embarquer dans des « camions à gaz » rudimentaires et de les tuer par empoisonnement au monoxyde de carbone. Entre 1941 et 1944, les SS ont assassiné à Chełmno plus de 152 000 Juifs de Łódź et des régions alentour[1].

Hadassah, toujours pas rétablie et désormais veuve, veille sur les six filles jusqu'à ce qu'elle aussi succombe à la maladie le 11 juillet 1943. Après quoi, c'est Estusia, vingt ans, qui assume la responsabilité écrasante de s'occuper de ses deux jeunes sœurs et des petites Lipszyc, toutes mineures. (Une autre tante recueillera Esther, la petite cousine.) Elles partagent un appartement au 38, rue Wolborska, dans des conditions particulièrement difficiles et tendues.

La Commission de protection des mineurs, créée pour prendre soin des orphelins du ghetto, accorde un peu d'aide à Rywka et Cipka. Elle leur donne des coupons pour le dentiste, des vêtements chauds et autres produits de première nécessité. Les filles reçoivent aussi un supplément de ration alimentaire, appelé *bajrat* ou ration B, qui

---

1. Les estimations du nombre de tués à Chełmno varient énormément. Nous reprenons le nombre minimum, utilisé par l'United States Holocaust Memorial Museum (USHMM). D'autres le placent entre 172 230 et 350 000.

complète leur portion par ailleurs bien maigre. Malgré ces aides, il est évident lorsqu'on lit le journal que Rywka et ses cousines, comme la plupart des habitants du ghetto, vivent sous la contrainte toujours grandissante de la faim et des privations caractéristiques du ghetto de Łódź, le plus dur et le plus pérenne des ghettos allemands.

Rywka n'est pas la seule diariste dont les écrits nous soient parvenus du ghetto. Dawid Sierakowiak, étudiant brillant, a écrit le journal le plus long et le plus célèbre du ghetto de Łódź. Les cinq volumes couvrent la période de juin 1939 à avril 1943, avec des interruptions dues à des cahiers perdus. Il y décrit son lent déclin, l'agonie qui fait de lui non plus un observateur perspicace à l'intelligence curieuse ou un jeune homme à l'humour malicieux, mais l'ombre de lui-même : orphelin, incapable de travailler ou d'étudier, à peine en état de supporter les supplices quotidiens de la famine et du désespoir. Son journal s'arrête quelques mois avant qu'il ne meure de tuberculose en août 1943.

Une autre jeune fille, anonyme, a tenu un journal fragmentaire pendant les mois de février et mars 1942. Elle y décrit l'emprise violente de la faim sur elle et sa famille et capture la brutalité de sa nature réductrice ainsi que les coûts personnels, sociaux, spirituels, mentaux et moraux qui l'accompagnent.

Enfin, un jeune homme, lui aussi anonyme, a écrit en quatre langues (polonais, yiddish, hébreu et anglais) dans les marges et sur les pages blanches d'un exemplaire du roman *Les Vrais Riches*[1]. Il y a consigné les derniers jours du ghetto à l'été 1944, alors que les rares survivants (dont Rywka faisait partie) attendaient, impuissants et impatients, l'arrivée de l'Armée rouge et la délivrance. Le désespoir de ces semaines et celui causé par l'annonce de la liquidation finale du ghetto en août 1944 emplissent les pages de son journal.

Rywka a écrit entre octobre 1943 et avril 1944, comblant une période qu'aucun de ces autres diaristes ne couvre, et offrant ainsi les impressions d'une jeune écrivain sur les événements marquants de ces mois-là. En plus du cadre temporel, c'est le point de vue de la jeune fille, juive orthodoxe, qui la distingue des autres chroniqueurs de Łódź. Chaque diariste est aux prises avec des questions existentielles, et la plupart y répondent de manière laïque. Rywka, elle, voit le monde à travers le prisme de la religion : elle croit avec ferveur à la bonté divine et lutte pour vivre selon la loi juive et l'enseignement éthique. Elle n'en est pas moins une jeune fille moderne avec des ambitions intellectuelles, curieuse du monde et de la place qu'elle y occupe, douée (ou affligée) d'une personnalité forte qui ne lui permet pas de contenir son indignation. Elle tient tête, elle proteste et n'hésite pas à se défendre si nécessaire.

Son journal est aussi marqué par des allers-retours entre son monde intérieur et extérieur. Elle décrit les aspects concrets de sa vie : les systèmes de survie dans le ghetto, le travail incessant et les répits occasionnels offerts par

---

1. François COPPÉE, 1892.

l'école et d'autres activités, de même que les événements extérieurs qui touchent le ghetto en général et elle en particulier. Au sein de cette structure, toutefois, Rywka s'attarde d'abord sur son monde intérieur, à savoir ses efforts pour écrire, son identité naissante, ses amitiés (surtout celle avec Surcia, son modèle), sa philosophie de vie (ou ses tentatives pour donner une signification au monde d'après son vécu), le deuil de sa famille, sa volonté de garder sa force malgré les attaques acharnées de l'épuisement, du désespoir, de la faim et de la peur, et, surtout, sa foi. Les écrits de Rywka mêlent, parfois de manière confuse, les récits, les réflexions, les sentiments, les nouvelles, les sensations et les idées. Une fois démêlé, le journal ne donne pas seulement un point de vue inédit sur la vie quotidienne et la survie dans le ghetto de Łódź, mais aussi, et peut-être surtout, une réflexion sur la lutte intenable pour grandir dans ce creuset d'emprisonnement, de privation et d'oppression. En écrivant, Rywka recherche avant tout du réconfort et un salut. La survie de son journal témoigne de la douleur causée par sa lutte vouée à l'échec.

« Les premières fêtes sont passées », écrit Rywka pour sa première entrée, le 3 octobre 1943. Elle commence à propos, le jour du nouvel an juif, Rosh ha-Shana. À l'époque, elle s'apprête à quitter un poste à la Comptabilité centrale pour un emploi à l'atelier de couture dirigé par Leon Glazer. L'atelier, dont la direction est située au 14, rue Dworska, a commencé à produire des sous-vêtements et des robes au début de l'année 1941 avec 157 employés et 77 machines. Un an plus tard, les travailleurs sont dix fois plus nombreux, et l'usine fabrique aussi des vêtements pour homme et du linge de maison. Une grande partie de la production va à l'effort de guerre allemand. Plusieurs centaines d'enfants y travaillent, se mettant à l'abri de la déportation en apprenant un métier utile. C'est grâce à une femme de sa connaissance qu'elle appelle toujours « Zemlówna » (Mme Zemel), parente de M. Zemel, un des responsables, que Rywka a obtenu une place dans cette institution du ghetto peu ordinaire. Elle travaille à l'atelier du 13/15, rue Franciszkanska.

Dès le début du journal, donc, le quotidien de Rywka se partage entre travail et étude. La majeure partie de son éducation est concrète : apprendre à se servir d'une machine à coudre, à prendre les mesures pour une jupe, à faire un « point décent », sous la tutelle de son professeur, Mme Kaufman. Les enfants étudient aussi des matières comme l'hébreu, le yiddish ou les mathématiques. Rywka apprécie les enseignements qu'elle reçoit à l'atelier. Un jour, rêvant de l'après-guerre, elle écrit :

> [...] j'imagine : le soir, une modeste chambre éclairée, ma petite famille autour de ma table... c'est agréable... il fait chaud, accueillant... ah, c'est si bon ! Plus tard, quand tout le monde se couche, je m'assois devant la machine et je couds... je couds... et tout m'est si doux, si bon... si délicieux ! Parce que ce qui sort d'en dessous de mes mains, c'est notre modeste subsistance. J'en puise le pain, j'en puise le savoir, j'en puise les vêtements... et presque tout vient de ça, du travail de mes propres mains. J'en suis très reconnaissante à Mme Kaufman... (28 février 1944)

Mais le travail est aussi une corvée dont Rywka dépend pour obtenir une portion de soupe à midi. Elle décrit les longues journées d'ennui et les moments de frustration et de conflit avec les filles de sa classe. Elle a surtout horreur d'être obligée de travailler le samedi, jour de repos traditionnel. Pour les Juifs pratiquants, le shabbat, qui symbolise le jour où Dieu s'est reposé après avoir créé le monde, est une journée sacrée destinée à l'étude, à la prière, à la famille et aux amis. Il est censé présager l'harmonie et la paix qui régneront sur terre une fois le Messie revenu et les Juifs définitivement libérés de leurs souffrances. Pour Rywka, travailler le jour de shabbat, ce n'est pas seulement renoncer à observer ce rituel essentiel de sa religion, c'est aussi se priver d'une des rares sources de plaisir de sa vie morne. Le 20 février 1944, elle écrit :

> *Oh, mon Dieu, je n'oublierai jamais ce sentiment, j'étais si mal, si à l'étroit, j'avais envie de pleurer ! pleurer... pleurer... Je voyais tous ces gens se rendre aux ateliers, comme d'habitude, en ce jour, en cette sainte journée, et cette journée divine était pour eux une journée ordinaire... [...] Pour moi, aller à l'atelier un samedi était un supplice épouvantable... Malgré moi, j'ai pensé : Et si jamais (pourvu que je ne sois pas obligée d'y retourner encore), mais si jamais j'y suis obligée, est-ce que ça ne deviendra pas pour moi une chose normale, est-ce que je ne m'y habituerai pas ? Ah, mon Dieu, fais en sorte que je ne sois plus forcée de me rendre à l'atelier un samedi ! Je me sentais si mal ! J'avais envie de pleurer ! [...]*

Rywka noircit les pages de son journal avec des détails de sa vie quotidienne. Elle raconte les corvées qui meublent ses journées : faire la lessive, éplucher les pommes de terre, faire des courses, cuisiner, ramasser du charbon, faire son lit. Elle décrit aussi sa myriade de problèmes plus ou moins graves : une migraine ou une rage de dents, ses chaussures élimées, la faim permanente ou encore le mauvais temps. En janvier, elle signale une épidémie de grippe qui a réduit la main-d'œuvre de moitié et épuisé le matériel médical déjà insuffisant :

> *La grippe sévit dans le ghetto, où que j'aille, la grippe... les ateliers et les bureaux sont vides... un tas d'arrêts maladie. (Monsieur Zemel a plaisanté en disant qu'il placera les ordonnances devant les machines et qu'elles ordonnent la production.) [...] Chajusia[1] a la grippe, la mère de Surcia aussi et... je manquerais de pages si je voulais inscrire tous ceux qui sont malades... [...] Maryla Łucka et son père sont malades également, chez Mme Lebenstein tout le monde est souffrant sauf elle, M. Samuelson est malade, Jankielewicz remplace M. Berg, parce que Berg est malade aussi, Rundberg est à moitié malade, il est revenu l'après-midi... (14 janvier 1944)*

Avec en toile de fond le travail, les corvées et la lutte pour la survie qui constituent la vie de toute la population du ghetto, Rywka confie à son journal ses problèmes à elle. Par exemple, elle a du mal à s'entendre avec ses cousines. Elle raconte les petites et les grandes disputes qui se déclenchent à propos des corvées, le partage de la

---

1. À ne pas confondre avec la cousine de Rywka, Chanusia.

nourriture et les conséquences de la vie en espace réduit. Un exemple typique a lieu le 4 mars 1944 :

> *Chanusia me presse de me coucher, elle me dit que je finirai demain, ah, ne sait-elle pas que l'écriture ne fonctionne pas ainsi ? Elle ne doit pas en avoir conscience... Est-ce l'heure ? [...] Estusia a reçu un coupon et m'a chargée de le retirer demain... et d'apporter le linge à la laverie... l'un et l'autre... et cette Chanusia magnanime m'ordonne de me coucher et soutient que je finirai demain.*

Même si Chanusia a sans doute de bonnes raisons de la presser d'aller se coucher (écrire après la tombée de la nuit implique de brûler une bougie ou d'utiliser le peu d'électricité – elles ne disposent que d'une ampoule de 15 watts), Rywka se sent incomprise.

Il est absolument impossible de déduire du journal les vraies circonstances, et d'ailleurs ce n'est pas le rôle d'un journal. À la place, nous découvrons et faisons nôtre le ressenti de Rywka : sa solitude, l'impression de se faire exploiter, critiquer et juger. Après tout, c'est une adolescente en proie aux problèmes d'identité et d'individualité typiques de cette étape de la vie. Mais sans la stabilité d'une vie normale, et surtout sans l'amour inconditionnel de ses parents pour l'éduquer et lui montrer l'exemple, elle est complètement désemparée, perdue dans un monde, sans soutien, avec son seul sens du bien et du mal pour la guider. Lors d'une querelle violente, Estusia, qui n'a que vingt ans, perd patience et frappe Rywka en la menaçant de la mettre à la porte. « Oh, mon Dieu, comme je me sens seule ! » confie cette dernière le 15 février 1944 :

> *Je ne sais pas si elle fera comme elle le dit [...]. Elle dit toujours qu'elle est contente de moi, et maintenant ? Maintenant, elle devra dire qu'elle ne veut plus que je vive chez elle ? Ça me paraît peu probable... N'est-ce pas assez que l'époque soit si tragique, si épouvantable, et je n'ai même pas un refuge appelé « maison ».*

Elle se dispute successivement avec Estusia, Chanusia et Minia, et chaque conflit ne fait que souligner les tensions insupportables de la vie dans le ghetto et le sentiment d'isolement et d'éloignement de Rywka. Dans ce contexte, la relation qu'elle entretient avec sa petite sœur Cipka est une source de joie inaltérée. Il est clair que, en plus de l'aimer, elle se sent responsable d'elle, et elle exprime son souci de son bien-être, tant physique (« Aujourd'hui, j'ai encore plus faim lorsque Cipka n'a pas à manger et je me sens rassasiée lorsqu'elle mange ») qu'émotionnel (« [Chajusia] m'a conseillé de me rapprocher de Cipka, de parler avec elle, de lui demander ce qu'elle pensait de tout ça et des choses d'avant, etc. Je vais essayer, c'est même mon devoir, je dois remplacer sa mère selon mes possibilités. »). Elle raconte souvent s'occuper de sa jeune sœur, s'assurer qu'elle obtienne bien sa part de nourriture, lui confectionner une robe, faire son lit ou une course pour elle. Elle est aussi très fière de ses succès scolaires, de sa générosité et de sa prévenance pour ses amis, et de sa personnalité qui s'affirme. « J'ai remarqué que j'aime Cipka de plus en plus, constate-t-elle le 13 décembre 1943, lorsqu'elle fait quelque chose de bien et qu'elle a de bonnes notes (c'est la meilleure élève) ou qu'elle comprend les veillées, alors ça me remplit de fierté et je suis, même si ce n'est pas longtemps, bienheureuse... »

Comme d'autres diaristes de ghettos, en particulier celui de Łódź, Rywka revient sans cesse au problème de la nourriture et de la faim.

> *La faim a toujours eu d'affreux effets sur moi et c'est pareil aujourd'hui. Cette année a été, comment dire ? un soulagement et nous a éloignés du combat contre la faim... Ah, comme ça épuise ! Comme c'est une impression horrible que d'avoir faim. Le mieux, c'est encore quand je ne suis pas à la maison, quand je suis en cours... ou je ne sais où, partout, sauf à la maison, être à la maison serait presque dangereux... (10 février 1944)*

La famine envenime encore davantage les relations entre les personnes. Rywka confie à son journal son dégoût : elle a l'impression que ses cousines rechignent à partager équitablement la nourriture et qu'elles lui reprochent de mal gérer ses rations. En réaction, elle décide de ne plus accepter de nourriture de leur part :

> *J'ai décidé, comme je l'ai mentionné, de ne profiter en rien de ce qui est à elles exclusivement (Cipka n'arrive pas à se résoudre, une gamine) et j'y arrive, j'en suis ravie. Bien sûr, quand elles achètent quelque chose, par ex. de l'oignon, de l'ail, etc., alors j'en prends, quand bien même elles ne voudraient vraiment pas, parce que c'est commun après tout, autant à moi qu'à elles, mais les allocations... Les allocations... c'est autre chose... (31 décembre 1943)*

D'ailleurs, le problème du partage de la nourriture prendra une telle ampleur qu'une travailleuse sociale du nom de Mlle Zelicka (un modèle important pour Rywka) devra servir de médiatrice. En mars 1944, Rywka souffre physiquement de la faim. Elle raconte : « Je suis si affaiblie que parfois je ne ressens même plus la faim... c'est épouvantable, la famine a toujours eu un mauvais effet sur moi. La jupe qu'on avait cousue pour moi au début du cursus (il y a quelques mois) pendouille sur moi, sans exagération... »

À l'instar de nombreux témoins contemporains, Rywka voit comment la faim extrême anéantit l'ordre social et pousse des personnes, par ailleurs honnêtes, à briser leur code moral. Horrifiée, elle raconte des épisodes où des amis ou des membres d'une famille se volent les uns les autres. Elle parle du frère de son amie Dorka Zand, une « crapule » qui « emprunte » des pommes de terre et des rutabagas à Dorka et une autre amie sans les prévenir. Un autre jour, elle rapporte les efforts d'un groupe d'enfants à l'école pour collecter des pommes de terre et la nouvelle affligeante qu'une des adultes, une certaine Mme Perl, en a mangé une partie. « Mme Perl ! écrit-elle le 25 janvier 1944, je ne l'aurais jamais soupçonnée... qui d'autre me décevra encore ? Ah, comme c'est ignoble... fausseté et imposture... Ça fait si mal ! »

En février, Rywka et ses cousines se retrouvent confrontées à ce problème précis chez elles. C'est l'une des rares fois où elles semblent s'allier pour une cause commune. Tout commence lorsque Cipka remarque qu'il manque de la marmelade ; plus tard, elle fera semblant de dormir et entendra la personne (le journal ne donne pas son nom) « mâcher » du sucre. Par la suite, Minia signale qu'il manque du sucre et qu'on a dérangé la nourriture. Le lendemain, une partie du pain de Cipka disparaît. Au début, elles s'accusent les unes les autres. Estusia croit que c'est Cipka et Rywka ; cette dernière soupçonne Minia. Elle semble connaître l'identité du vrai coupable mais ne l'écrit pas clairement. Elle y fait seulement référence avec « cette personne » ou d'autres termes aussi indirects. C'est presque comme si la honte d'une telle transgression était trop bouleversante pour l'écrire noir sur blanc. « Je n'arrive pas à penser à autre chose… avoue-t-elle, désespérée, le 16 février. Oh, mon Dieu ! Si on ne peut plus faire confiance à de tels gens, alors à qui ? À qui ? Ah, la confiance ! C'est si minable ! Mon Dieu ! Ah, de telles saloperies ! De telles abominations ! C'est insupportable ! Et c'est aussi le ghetto qui fait ça ! »

Malgré ses difficultés quotidiennes, longuement détaillées, Rywka raconte aussi ses activités « extrascolaires », en dehors du travail et de l'école. Elle rend visite à des amies, se promène, montre son journal à ses amies, lit le leur et étudie avec elles les Psaumes ou d'autres textes juifs. À la date du 4 mars 1944, elle décrit sa lecture du moment :

> *J'ai un bon livre intitulé* Les Misérables *que nous lisons ensemble avec Chanusia, ce livre est en morceaux, mais à certains endroits il y a plus de pages qu'à d'autres et l'une d'entre nous doit attendre l'autre. Et il faut justement que j'attende Chanusia… Voici la manière pratique de lire au ghetto…*

Comme dans les autres ghettos, la jeunesse de Łódź s'implique dans des activités culturelles et éducatives de toutes sortes, y cherchant une échappatoire à leur réalité accablante. Rywka participe à l'organisation d'une bibliothèque en faisant don de deux volumes de *Guerre et Paix* et rejoint plusieurs cercles de lecture. Au sein de ces associations, peu différenciées dans le journal, les filles lisent des histoires, écrivent des articles, débattent de nouvelles, etc. Ainsi qu'elle le décrit le 3 janvier 1944 : « Une fois par semaine, nous allons avoir une réunion de littérature pure ou de quelque chose d'autre, et dimanche, en plus de ça nous aurons une heure de jeu (pour que nous ne devenions pas de vieilles pies). » D'après le journal, ces rassemblements ne manquent pas de péripéties adolescentes, entre élections et destitutions, fiertés blessées, malentendus, groupes rivaux, et ainsi de suite. Rywka doit aussi se poser la question épineuse des garçons, qui seront peut-être admis. En tant que Juive orthodoxe, elle est particulièrement conservatrice lorsqu'il s'agit des rapports avec le sexe opposé. « Hier, je ne me réjouissais pas et je n'en parlais pas du tout, raconte-t-elle le même jour, mais [aujourd'hui] je me réjouis, car d'un : j'ai aussi ma propre opinion, et si ça ne me plaît pas, je peux le leur dire, etc., et de deux, je peux [rester] avec Lusia, Hela, Edzia, je les connaîtrai mieux de cette manière-là... »

Mais de toutes ses activités, c'est celles de Bais Yaakov qu'elle préfère. Cette institution a été fondée en 1917 par Sarah Schenirer à Cracovie pour remédier au manque d'enseignement religieux des jeunes filles juives. Alors que les garçons fréquentaient traditionnellement des écoles comme le heder, le Talmud Torah ou une yechivah, on envoyait les filles (si tant est qu'elles soient scolarisées) dans des écoles laïques, gratuites, et souvent publiques, où elles ne recevaient que peu d'instruction religieuse. Voyant là une

explication au taux élevé d'assimilation des jeunes prati-
quantes, Schenirer crée une école pour les filles et adolescentes juives. Même si le curriculum est conservateur et
religieux, il représente par définition une volonté progres-
siste pour la communauté orthodoxe. Un réseau d'écoles
similaires finira par se constituer dans toute l'Europe.

Fajga Zelicka, jeune enseignante de l'école Bais Yaakov
de Cracovie, commence à animer des rassemblements
informels de jeunes filles (que Rywka et les autres appellent
« veillées ») dans le ghetto de Łódź, où on lit et étudie la
Bible, les Psaumes et des textes juifs éthiques tels que le
Pirke Avot (« Les Maximes des Pères ») et Hovot ha-Levavot
(« Devoirs du Cœur »). Au moment où elle entame son
journal, Rywka assiste aux cours de Mlle Zelicka, encouragée par la camarade et amie d'Estusia, Surcia Selver.
En réalité, c'est Estusia qui a demandé à son amie d'aider Rywka, car celle-ci écrit aussi, et Estusia espère qu'elle
pourra initier et guider sa jeune cousine. Quoique cette
dernière ne le reconnaisse jamais dans son journal, nous
avons là une preuve des efforts d'Estusia pour l'aider à
trouver sa voie dans un monde chaotique et douloureux.
Et en effet, Surcia, et dans une moindre mesure une autre
amie du nom de Chajusia et Mlle Zelicka, deviendront
d'importants modèles pour Rywka.

Rywka trouve dans ces réunions du réconfort, une
activité sociale, des moyens de s'améliorer et même de
s'amuser. Dans son journal, elle mentionne une célébra-
tion de Hanoucca et le temps passé en compagnie d'amies
à apprendre, étudier et, souvent, à se poser des questions
de personnalité et de caractère. Surcia, dans ses mémoires

d'après-guerre, dépeint Mlle Zelicka et l'influence qu'elle avait sur les jeunes femmes de son entourage :

> *Elle était jeune, à peine plus âgée que la plupart d'entre nous qui buvions ses paroles. Mais elle nous ouvrait de nouveaux horizons... Pendant [ses] cours, j'avais l'impression qu'elle me parlait à moi seule, comme si elle répondait aux questions qui me tourmentaient sans répit... Elle nous insufflait l'amour de la Bible, elle nous révélait ses trésors, elle interprétait chaque mot comme s'il avait été écrit spécialement pour nous... Elle nous a transmis les principes spirituels du judaïsme, ses nombreuses valeurs éthiques et son esprit humaniste[1].*

L'affection grandissante que Rywka porte à Surcia est un élément récurrent du journal. C'est elle, nous dit Rywka, qui lui a donné l'idée d'écrire et l'a encouragée à continuer. À maintes reprises, Rywka évoque l'idée que son journal pourrait s'appeler « Surcia », sa confidente de chair et celui de papier ne faisant ainsi plus qu'un. Dans le même temps, elle craint que l'intensité de ses sentiments et sa tristesse ne « préoccupe[nt] » Surcia ou la bouleversent. Elle voudrait tout partager avec elle, mais sent une limite à l'envie qu'a son amie d'écouter ses peines. « Ah... Hier soir, je me sentais si mal, si faible ! Qu'est-ce qui m'est arrivé ? Changer à ce point, qui l'aurait cru ! J'ai décidé de ne pas donner le journal à Surcia demain, mais la semaine prochaine, sinon elle deviendrait inquiète », confie-t-elle le 23 mars 1944.

---

1. Sara Selver-Urbach, *Through the Window of My Home*, Jérusalem, Yad Vashem, 1986, pp. 64-65.

En plus d'écrire son journal en pensant à Surcia et de le lui montrer de temps en temps, Rywka compose une série de lettres enflammées dans lesquelles elle déverse tout : ses luttes, ses idées sur la vie, et surtout son besoin d'amour, d'acceptation et d'amitié. Parfois, on a l'impression de lire une adolescente folle d'amour pour Surcia :

> *Je pense maintenant aux sentiments passionnels. Et je pense à Surcia. Je sens que je l'aime de plus en plus. Ah, c'est pour elle que j'éprouve un amour véritable. Ô puissance du sentiment ! Ah, vraiment, c'est une puissance. [...] Je voudrais écrire davantage, j'arriverais peut-être à m'extérioriser. Donc, j'éprouve pour Surcia le plus brûlant sentiment d'amour. Peut-être pas tant pour elle-même, mais pour son âme et par là pour elle tout entière. Ah, Surcia. Je me délecte de la mélodie de son prénom. (Encore heureux que nous soyons du même genre.) Car de quoi ça aurait l'air, un écrit pareil ? (23 décembre 1943)*

Son amour pour Surcia est certes romantique (elle la singularise, dépend d'elle et l'admire sans réserve), mais pas érotique. Il semble plutôt dû à son extrême solitude, à son impression d'être incomprise et à son besoin d'être acceptée et de trouver de l'affection et de l'amour dans un monde de rejet, de perte, de difficulté et d'aliénation.

Il est évident que ses lettres et ses écrits ont fini par attirer l'attention de Surcia. Elle en parle d'ailleurs avec Mlle Zelicka, laquelle demandera à voir Rywka, qui raconte, non sans excitation : « Cette lettre où je lui parlais de la vie, elle l'a montrée à Mlle Zelicka, et c'est pourquoi Mlle Zelicka m'a transmis par Surcia la convocation pour mardi à 11 heures. Elle veut parler avec moi de ça. C'est si inattendu... [...] J'y pense beaucoup... » Mais l'entrevue sera une cruelle désillusion. Apparemment, Mlle Zelicka s'est aussi entretenue avec Estusia et a plutôt encouragé Rywka à suivre l'exemple de sa cousine. Pour la jeune fille, le coup est terrible :

> *Cipka savait que j'avais été convoquée chez Mlle Zelicka et, malgré moi, je lui ai demandé si elle savait de quoi Mlle Zelicka avait discuté avec Estusia... Et j'ai appris quelque chose de sa part. Donc, Estusia lui avait dit que je suis têtue, que je ne veux rien écouter, qu'avant d'emménager chez elles et dès le début, je provoquais des spasmes, etc. En un mot, elle a dressé de moi un très vilain portrait. Maintenant, j'ai compris. [...] Je n'arrive pas à trouver ma place, je ne confie rien à personne, seulement à mon journal et à Surcia, ah, ma Surcia bien-aimée. Et à présent, je ne sais plus rien, je ne sais plus quoi faire, ah, je ne sais rien, je suis impuissante... Et qu'arrivera-t-il ? (22 décembre 1944)*

Avec le temps, Rywka se remettra de sa déception et se rapprochera de Mlle Zelicka. Elle lui apportera un quatre-quarts pendant sa maladie et, comme de nombreuses filles du ghetto, se fiera à elle. En effet, Mlle Zelicka fait partie, avec Mme Kaufman et Mme Milioner, des quelques adultes qui essaient de tempérer et de guider ces adolescents perdus et laissés à eux-mêmes dans le ghetto.

Un peu plus tard, Rywka décide de rejoindre les réunions des filles plus âgées, afin de prendre part à des discussions où elle se sentira plus à son aise. Sa confiance en elle et son ambition ne faiblissent pas malgré les circonstances et les critiques permanentes qu'elle croit deviner chez ses cousines. Elle a du cran, de la persévérance et de la confiance – des qualités qui lui vaudront d'être accusée de mépris par certaines amies. Bien qu'elle confie à son journal ses doutes sur ses connaissances et ses compétences, elle s'obstine à en demander toujours plus. Ainsi, une fois qu'elle aura obtenu gain de cause, elle s'entendra dire par Surcia qu'elle ne pourra venir qu'une seule fois. Sa réponse est surprenante, eu égard au piédestal sur lequel elle place son amie :

> *Quand nous sommes allées avec Surcia à la réunion (des adultes) le vendredi, elle m'a dit que les autres filles pourraient être jalouses parce que j'y vais et elles non, etc. À la fin, elle a ajouté : cette fois, c'est l'exception ! [...] J'étais un peu déçue, parce que c'était bénéfique pour moi, mais je ne pouvais pas défier Surcia. D'ailleurs, c'est Surcia qui m'a dit de venir en premier lieu. Mais quand la veillée a commencé et que j'en suis venue à la conclusion que je ne pouvais plus manquer ça, [...] tant pis... J'étais préoccupée parce que je ne voulais pas n'en faire qu'à ma tête, mais dans ce cas, je ne peux pas prendre en compte cette considération... (7 février 1944)*

Cette entrée est suivie d'une lettre passionnée adressée à Surcia, dans laquelle Rywka explique qu'elle doit absolument aller aux réunions et plaide sa cause, même s'il est clair qu'elle a déjà pris sa décision : elle ira. La jeune orpheline assiste peut-être à des cruautés sans nom, elle manque peut-être d'éducation, elle vit peut-être avec une famille dans laquelle elle se sent incomprise, mais elle a de la volonté, des émotions intenses, et son envie de s'améliorer, d'apprendre et de grandir ne la quittera jamais.

Le journal contient de nombreux détails sur certains aspects de la vie dans le ghetto de Łódź à ce moment historique précis. Reste que chroniquer ces événements extérieurs à sa vie ne semble pas être la priorité de Rywka. D'ailleurs, le 7 janvier 1944, elle se plaint de la place qu'ils occupent dans ses écrits : « Mais vraiment, je décris tant la vie "extérieure" que je manque de temps pour la vie "intérieure"… » Elle considère plutôt son journal comme un endroit où déverser ses sentiments et ses émotions, où confier ses problèmes et conserver ses souvenirs.

Cependant, sa voix interne (sa lutte pour apprendre à se connaître, à définir ses croyances et à garder espoir face au désespoir oppressant) est forcément marquée par les circonstances extérieures. Si l'adolescence sert à établir les bases de l'identité (qui suis-je par rapport à mes parents, mes frères et sœurs, mes amis, ma religion, ma culture, ma nationalité ? Quelle place voudrais-je occuper dans le monde ?), alors il est essentiel de bénéficier de stabilité, d'un cadre fiable à repousser. Pour Rywka et d'innombrables autres adolescents, grandir dans le ghetto signifie gérer les défis du changement dans un contexte extrêmement traumatique de perte, d'instabilité et de crainte mortelle.

À quatorze ans, on l'a déracinée de sa vie d'avant la guerre (sa maison d'enfance, son école, sa famille étendue, son cercle social) pour la plonger dans l'environnement hostile du ghetto, dans un appartement surpeuplé qu'elle partage avec des cousines qui, selon elle, ne la comprennent pas et l'apprécient encore moins. Elle se sent alors très isolée et, seule avec la dernière de ses sœurs, elle regrette la protection de ses parents, leur compréhension et leur amour. Oui, sa foi est vivace, mais même cet élément central de son identité (le judaïsme) constitue par définition une menace mortelle, comme pour tous les Juifs sous le régime nazi – problème existentiel déjà difficile à résoudre pour un adulte, alors pour une adolescente... De presque toutes les manières possibles, on l'a privée des fondations stables dont elle avait besoin pour s'épanouir, et c'est seule qu'elle a dû trouver sa voie sur un terrain instable et précaire.

Au vu de ce contexte, sa lutte pour s'améliorer et développer sa personnalité devient héroïque. Elle tente de ne pas succomber au *lachon hara*, le péché de médisance ou de calomnie, et se reproche souvent ses défauts, par exemple lorsque Mlle Zelicka lui permet de venir aux réunions du vendredi soir et qu'elle est déçue (« Ah, voyez comme je suis ! Dès qu'on me permet une chose, j'en veux déjà plus... ») ou lorsqu'elle se sent blessée dans sa fierté parce qu'on demande à une de ses camarades de lire à une réunion publique un poème qu'elle a composé :

> *On m'a ordonné de composer, de fournir des efforts, etc. etc., et quand on arrive à quelque chose de concret, je deviens superflue ?... Si je parlais vraiment si mal et Juta au moins assez bien, alors on aurait pu le comprendre, mais comme ce n'est même pas le cas... d'ailleurs, à quoi bon écrire à ce sujet ? Va-t'en, pensée, ne sois pas aussi égoïste ! (17 mars 1944)*

Dans ses efforts pour devenir la personne qu'elle veut être, elle se repose largement sur Surcia et les filles de Bais Yaakov, y compris Mlle Zelicka et Chajusia, qu'elle considère comme ses seuls exemples positifs. Elle essaie à plusieurs reprises dans le journal et dans ses lettres de trouver du réconfort dans ces amitiés, ainsi que de la stabilité et une consolation. Elle veut aussi apprendre à vivre à la manière de Surcia. Dans une lettre typique datée du 11 décembre 1943, elle dit :

> *Ah, Surcia, je voudrais tant parler avec toi de quelque chose, te voir, mais en vrai... tu me manques. Tu es un grand plus dans ma vie. Ah, si je ne Vous connaissais pas, et le plus principalement Toi... [...] S'il te plaît, écris-moi quelque chose. Ça serait une leçon pour moi. C'est Ta Rywka qui Te le demande de tout cœur.*

Cela ne l'empêche pas, plus loin dans le journal, d'essayer de se rapprocher de Surcia et Chajusia, de leur proposer aide et réconfort lorsqu'elles en ont besoin. Elle se sait jeune et inexpérimentée mais brûle de montrer qu'elle a quelque chose à offrir, de la sagesse et des conseils susceptibles d'aider même les filles plus âgées qu'elle admire tellement. Après avoir lu la correspondance de Surcia et de son amie Miriam, qui est morte, Rywka rédige une réponse émouvante pour Surcia :

> *À présent, je sais ce qu'a été Miriam pour toi et je le ressens avec toi... [...] et... j'ose à peine... mais je te propose, parce que je vois que ça te serait très utile, de te confier à moi, au moins un peu... ah.*
>
> *[...] Surcia, il ne faut pas que maintenant, quand je t'écrirai que je t'aime, tu croies que je cherche à égaler Miriam, que tu me plais et c'est pourquoi je te veux, mais sache-le : je t'aime du plus sincère des sentiments d'amour...*

Rywka se sert souvent de son journal (et des lettres qu'elle écrit à Surcia) pour développer ses idées sur les grandes questions du sens de la vie, de la nature de l'humanité et du monde tel qu'il lui apparaît. C'est vrai, elle a tendance à utiliser des images ampoulées (« la vie est un chemin obscur », « les gens [sont semblables] aux dents »), mais qui irait le lui reprocher ? Elle n'avait que quatorze ans. L'intention, à savoir l'effort de réfléchir au monde et d'imaginer des métaphores pour mieux le comprendre, est louable, même limitée par l'âge, l'inexpérience et le manque d'éducation. Rywka désire aussi ardemment accomplir quelque chose dans le ghetto – probablement à cause du concept juif de *tikkoun olam,* qui oblige chacun à essayer toute sa vie de réparer notre monde brisé. Pour elle, cela revient surtout à guider son prochain vers un meilleur comportement. Aussi prétentieux que cela puisse paraître aujourd'hui, avec un peu de compassion, on peut concevoir ses sentiments comme l'envie d'une jeune fille d'exercer une influence positive sur ses pairs et de faire une différence sur cette terre. Le 29 mars 1944, elle écrit :

Je voudrais faire tant pour le monde, parce que je vois beaucoup, il y a énormément de manques et j'ai tant de peine pour quelque chose, vraiment, je n'arrive pas à me trouver une place. Et quand je prends conscience du fait que, face au monde, je n'ai nulle importance, que je suis une poussière misérable, que je ne peux rien faire, vraiment rien, alors je me sens encore plus mal, alors je me sens à l'étroit, si horriblement à l'étroit, que je n'arrive pas à tenir le coup... Seulement à ce moment-là, pour me donner des forces, je me dis : Après tout, je suis encore jeune, très jeune, et que pourrait-il arriver d'autre ? Mais le temps file... C'est déjà la cinquième année de la guerre... [...]

Le seul fait qui me donne un peu de forces c'est (comme je l'ai déjà dit) l'espoir que tout ne se déroulera pas toujours comme aujourd'hui et que je suis encore jeune, et peut-être que moi, un jour, peut-être que je serai encore un jour quelqu'un et alors je pourrai accomplir quelque chose.

En réalité, Rywka n'a que trop conscience des défauts tant de sa personnalité que de son éducation, et de leurs conséquences sur sa capacité à s'exprimer. Elle maîtrise mal le polonais, sûrement à cause de son éducation interrompue (elle a dû arrêter l'école en 1939, à seulement dix ans). Son écriture est loin d'être aisée, elle fait beaucoup d'erreurs de grammaire et de structure. Sa ponctuation est au mieux particulière. Elle-même admet par moments qu'elle ne s'exprime pas comme elle le voudrait, que son manque d'éducation, sans parler de la faim, du froid et de la peur, l'empêche d'organiser ses pensées, de rester concentrée et de trouver les mots adaptés aux nuances et aux subtilités de ses idées. « Hier j'avais quelque chose à écrire, avoue-t-elle le 5 janvier 1944, c.-à.-d je sentais que j'avais quelque chose à écrire, mais, même si j'avais eu le temps, je n'aurais pas su quoi écrire, car je l'ai oublié, tout simplement. Je suis devenue mademoiselle-oublie-tout. [...] Je n'arrive plus à me trouver d'endroit où me mettre... »

Et pourtant, elle s'obstine. Pour de nombreux diaristes pendant la Shoah, l'écriture est l'outil nécessaire pour raconter leur vie, consigner leurs sentiments et témoigner de leur existence sur terre au cœur de l'anéantissement le plus complet. Ils sont peu – Anne Frank, Yitskhok Rudashevski, Petr Ginz, l'anonyme de Łódź – à exprimer une passion pour l'écriture en soi, un désir qui excéderait les circonstances de la guerre et dépendrait d'une vocation. Malgré son éducation limitée, Rywka en fait partie. Elle souligne souvent l'importance qu'a l'écriture pour elle, sa gratitude envers l'exercice et la place centrale qu'il occupe dans sa vie. Ses ambitions d'auteur dépassent son journal : les lettres à Surcia sont rédigées sérieusement, ainsi que ses réflexions philosophiques et les poèmes qu'elle copie dans son journal, même si elle connaît leurs défauts. À la date du 22 février 1944, elle écrit :

> *Je reste assise tête baissée et je lis. Chaque instant est précieux... J'ai décidé de lire un peu plus... Mais j'ai aussi un souci... Puisque, en dehors du journal, je n'écris rien de concret, un poème peut-être, parfois, mais de la prose ?... Ah, je ne sais absolument pas écrire en prose... Je deviens inapte en quelque sorte ?... Ah, j'avais l'impression de n'avoir rien à écrire, et finalement, dans le flot de l'écriture... tout est dans le flot de l'écriture... J'ai déjà rédigé une rédaction pour le cours, et c'est grâce à Surcia que j'ai quelque chose de vrai... même si je l'ai écrit maladroitement, mais c'est si vrai !*

À l'instar de nombreux autres diaristes (l'anonyme de Łódź, Petr Ginz à Terezin, Ilya Gerber du ghetto de Kovno, etc.), Rywka évoque les journaux de ses amies. Apparemment, Surcia en tient un, et Rywka encourage ses amies Ewa, Fela, Dorka et Mania à l'imiter. Elle offre même un cahier à Fela, qui, pour commencer, lit un journal publié afin de trouver l'inspiration. Mais Rywka critique cette initiative : « Ce n'est pas nécessaire d'avoir des modèles pour écrire un journal. C'est vrai, au début ça vient difficilement, j'en suis le meilleur exemple, mais après, on arrive à s'y faire[1]... » (12 février 1944)

Rywka se concentre aussi sur un autre aspect de sa vie intérieure : ses souvenirs de famille et sa lutte pour comprendre et, dans la mesure du possible, accepter les pertes incroyables qu'elle a subies. Au cours du journal, à la manière d'une caméra, elle brosse un panorama de sa famille, s'arrêtant ici et là pour un plan rapproché de chaque membre disparu. Le 26 janvier 1944, en se remémorant la mort de ses parents, elle décrit son père en ces termes :

> *Papa ! Je l'ai eu un instant devant les yeux comme s'il était en vie... [...] je vois ses yeux, les yeux de papa sont si expressifs... et... je me suis rappelé sa poignée de main, je la sens encore dans la mienne, c'était en ce jour de Yom Kippour où on nous a laissés entrer à l'hôpital (de la rue Łagiewnicka) et au moment des adieux, papa m'a serré la main... Oh, tout ce qu'exprimait cette poignée de main, combien j'y ai perçu d'amour paternel, oh, mon Dieu, je n'oublierai jamais cet instant-là ! Mon papa, si vivant, si amant, le plus cher des êtres de cette terre...*

Le même jour, elle se rappelle s'être rapprochée de sa mère à la mort de son père :

> *Ce n'est qu'à ce moment-là... et c'est alors que je l'ai remarqué, que ma petite maman m'a comprise... maman...*

---

1. De même que pour les journaux mentionnés par d'autres auteurs, aucun des journaux des amies de Rywka ne semble avoir survécu.

elle a senti... Dès lors, nous nous sommes rapprochées et nous ne vivions plus comme mère et fille, mais comme deux amies les plus proches et les plus sincères... nous ne sentions plus du tout alors la différence d'âge... (et j'avais douze ans). Ah, mon Dieu ! Et maman est partie et ce qu'elle n'a pas eu le temps de me dire restera à jamais un mystère...

Le décès de ses parents laisse Rywka, à douze ans, dans l'obligation de devenir une mère pour ses trois jeunes frères et sœurs. « Abramek m'a nommée mère ; "tu es notre mère", disait-il », se souvient-elle. Et comme toutes les mères, elle sentira la plus extrême des douleurs et de la culpabilité à la veille de leur déportation pendant la *Szpera* de septembre 1942. Ses remords, son angoisse de n'avoir pas su les protéger prennent de nombreuses formes : un jour, elle se fustige parce qu'Abramek, qui était « si bon » lui donnait parfois son pain, et que c'est à cause de sa « mauvaise mine » qu'on l'a emmené. Malheureusement, cette réflexion est fondée : on jugeait souvent les gens à leur apparence, ainsi qu'au travail et à la productivité qu'ils semblaient être en mesure de fournir. Une « mauvaise mine », c'est-à-dire des signes de malnutrition (œdèmes ou rétention d'eau), de maladie ou de déclin en général, pouvait conduire à la déportation et à la mort.

Un autre jour, le 19 janvier 1944, elle décrit sa petite sœur :

À travers la brume des larmes, j'ai vu les yeux terrifiés de Tamara (c'est l'air qu'elle a sur la photo)... ah, j'ai peur de l'écrire... on aurait dit qu'ils m'appelaient, comme si elle m'appelait à l'aide... et moi, rien... [...] ah, Tamara, où

es-tu ? Je veux te venir en aide… Et je me révolte, et je brûle
de courir mais comment, je suis attachée… Ah, combien de
tragédies se trouvent dans ces mots ! ? Alternativement, j'ai
peur, ils me manquent, des sueurs froides me recouvrent puis
une chaleur immense.

Rywka ne cesse de revenir à son chagrin d'avoir perdu
son frère et sa sœur et, bien qu'elle n'aurait absolument
rien pu faire, elle se sent terriblement coupable. Mais elle
n'oublie pas pour autant les vrais responsables. Ainsi, le
15 janvier 1944 : « Abramek, où es-tu ? Tamara ! Oh,
je n'en peux plus ! Des forces, ah… […] Ah, allez tous
au diable, bandits, assassins… je ne vous le pardonnerai
jamais, jamais, mais face à "eux", je suis impuissante… »
On reconnaît dans le journal de Rywka la touche de
nombreux écrits de l'époque. En un sens, elle soupçonne,
elle sait même, que son frère et sa sœur sont morts. Mais
son esprit refuse de l'accepter complètement. Le caractère irrésolu de la perte, c'est-à-dire la déportation vers
un destin incertain, laisse toujours une place à la pensée
obsédante que, peut-être, ils ont survécu. En général, c'est
une combinaison d'éléments qui torture les survivants qui
pensent au sort de leurs proches : absence d'informations
claires, dissimulation délibérée des autorités allemandes,
acceptation tacite par la communauté juive, incapacité de
comprendre pleinement et de croire, refus émotionnel de
savoir ce que l'esprit refuse de savoir, chance infime d'une
autre issue. Rywka raconte souvent des rêves (éveillés ou
non) au cours desquels cet espoir impossible prend des
formes frappantes. Par exemple, le 7 février 1944 :

Le samedi matin j'ai eu le rêve suivant... [...] la porte s'est ouverte et ils sont entrés (je croyais qu'il n'y aurait qu'Abramek) : Tamara en premier, Abramek derrière elle, puis maman. Je leur ai sauté dans les bras, j'ai pris Tamara par la main, j'ai remarqué que Tamara n'était qu'un petit peu plus grande, mais elle ressemblait en tout point à celle que nous avons vue pour la dernière fois ; Abramek, de son côté, était bien habillé et plus grand aussi... Tamara m'a dit que là où ils étaient, on les forçait aux grossièretés, que si quelqu'un était bien élevé, alors il était puni... et... je me suis réveillée...

Outre les rêves, la réalité effrayante se fraie progressivement un chemin dans l'esprit de Rywka, au fur et à mesure qu'elle apprend à l'accepter, elle se fait de plus en plus inéluctable. Un jour, alors qu'elle rêve de son avenir après la guerre, elle écrit : « Je vois un appartement modeste où j'habite avec ma sœur... jusque-là, j'ai toujours cru que ça serait avec Tamara, mais aujourd'hui, il est plus probable que ce sera avec Cipka... » (28 février 1944)

Dans la myriade de « pensées intérieures » qui habitent Rywka, un dernier thème mérite notre attention : sa lutte pour garder sa force malgré le désespoir grandissant. On retrouve ce thème dans la plupart des journaux de l'époque, et ce qu'importent l'âge, l'éducation, la position sociale ou l'environnement de l'auteur. Il est impossible de comprendre cette oscillation entre espoir et désespoir sans saisir la nature du temps pendant la Shoah. Alors que la guerre se prolonge et que les informations sur les massacres de masse se répandent dans la conscience collective, les victimes juives du régime nazi finissent par comprendre que, pour survivre, il leur faut durer plus longtemps que les Allemands. Très certainement, lorsque Rywka écrit en 1943-1944, le mince filet d'informations des radios clandestines et d'autres sources a fait comprendre à la population que la défaite allemande n'est qu'une question de temps, même dans le ghetto fermé de Łódź. Mais la population du ghetto pourra-t-elle tenir jusqu'à la fin, ou bien succombera-t-elle d'abord à la maladie, à la malnutrition, aux accidents, à la violence gratuite ou à la déportation ? Rywka le résume en deux mots le 24 janvier 1944 : « [...] j'attends la fin de la guerre. Ah, mais cette attente est en elle-même tragique ! »

La survie dépend certes de la chance, mais aussi de la capacité de chacun à garder espoir, à avoir la force de lutter pour rester en vie, et à ne pas succomber au désespoir, à l'indifférence ou à l'apathie qui mènent forcément à la mort. Rywka en est bien consciente. Elle s'exhorte (et dans certaines entrées, elle exhorte ses amies) à lutter, à tenir bon :

> *Le manque croît et progresse... il en arrive tant... et ce qui pourrait l'abattre semble si lointain... s'éloigne de plus en plus... Et qu'est-ce qui me reste à faire ? Me déchirer en morceaux ? Non ! Je ne peux pas faire ça ! Attendre patiemment ? Non, cela serait de trop ! Cela affecte trop mes nerfs... ah, j'ai peur de ne pas tenir le coup ! je crie de toutes mes forces : « tiens le coup ! » C'est le plus important ! Et le plus difficile ! Mon Dieu ! Quels combats ! Quels épouvantables combats !*
>
> *[...] Il est interdit de se laisser aller ! Mais qui songe à se soumettre ? [...] Ah, je sens que je m'enfonce de plus en*

plus dans un marécage de boue... et... et je ne peux m'en extraire d'aucune façon... [...] Non ! Je ne le permettrai pas ! J'y veillerai ! Mais cette difficulté m'envahit encore ! Ah, comment y remédier ? Où trouver la solution ?... Ce ghetto est notre enfer... (23 février 1944)

En réalité, Rywka a peu de motifs d'espoir : elle est dans l'ensemble démunie face aux forces qui la dépassent de toutes les manières possibles. Dans un autre rêve, le 2 mars 1944, son subconscient lui montre les dangers qui la menacent :

Ah, de quoi ai-je rêvé ?!... Il faisait sombre... Chajusia est venue et nous a dit que, par honnêteté, elle ne s'est pas seulement présentée, mais s'est même portée volontaire pour la déportation... Et pas seulement elle... D'autres ont fait pareil... Je m'en souviens seulement de Mlle Zelicka et de Surcia... [...] Quelque chose m'étouffait. J'étais incapable de dire un mot... Une sorte de lutte interne se déroulait en moi pour savoir si je devais me porter volontaire moi aussi, ou bien rester... D'une part, je devais rester avec Cipka et de l'autre, je ne pouvais pas me séparer de Surcia... Oh, quelle impression horrible ! [...] Oh, les nerfs... les nerfs... un tel épuisement s'empare de moi... C'est monstrueux...

Les efforts de Rywka pour tenir bon s'intensifient au cours du journal et atteignent comme une apogée de fièvre lorsque l'hiver s'attarde en février et mars, tandis que l'annonce d'une nouvelle déportation muselle le ghetto et que la faim se fait intolérable. Dans ces circonstances, la foi de Rywka devient un rempart – parfois le seul dont elle dispose – contre le désespoir total :

Combien de personnes se sont déjà interrogées : pourquoi, à quoi bon, dans quel but, et lentement elles perdaient la foi petit à petit, elles se décourageaient à l'idée de leur vie future… ah, c'est si épouvantable ! Le découragement face à la vie. C'est pourquoi je suis reconnaissante par trois fois à Dieu, et même quatre, qu'il m'ait donné la capacité de croire, parce que sans elle, j'aurais renoncé à la vie comme les autres gens. […] Aie de la patience, avec l'aide de Dieu tout ira bien. (12 février 1944)

Le matin du 8 février 1944, le ghetto doit gérer une nouvelle crise. Les autorités allemandes demandent 1 500 hommes pour travailler en dehors du ghetto. Les déportés doivent venir seulement de l'administration du ghetto, pas des ateliers ni des départements du transport ou du charbon[1]. Rywka relate l'incident cinq jours après l'ordre initial. À ce moment-là, l'administration du ghetto n'a pas réussi à réunir assez d'hommes. Forts de leurs nombreuses années d'expérience, ceux dont le nom figure sur la liste sont allés se cacher plutôt que de se présenter. En conséquence de quoi, ils voient leurs cartes de rationnement bloquées afin de les forcer à se montrer, ou sinon à mourir de faim, et leurs proches sont retenus en otages. Le 12 février, Rywka écrit :

Oh, mon Dieu, qu'est-ce qui se passe dans le ghetto ? Encore une déportation ! Il y a plein d'enfants rue Czarnieckiego, même âgés de cinq ans, comme otages à la place de ceux qui

---

1. Lucjan Dobroszycki, *et al.*, *The Chronicle of the Lodz Ghetto, 1941-1944*, trad. Richard Lourie, New Haven et Londres, Yale University Press, 1984.

ont reçu des convocations... [...] J'ai appris que Mania se trouvait rue Czarnieckiego en tant qu'otage pour son père... Mon Dieu ! La foudre s'est abattue sur moi ! Mania, rue Czarnieckiego !... Non, c'est insupportable !

Elle rapporte un discours donné par M. Zemel à l'atelier dans lequel il transmet les avertissements de Rumkowski à l'encontre de ceux qui aideraient les fugitifs. Plus tard, elle voit un groupe de déportés et dépeint la scène :

Ah, nous sommes passées chez Edzia aujourd'hui, nous avons vu une partie des hommes (une seule), ils se dirigeaient rue Czarnieckiego, on entendait des pleurs. Ah, comme ça déchire le cœur ! Ça écorche ! Nous sommes tous un seul et immense lambeau...

Nous sommes un lambeau !... Dieu, réunis-nous, c'est l'heure ! Recolle-nous en un seul morceau, inséparable ! Ah, quand est-ce que cela arrivera ? À quand la Geula[1] ?

Le 20 février, l'administration impose un couvre-feu à l'intégralité du ghetto et le Service d'ordre juif fouille chaque appartement. C'est assez pour ramener à la surface les souvenirs traumatiques de la *Szpera* de septembre 1942. Rywka griffonne :

Szpera !... *Tant de souvenirs tragiques, de douleur, de manque, d'anxiété, etc. (je n'y arriverais pas même si je voulais les comptabiliser) sont contenus dans ce mot ! Oh, mon Dieu, tant de terreur ! Rien que de s'en rappeler... et qu'en sera-t-il si une* Szpera *recommence[2]... Est-ce une* Szpera *?...*

---

1. La « rédemption ».
2. Le 20 février, l'interdiction de se déplacer dans le ghetto est déclarée. Seuls les gardiens sont autorisés à venir dans les ateliers. Les

mais (par chance) elle ne ressemble pas à la précédente, merci, mon Dieu...

Or même si les habitants du ghetto n'ont aucune raison de le croire, cette déportation est vraiment différente des autres. Les hommes désignés seront envoyés à Czestochowa pour travailler, pas au camp d'extermination de Chełmno comme tant d'autres avant eux. Pourtant, les promesses et les garanties ne peuvent venir à bout de tant d'années de terreur et de méfiance. Les hommes refusent de se présenter, et l'administration ne résoudra pas la crise avant mars. Incapable de réunir le nombre d'hommes requis, elle ira même jusqu'à arrêter des femmes et à les détenir à la prison centrale. Rywka raconte que certaines filles de Bnos (des amies de la communauté juive orthodoxe) ont elles aussi été emprisonnées. Le 24 février 1944, elle confie son désespoir et son impression d'être entraînée par le poids de la crise existentielle dans le ghetto :

> *Nous sommes dans l'obscurité... quelqu'un nous pousse... et nous pousse... nous ne pouvons pas résister... et nous nous noyons, de plus en plus loin... et nous nous enfonçons... Mon Dieu, aide-nous à nous hisser ! Mais l'aide ne vient malheureusement pas... Qui sait si elle arrivera à temps ? Ah, tout réside dans la grâce de Dieu !... Que pourrions-nous imaginer ?... Tout est vide et sombre autour de nous !... Tout est si horriblement sombre, recouvert d'une brume !... Ô brume,*

---

personnes destinées aux envois en dehors du ghetto seront interpellées à leur domicile et conduites au point de rassemblement, rue Czarneckiego (la prison). Lucjan DOBROSZYCKI, *The Chronicle, op. cit.*

*tu pèses tant sur mon cœur... j'ai du mal à respirer... ah,
c'est impossible... nous étouffons... Ah, un peu d'air frais...
ah, comme cela nous manque?... Dieu! Dieu! tout est si
tragique, si dénué d'espoir... si mauvais...*

Rywka ne risque pas d'être déportée, mais elle décrit les
effets de la déportation sur les personnes qui l'entourent.
Dans une lettre à Chajusia, elle essaie de redonner du
courage à sa cousine :

*Tu dois absolument revenir à la raison !... Ne reste pas
à la maison à longueur de journée ! Sors faire un tour ! Ça
irait peut-être un peu mieux !*

*[...] Ah, Chajusia, tu te diras peut-être que je ne peux
pas le comprendre, mais crois-moi ! [...] Là réside toute la
prouesse, celle de se contrôler soi-même et de ne pas laisser
le mal te contrôler...*

Mais celles qui ont vu ce qui se passait à la prison centrale (Surcia, Estusia, Mania Bardes et d'autres) rapportent
des scènes horribles, à faire froid dans le dos. Le ghetto
entier est affecté. Il devient, pour l'essentiel, un camp de
travail où la survie dépend de la capacité à fournir aux
Allemands des biens pour l'effort de guerre. Le 17 février,
Rywka se plaint :

*Nous sommes toutes en cours (ce n'est plus une école,
parce qu'on a changé le nom en* Fachkurs*), nous n'aurons
plus cours de juif ni de comptabilité, seulement cinq heures
de couture (de production) et une heure de dessin technique.
Interdiction d'apporter livres ou cahiers à l'atelier... De plus,
tout cela est clandestin, ils (les ateliers) doivent nous cacher,
car ça reste contre le règlement que nous, les enfants, puissions*

apprendre quelque chose... Tout cela mis bout à bout, ça fait très mal... (Chez eux, nous ne sommes plus des êtres humains, mais des machines.)

Les premiers déportés quittent le ghetto par convois de 500 au début de mars. Dès la fin du mois, des nouvelles arrivent : ils travaillent dans une usine dans des conditions correctes et reçoivent assez de nourriture. Le ghetto se détend et la vie redevient aussi normale que possible. La faim, elle, ne faiblit pas. « Dernièrement, il n'y a rien, rien..., écrit Rywka le 13 mars. Nous sommes sans cesse occupés à analyser notre estomac (ce que je déteste), nous nous animalisons... nous sommes devenus plus semblables aux animaux qu'aux humains... C'est épouvantable... ».

Vers la fin du journal, alors que l'hiver fait place au printemps, le ton de Rywka s'éclaire subitement. Certes, les difficultés ne manquent toujours pas (pendant Pessa'h, le souvenir du passé l'a accablée et elle a écrit de longs passages sur son père et sa maladie où elle raconte qu'il lui a manqué au Séder), mais la chaleur et le soleil finissent par alléger son humeur. Comme à tant d'autres écrivains, l'arrivée du printemps lui apporte un regain d'espoir. Le 11 avril, elle écrit :

> *Grâce soit rendue à Dieu pour le printemps ! Et merci mon Dieu pour cette ambiance ! Je ne veux pas écrire beaucoup à ce sujet car je ne veux pas décompresser tout ça, mais je n'écrirai qu'une chose au sens si multiple : l'espoir !*
>
> *[...] J'en suis ravie et tout. Peut-être que ça ira mieux maintenant, peut-être que ça ira vraiment bien ? Ah, le plus vite possible ! Ah, cette excitation. Il semble qu'elle s'empare*

de nous tous. C'est ce merveilleux changement de temps qui nous influence si bien, pour ainsi dire. Oui, sans l'ombre d'un doute. [...] Le bon Dieu sait de quoi nous avons besoin et... oh, Dieu, donne-nous ce qu'il nous faut ! Oh, donne-le-nous ! (Oh tiens, il pleut une pluie d'été !)

Le journal s'interrompt brusquement au cours de l'entrée suivante, au beau milieu d'un paragraphe cryptique sur l'éligibilité pour de plus longues heures de travail qui rapporteraient davantage de rations. Selon Rywka, les intéressés doivent fournir un certificat attestant qu'ils sont nés en 1926 ou 1927 et qu'ils ont donc dix-sept ou dix-huit ans en 1944. Rywka, née en 1929, est juste trop jeune. Étrangement, à la dernière ligne du journal, elle dit être née en 1927. On ne sait pas si elle s'est trompée ou si elle pensait tenter de s'inscrire. Quoi qu'il en soit, c'est là que s'arrête le journal, avec les mots « ou plutôt... » écrits au centre de la page. Le reste de la dernière page du cahier reste vierge. Cela tend à montrer que Rywka a vraiment arrêté son journal au milieu de cette entrée, pas que le reste des pages sont perdues.

Pourquoi a-t-elle arrêté d'écrire si brusquement, tout à coup ? Qu'a-t-il bien pu lui arriver pour qu'elle s'interrompe au cours d'un paragraphe sans jamais revenir au journal qu'elle aimait tant ? Nous n'avons pas de réponse. Ce que nous savons, en revanche, c'est que, un mois après la fin du journal, le ghetto sera de nouveau la cible de déportations terrifiantes en mai et juin. Puis, après un bref répit en juillet, les autorités allemandes annonceront en août la liquidation finale du ghetto.

Rywka, Cipka, Estusia, Chanusia et Minia reste-
ront ensemble dans le ghetto jusqu'à leur déportation à
Auschwitz avec la quasi-totalité de la population restante
du ghetto. Rywka emportera son journal dans le train du
ghetto de Łódź à Auschwitz, où on le trouvera après la
libération au printemps 1945. Dans sa dernière entrée,
le 12 avril 1944, elle exprime toutes les contradictions et
les luttes de sa jeune existence : la beauté et la joie du
monde, la misère de sa vie ; le poids étouffant du désespoir, ses efforts pour garder espoir et, surtout, son désir
de vivre, toujours tenace malgré ses souffrances.

*Dans un premier temps, on a tant envie de vivre, on
devient étrangement moins triste, mais on ressent si précisément notre infortune, alors un tel abattement recouvre
notre âme… il faut vraiment beaucoup de force pour ne
pas se laisser aller. Car en voyant ce monde magnifique et
ce printemps adorable et tout cela ensemble, et en voyant en
même temps à quel point nous sommes privés de tout, ici
au ghetto, et même des choses naturelles, car nous sommes
réellement privés de tout, nous n'avons pas la plus petite des
joies parce que nous sommes, par malheur, des machines,
et des instincts animaux très développés vivent en nous,
on peut les reconnaître à chaque pas (surtout autour de
la nourriture) […]. À quoi bon écrire à ce sujet ? Après
tout, j'ai tellement envie, j'ai réellement énormément envie.
Et c'est précisément au moment où cette pensée me traverse l'esprit que nous sommes privés de tout, que nous
sommes esclaves, alors, à ce moment-là, avec toute la force
de ma volonté, j'essaye de chasser au loin cette pensée et
de ne pas gâcher ce bref instant de joie de vivre. Mais*

c'est tellement difficile ! Ah, mon Dieu, combien de temps encore ? Je crois que le seul véritable printemps viendra quand nous serons libérés. Ah, combien ce cher et grand printemps me manque...

Alexandra ZAPRUDER

Le Journal
de Rywka Lipszyc

Ghetto de Litzmannstadt, 3 octobre 1943

Les premières fêtes sont passées (Rosh ha-Shana)[1] et pour moi, personnellement, elles étaient plutôt agréables. Hier, c'était samedi, et nous nous sommes réunies. Surcia lisait notre petit journal[2]. Ah, il était merveilleux, si émouvant !... Plus tard, les adultes nous ont rejoints. Monsieur Berliner a fait un discours... Mais j'ai des soucis qui n'ont rien à voir avec ça... Premièrement, Fela Mordkowicz est encore malade, son neveu va mieux, mais le pire, c'est que sa mère est très malade aussi, elle ne va vraiment pas bien, tant elle se préoccupe pour la santé de l'enfant (son petit-fils)... Et, en plus de ça, j'ai

---

1. Rosh ha-Shana : nouvelle année du calendrier hébraïque. Au ghetto, le nouvel an a été célébré le 31 septembre 1943.
2. Il s'agit probablement d'un journal préparé par un groupe de jeunes filles. Des journaux semblables étaient créés par des adolescents réunis dans des organisations sionistes ou socialistes. Une partie d'entre eux est préservée dans les Archives nationales de Łódź, une autre aux Archives du mémorial Yad Vashem à Jérusalem.

découvert quelque chose en moi, des sentiments qui étaient inconscients jusqu'à peu. Depuis plusieurs mois, je ressens une sorte de manque. Un manque de quelque chose de plus grand, de meilleur, de plus chaud... Et hier, après la réunion, j'ai vu que par rapport à mes camarades je suis à un autre niveau, et c'est pourquoi elles m'admirent. D'après elles, je sais déjà beaucoup de choses et j'ai des capacités... Oh, comme elles ont tort ! C'est justement là que réside leur erreur... Je me suis confiée à Ewa à ce sujet. Elle m'a confirmé que je peux leur apporter quelque chose, et que même si ce n'est pas beaucoup, j'en suis capable. Mais moi, je sens que je sais si peu... Et que je maîtrise si peu... Je dois écrire une lettre à Surcia.

Ghetto de Litzmannstadt, 5 octobre 1943

J'ai eu très peu de temps et c'est pourquoi je n'ai rien écrit hier. De plus, je n'ai rien eu de si important à écrire. Mais aujourd'hui, nous avons eu un cours d'hébreu[1] et c'était un cours très ennuyeux. Après le cours, je suis passée chez Fela en coup de vent. Ils vivent avec quelqu'un dans leur appartement. Cet homme a allumé une lampe et voulait sortir aussi. Je n'ai pas fait beaucoup attention. Il est sorti de sa chambre en premier et a ouvert la porte, la lampe allumée à la main, il attendait. Quand je me suis approchée, il

---

1. Les cours d'hébreu étaient dispensés dans des ateliers où on préparait les enfants au travail dans le cadre des actions de productivité et de restructuration juvénile. Lucjan DOBROSZYCKI, *The Chronicle*, *op. cit.*

attendait toujours. Je me suis arrêtée un instant, parce qu'il était plus vieux, donc ça ne se faisait pas de passer en premier. Mais il n'a pas bougé. J'ai compris que je devais sortir et c'est ce que j'ai fait. Il m'a suivie. « Un peu de lumière ? » Je n'ai rien répondu, mais je me suis dit : *Qu'est-ce qu'il [?] m'éclairer, après tout, il ne le fait pas exprès.* Mais je me suis dit aussi : *Sois prudente !* « Je vais simplement vous raccompagner. » J'ai cru qu'il allait éclairer les escaliers pour que je descende. Rien de tel... il m'a pris par la taille... En pensée, j'ai remercié Dieu qu'il fasse noir et qu'il ne puisse pas voir mon visage. J'ai eu envie de rire. Chaque fois que je me suis imaginé une telle situation, mon cœur battait à tout rompre, alors qu'à ce moment-là, j'ai simplement eu envie de rire... Quand il m'a prise par la taille, il a commencé à descendre les marches, donc j'ai pu faire de même sans craindre de trébucher. Alors, j'ai senti qu'il me serrait davantage et il a même chuchoté : « Viens, viens. » Je n'ai rien dit dans l'escalier et des émotions étranges m'ont envahie. Mais ce « Sois prudente », je l'entendais toujours. Enfin, nous sommes arrivés en bas et il m'a lâchée. J'ai pensé : *Dieu merci.* Leur cour est très longue, et il m'a éclairé le chemin, il agitait sa lampe dans tous les sens, me demandant sans cesse si ça allait comme ça ou si c'était mieux autrement. (Quand nous avions descendu l'escalier, je l'avais déjà remercié.) Il a été très prévenant avec moi, même cordial. Les lampes du ghetto grésillent et la sienne n'était pas mieux. « De la musique », m'a-t-il dit et après un instant, nous étions près du portail : « Vous avez été raccompagnée chez vous en musique. – C'était très agréable », j'ai répondu. Nous nous sommes séparés. De loin, il m'a demandé encore : « Où est-ce que vous habitez ? » J'ai répliqué : « Rue Wolborska. – Mince », il a murmuré. J'ai soupiré de soulagement. Il faut que je demande à Fela qui c'est. Je m'en suis assez bien sortie, ça aurait pu finir plus mal...

Ghetto de Litzmannstadt, 6 octobre 1943

Il y a quelques instants, Łucki m'a dit de passer à son bureau vendredi (on est mercredi). Samedi, c'est Yom Kippour[1]. J'étais en train d'écrire une lettre à Surcia. Puis, il a encore parlé (de bon cœur), en me disant qu'au fond il vaudrait mieux pour moi que je travaille à l'atelier[2], qu'au moins j'apprendrais quelque chose, etc. Et il m'a demandé qui s'occupait de moi. Je lui ai dit que c'était Estusia[3] et

---

1. Yom Kippour : Jour du Grand Pardon, la plus importante des fêtes juives.
2. Rywka Lipszyc utilise le mot *resort* qui a intégré très tôt le langage du ghetto pour décrire les ateliers, les manufactures et les boutiques. Progressivement, tous les établissements du ghetto ont été nommés *resorts*. Par exemple, on ne parlait pas d'atelier de couture ou de fabrique de métallurgie, mais de *resort* de couture ou de métallurgie. Le pouvoir allemand n'a jamais accepté cette dénomination, demeurant fidèle aux mots *Werkstätten* ou *Betriebe*. La majorité de la production du ghetto était destinée aux Allemands. Plus de 70 % de la production répondait aux commandes des administrations de l'État, surtout de l'armée, de la police et d'autres organisations paramilitaires. Lucjan DOBROSZYCKI, *The Chronicle, op. cit.*
3. Estera « Estusia » Lipszyc (née le 31 octobre 1923), fille du rabbin Jochanen Lipszyc, et de Chaia Iska Segał. Tutrice légale de Rywka et de Cypora Lipszyc, qui étaient les filles de son oncle. La mère d'Estera

qu'elle avait vingt ans. Il m'a demandé de la faire venir demain parce qu'il doit lui parler. Très intriguant...

Ghetto de Litzmannstadt, 7 octobre 1943

Sala, Cipka[1] et moi, nous nous sommes baignées aujourd'hui. Nous sommes allées aux bains d'en face[2]... Ça a été tellement agréable que nous avons décidé d'y retourner plus souvent. Nous avons eu droit à une salle d'eau avec deux baignoires. Cipka avec moi, et Sala toute seule. Pendant que nous attendions que la pièce se libère, un homme était assis sur un banc à côté de nous. Nous avons remarqué qu'il m'observait beaucoup quand nous sortions, c'est-à-dire quand je me peignais et que la porte était entrouverte. [?] j'étais toute rouge, je devais lui plaire [?]. Comme nous patientions, il avait entamé la conversation [?]. Assez avec ça. Je dois seulement ajouter que j'ai failli [être en retard?]. Je suis arrivée à midi cinq.

Je rentre, Estusia est [assise?] sur une chaise à côté de la table de Łucki. En bref, ils ne veulent [plus?] que je travaille ici, à la Comptabilité centrale. Il faut qu'on s'arrange pour que je travaille dans un atelier avec formation.

était la fille du dernier rabbin de Łódź, Mosze Menachem Segał, qui, en novembre 1939, a été obligé par les Allemands à souiller les rouleaux de la Torah, ce que décrit Ytshak Katzenelson dans le poème *Chant du peuple juif assassiné*. Estera habitait au 38, rue Wolborska, appartement 16, avec ses sœurs et ses cousines adoptées.

1. Cypora « Cipka » Chaja Lipszyc (née le 9 octobre 1933), sœur de Rywka.
2. Les bains se trouvaient au 39, rue Wolborska.

Oui, je dois faire cet effort, et ça m'énerve déjà bien trop. C'est une instruction de la direction et on n'a pas le droit de [former ?] ici, etc. Je voudrais précipiter le moment du changement !

Voilà, maintenant, je parcours un bouquin juif et je dois noter ce qui me plaît.

De belles idées du rabbi Meïr :

« Ne calme pas ton prochain au moment de sa colère, ne le console pas quand un mort gît à ses pieds, ne lui rends pas visite le jour de sa défaite et n'essaye pas de le voir le jour de son humiliation. »

De belles idées du rabbi Juda Hanassi :

« J'ai appris beaucoup de mes professeurs, davantage de mes collègues, mais plus encore de mes élèves[1]. »

Ghetto de Litzmannstadt, 8 octobre 1943

Au bureau, il y a beaucoup d'animation. Parce que demain, c'est Yom Kippour, le jour du Jugement (ou le jour du Pardon). Mais ça ne m'intéresse pas tellement. Hier, après le travail, je suis allée voir Zemlówna[2]. Je lui ai parlé

---

1. *Pirke Avot* (Les Maximes des Pères) : traité d'apophtegmes et de réflexions éthiques intégré à la liturgie du Sabbat.
2. Rywka parle souvent de Zemlówna, qui serait la sœur de M. Zemel, un gérant de l'atelier de couture. Il pourrait s'agir de la patronne de Rywka, mais puisque son âge n'est pas clair (elle pourrait avoir le même que Rywka), nous avons laissé le diminutif Zemlówna et non le nom Zemel.

de mon embauche dans un atelier, si elle peut, elle m'aidera. Son frère travaille chez Glazer, il y est une sorte de gérant.

Ghetto de Litzmannstadt, 10 octobre 1943

Le jeûne est passé – ça n'a pas été si mal –, mais j'ai été et je suis toujours très faible. J'ai pratiquement passé la journée entière en compagnie de Fela, de Sala, d'Ewa et de Ryfka (Mandelzis). Nous sommes descendues dans la rue, mais nous ne sommes pas allées bien loin parce que nous avons manqué de forces. Le soir, après le dîner, Cipka, Sala et moi, nous sommes redescendues à nouveau, car ce n'est pas sain de se coucher juste après manger. Nous avons parlé de certaines choses, je devrais vraiment les écrire, mais malheureusement, je ne peux pas. Peut-être que je les écrirai un jour (ça concerne mes cousines).

En ce moment, je lis un livre intitulé *Les Racines du soleil japonais*[1]. Il faut que je note : « Le cœur du peuple japonais est tout entier dans la tradition ; son esprit, dans la modernité. »

---

1. Récit de voyage de Boris Pilniak (de son vrai nom Boris Andreïevitch Vogau – 1894-1937), écrivain russe, fils d'un Allemand et d'une Russe. Grand voyageur (Europe de l'Ouest, Chine, Japon, États-Unis, île de Spitsbergen). Victime des Grandes Purges staliniennes – arrêté en 1937 sans motif et exécuté. Réhabilité en 1956. Auteur de nombreux romans, de nouvelles et de reportages. (*Racines du soleil japonais* est publié en France aux Éditions du Sandre.)

Ghetto de Litzmannstadt, 11 octobre 1943

Hier, avant le soir, j'ai eu énormément de choses à régler. Heureusement, j'y suis allée avec Sala. Elle voulait échanger le [manteau ?] qu'elle a reçu à l'atelier (elle travaille chez Jakubowicz[1]). Elle m'a prêté son manteau d'hiver, ce qui m'a été très utile. Il me va comme un gant, on dirait du surmesure. Nous sommes allées aux laveries[2], mais c'était justement la pause et nous avons dû attendre jusqu'à 18 heures. Puis nous sommes allées chez Zemlówna – elle a déjà parlé avec son frère et il faut que j'aille le voir ce soir. Après ça, nous nous sommes rendues chez notre oncle, mais il était déjà trop tard et Sala doit y retourner aujourd'hui. Et puisque nous n'étions pas très loin de chez Surcia, nous avons fait un saut chez elle. Là, nous nous sommes follement amusées. Surcia voulait aller chez Chaja, mais celle-ci lui a épargné cette peine ; elle est venue d'elle-même. Finalement, Surcia s'est préparée et nous sommes allées toutes les quatre chez Tusia.

J'ai dû me débrouiller pour me trouver un ticket de rationnement pour me faire coudre un manteau. Qui sait combien de temps ça va mettre. Un homme était assis dans la première pièce, un ami d'Estusia. Moi, le manteau de Pola me

1. Il s'agit certainement du Bureau central des ateliers de travail, dirigé par Aron Jakubowicz.
2. Les laveries étaient situées au 75, rue Drewnowska. Lucjan DOBROSZYCKI, *The Chronicle, op. cit.*

va bien, il me rend plus sérieuse. Estusia m'a appelée et me l'a présenté. Il m'a serré la main si fort que j'ai cru défaillir parce que j'ai une brûlure sur le petit doigt. Estusia m'a dit qu'à côté de moi Chaim a l'air d'un enfant, alors qu'il a un an de plus. Et Tusia m'a chuchoté à l'oreille : « C'est l'amoureux d'Estusia qui est assis là-bas, elle ne va pas tarder à partir avec lui. » Il faisait très froid et Estusia avait peur que je ne tombe malade, donc elle m'a enfoncé le bonnet de Tusia sur la tête (j'ai des oreilles très fragiles). Dans la rue, nous avons marché toutes les quatre, mais comme Chaja me tenait et qu'elle tenait aussi un livre prêté par Surcia, elle me l'a confié et quand nous nous sommes dit au revoir, nous avons complètement oublié ce livre, je ne m'en suis souvenue que plus tard. Je pourrais dire que ce livre m'est « tombé du ciel », mais je vais le ramener chez Chaja aujourd'hui. Une fois à la maison, je me suis fait un peu gronder, mais bon, après tout, j'avais eu beaucoup de choses à régler. Justement, Lola et Majer étaient chez nous. Et j'ai donc assisté à ça. Toujours quand elles (les cousines) vont chez eux (les Rosset), elles y vont en riant, etc., etc. Et à ce propos, j'aurais voulu savoir ce qui [les a fait rire ?]. Mais ça ne vaut même pas la peine d'en parler. D'abord, à cause de [?], ils disaient tous que [?]. Tout le monde riait... etc. On aurait dit qu'ils étaient devenus fous. Eh ! C'étaient des bêtises, ça ne se faisait pas.

Je n'aime pas ça...

Ghetto de Litzmannstadt, 12 octobre 1943

C'est déjà mon dernier jour au bureau. J'ai reçu l'autorisation de quitter mon poste et ma convocation à l'atelier. À part ça, hier, je suis allée chez Chajusia (il fallait que je lui ramène son livre) et nous avons parlé des cousines. Après, je me suis sentie bizarre. Mon cœur était lourd. Aujourd'hui, je ne sais plus trop pourquoi. Hier, au bureau, j'ai lu ces nouvelles que j'ai rapportées à Chajusia. Donc, j'ai lu *Le Sonnet de la souffrance*[1]. Ah, c'est écrit de manière si caractéristique que j'admire tout simplement l'auteur. Oh, il y a tant d'aspects qui me correspondent, mais il y a également des choses contraires. Par ex., cette question de la foi. Moi, je suis croyante et lui voulait croire, mais sa foi ne lui apportait aucun réconfort. Oh, vraiment, c'est écrit de façon géniale ! Et je comprends cette lutte interne. Oh, comme je l'ai ressentie ! Et c'est peut-être pour ça que mon cœur était si lourd. À des moments pareils (comme je l'ai déjà signalé), je voudrais être seule, ou alors en tête à tête avec une personne qui me comprendrait – j'étais chez Fela Działkowska à ce moment-là. Je lui ai confié cette pensée, mais ni elle ni moi n'avions le temps de nous attarder. Ce temps, cet insupportable manque de temps... Comme il me met à l'épreuve (pas seulement moi, mais tout le monde). Ah,

---

1. Il s'agit probablement de *Sonata Cierpienia* (« Le Sonnet de la souffrance »), une nouvelle d'Ignacy Dabrowski (1869-1932), publiée dans un recueil en 1900 et jamais traduite en français.

je sens que même maintenant, mon cœur me fait souffrir...
Dieu ! Mon Dieu ! Qu'arrivera-t-il ? Le monde est trop étroit
pour moi, je n'arrive pas à trouver ma place, et pourtant, je
reste assise si paisiblement sur ma chaise, rien ne trahit mes
états d'âme, et même, si jamais quelqu'un se mettait à parler
d'un sujet drôle, je me mettrais à rire sincèrement. Et après,
je me dirais : *C'est bête !* Mais que faire ? Que faire ? Hier,
j'ai réfléchi un peu, je me suis dit : une fille de quatorze
ans, on peut la considérer comme une enfant, si on ne prend
en compte que son âge, j'ai de parfaits exemples parmi mes
camarades. Quoique, à vrai dire, le ghetto agisse beaucoup
sur elles (et sur moi aussi), et il est facile de comprendre
que ça ne donne rien de bon. Mais malheureusement, les
gens ne prennent en considération que l'âge et non l'esprit.
Moi, comme j'ai quatorze ans, certains me prennent pour
une enfant (et encore, j'ai de la chance d'être joliment déve-
loppée sur le plan physique). Mais comme ils se trompent !
Et comme je me gâche ! Mais personne ne le sait, il n'y a
que moi à le ressentir. Je me dis que, si j'étais plus vieille,
peut-être que les gens me comprendraient davantage, mais
bon, je n'arriverai pas à avancer d'un pas supplémentaire,
car supposons que je réfléchisse beaucoup, qu'est-ce que cela
m'apporte ? Je reste impuissante...

Ghetto de Litzmannstadt, 17 octobre 1943

Aujourd'hui, c'est Souccot[1] et c'est le premier dimanche depuis très, très longtemps qui n'est pas travaillé. Dès le mercredi, j'ai été affectée à un atelier avec formation (au 19, rue Żydowska), mais je suis sur liste d'attente, il n'y a pas de places libres, ce qui me convient parfaitement, car je reçois quand même les soupes. Mais ce n'est pas de ça que je voulais parler.

Vendredi, il y a eu un incident étrange. Après l'allumage des bougies, Estusia et Minia sont allées chez Lola, elles devaient y rapporter quelque chose. Très vite, les choses sont devenues inquiétantes : la lumière était allumée, mais personne ne répondait. Le soleil se couchait, Minia appelait, mais sans résultat. Elles ont fait le tour de la rue et quand elles sont revenues une nouvelle fois, le rideau était tiré. Il n'y avait plus aucun doute, quelqu'un se trouvait bien dans l'appartement. Estusia est montée et a frappé à la porte. Et elle a entendu la voix de Majer. Il parlait tout bas : « Allez-vous-en, je viendrai vous voir dès que possible. » Elles n'ont pas eu d'autres choix que de revenir à la maison. Quand nous l'avons su, nous ne savions pas quoi penser. Il y avait aussi Nacia, Bronka et Pola Dajcz[2] chez nous. Ah oui, j'ai oublié de

---

1. Souccot ou « Fête des Cabanes » commémore le trajet du peuple juif de l'Égypte jusqu'à la Terre promise lors duquel les Juifs habitaient dans des cabanes.

2. La famille Dajcz occupait l'appartement voisin. D'après les cartes d'enregistrement, il y avait des jumelles Nucha-Brana et Perla-Rajza (nées le 19.11.1925) ainsi que Chejwitt-Rywka (née le 5.12.1926) et

dire : Ewa est tombée malade, et Pola lui réchauffait quelque chose, je ne me souviens plus très bien de quoi. Mais nous n'avons pas eu le choix et nous avons dû attendre. Les minutes semblaient des heures. Enfin, Lola et Majer sont venus. Que s'était-il passé ? La police secrète[1] cherchait un de leurs voisins qui s'était caché chez eux, et c'est pour ça qu'ils n'ont pas pu les laisser entrer. Mais rien de grave. À part ça, Chajusia et Surcia nous ont proposé de passer les fêtes ensemble. Alors que nous voulions être entre nous. Au bout du compte, nous ferons quelque chose de notre côté, mais nous devons aussi imaginer un programme. Peu importe. La veillée d'hier m'a beaucoup aidée, oh... comme c'est agréable quand on comprend, quand on a les yeux grands ouverts et qu'on sait ce qu'on fait ! Hier, justement, j'ai beaucoup compris...

Aujourd'hui, nous sommes retournées aux bains. À part ça, j'ai encore le même souci, car je ne peux rien apprendre... Cette nuit, j'ai rêvé que je m'achetais un livre de biologie...

Sura (née le 10.11.1928). D'autres prénoms étaient probablement utilisés au quotidien.

1. Il s'agit des Troupes spéciales (*Sonderkommando*) – c'était une unité du Service d'ordre spécialisée. Chaim Rumkowski a défini sa fonction comme suit : « La découverte et la confiscation d'objets et de matériaux nécessaires à tous, ainsi que l'effectuation d'opérations spéciales ». Officiellement, le *Sonderkommando* dépendait de Rumkowski, dans les faits, elle recevait souvent ses ordres directement de la Kripo ou de la Gestapo. Prenant une importance croissante tout au long de l'existence du ghetto, acteur privilégié du processus des rafles et des déportations, cette Unité spéciale était crainte des habitants (en 1943, ses membres ont pris le contrôle du Département de la nourriture ; dès 1944, ils décidaient des licenciements ou des déportations). Lucjan DOBROSZYCKI, *The Chronicle, op. cit.*

Ghetto de Litzmannstadt, 19 octobre 1943

Dès demain, je vais au travail à 8 heures (Franz 13/15). À part ça, jeudi, nous avons une veillée à 15 heures et, probablement, nous devrons faire un spectacle... Ah, que ça soit réussi !

Hier, nous avons encore eu droit à une baignoire. Estusia et Minia dans une salle d'eau (2 baignoires), et Sala, Cipka et moi dans une autre.

Ghetto de Litzmannstadt, 23 octobre 1943

Les fêtes sont déjà passées. Ah, j'ai tant de choses à écrire que vraiment, je ne sais pas par quoi commencer ! Et je sais aussi que je n'arriverai pas à tout écrire aujourd'hui. Mercredi, j'ai été en formation et j'ai beaucoup aimé ça... Nous avons appris à prendre des mesures pour une jupe, mais, en fait, le cours ne commencera véritablement qu'à partir de lundi, ce qui me fait très plaisir car je n'y suis pas retournée depuis jeudi (à cause des fêtes). Aujourd'hui, Dwojra (elle nous apporte de l'eau) m'a transmis un message de la Com. de protection des mineurs[1] pour que je me

---

1. La Commission de la protection des mineurs fut créée le 22 septembre 1942 avec pour mission de placer les orphelins dans des familles d'accueil d'après les décrets d'adoption introduits par Chaim Rumkowski. La nécessité d'une telle structure fut patente après la *Szpera*, la grande rafle d'enfants et de vieillards de septembre 1942 lors de

présente « immédiatement » (la lettre a été envoyée mercredi, nous sommes samedi)… À part ça, nous avons organisé une réunion jeudi (notre cercle)… J'hésite encore à écrire d'autres choses ; je n'ai ni la patience ni le temps. Eh non, je n'écrirai pas maintenant… Il semblerait que ça en soit assez pour aujourd'hui…

Il est tard. Cipka veut que je lui fasse son lit…

Ghetto de Litzmannstadt, 26 octobre 1943

Je me sens un peu mieux… mais, dimanche soir, j'avais une forte fièvre… Dimanche, nous avons eu beaucoup de choses à régler : la lessive (pas encore terminée), les fenêtres, les draps et en ville. Estusia ne se sentait pas bien, elle avait un peu de fièvre et elle s'est couchée. Moi aussi, je me sentais mal, la tête me faisait affreusement souffrir. Quand je suis revenue de la ville (j'ai aussi reçu des cartes pour le dentiste[1] de la part de la Com. de protection des mineurs), j'avais une température en hausse. En début de soirée, ma température continuait à monter. Minia m'a mis les housses et fait le lit, elle radotait tant en le faisant, comme quoi elle

---

laquelle beaucoup de familles ont été morcelées. Le président Rumkowski appelait à l'adoption des enfants devenus orphelins, mettant en place des tickets de rationnement supplémentaires pour de tels foyers. L'adoption fut effective dans le cas de Rywka et de Cypora « Cipka » Lipszyc, adoptées par leurs cousines.

1. Un cabinet dentaire fonctionnait au ghetto depuis 1940. La *Zahnklinik* dépendait du Service de la santé.

est une bonne cousine, etc., elle me demandait sans cesse de le noter.

Ghetto de Litzmannstadt, 29 octobre 1943

J'ai très peu de temps. Minia travaille à la banque[1], et Chajusia s'y rend demain pour un essai, elle devrait y travailler également, tandis qu'Estusia va remplacer Minia à la *Treibriemen-Reparatur*[2]. Moi, je suis allée en formation aujourd'hui et j'en suis très contente.

Mais à part ça, je suis inquiète, mais je n'ai pas le temps d'écrire à ce sujet pour le moment... Tout simplement, comme le dit Surcia, je n'ai pas l'âme en paix... Je ressens un grand besoin d'écrire, et pour mon malheur, il n'y a pas d'encre à l'atelier et il y a beaucoup de choses que je ne transcris pas. Ah...

Ghetto de Litzmannstadt, 31 octobre 1943

Aujourd'hui, on est dimanche. Estusia et Minia travaillent. Chanusia ne travaille pas à la banque. Il fait déjà très froid. Je suis soucieuse : ce matin, c'est comme si je

---

1. La Banque du Conseil juif des Anciens fut créée le 26 juin 1940. Sa principale mission était de contrôler l'émission de l'argent du ghetto, les *Markquitungen*. Lucjan DOBROSZYCKI, *The Chronicle, op. cit.*

2. *Treibriemem-Reparatur* : atelier de réparation des courroies de transmission, créé en août 1942.

m'étais souvenue qu'Abramek[1] et Tamara[2] ont été déportés et que maman est morte... Ça m'a rendue si triste, si oppressée par le chagrin dans le monde, et je me suis dit : je ris, je suis gaie, je pense aussi à d'autres choses, même si je pense beaucoup à eux, mais j'ai toujours des remords : pourquoi j'ai fait comme ci et pas autrement. Est-ce que j'aurais pu seulement imaginer qu'un jour je serais séparée d'eux ? Jamais, ça ne m'a même pas traversé l'esprit. À chaque fois que je lisais des livres tristes (avant la guerre ou au début), j'étais très émue, mais après les avoir finis, je pensais : *Oui, c'est très beau, mais ça ne peut se passer que dans un roman. Est-ce que ça pourrait arriver dans la réalité ?* Et je me comparais aux personnages et je ne pouvais pas seulement m'imaginer que je n'aurais plus de parents. Et aujourd'hui ? Aujourd'hui, je l'ai vécu moi-même et je le vis encore. Je l'expérimente sur mon propre cas...

---

1. Abram Ber Lipszyc (né le 13.01.1932), frère de Rywka, déporté au camp d'extermination de Chełmno lors de la *Szpera* (la grande rafle d'enfants et de vieillards) de 1942 et gazé là-bas.

2. La plus jeune des sœurs de Rywka, née le 03.11.1937 et déportée tout comme Abramek vers Chełmno lors de la grande *Szpera* de 1942. D'après les cartes d'enregistrement, elle était prénommée Estera, mais on l'appelait Tamara, probablement pour la distinguer d'Estera Lipszyc, la grande cousine de Rywka, fille de leur oncle. Tout comme Rywka, les deux fillettes ont probablement hérité leurs prénoms de leur grand-mère, Estera Rywka.

Ghetto de Litzmannstadt, 3 novembre 1943

Ça va plus mal dernièrement au ghetto avec le ravitaillement, et il paraît qu'ils doivent supprimer le *bajrat*[1]... Ah, vraiment, j'en ai assez de tout ça... Déjà, l'année dernière, on nous a coupé le *bajrat*, Minia est allée chez Gertler et nous avions bénéficié d'une grande protection, quand ils l'ont rendu à quelques familles, nous étions parmi elles... Et maintenant, aucune protection ne nous aidera. Qui sait ? Tout dépend de la grâce de Dieu. Je suis mal à l'aise... et tout ça...

Quant à la formation, ça ne va pas si mal, j'en suis contente. Je vais pouvoir faire soigner mes dents gratuitement et je pourrai me faire coudre un manteau (via la Protection des mineurs).

Ah, mon cher journal, si je pouvais inscrire dans tes pages tout ce que je ressens et si j'avais plus de temps ! Ah, j'ai un poids sur le cœur... Je suis allée chez Fela, une leçon d'hébreu était prévue, mais elle n'a pas eu lieu... ça n'a pas de sens non plus... Et tout ça mis bout à bout... Mais j'écris de manière trop chaotique et je dois me coucher maintenant...

---

1. *Bajrat :* la ration « B », aussi appelée « bajracki », distribuée aux personnes privilégiées dans le ghetto. Le mot vient de *Beirat*, Conseil des anciens.

Ghetto de Litzmannstadt, 4 novembre 1943

Aujourd'hui, nous n'avons fait que coudre à la machine. Nous devions aussi avoir d'autres cours, mais puisque toutes ne pouvaient pas coudre dès le premier cours à cause du manque de machines, nous avons dû... c.-à-d. nous avons eu un autre cours de couture à la machine, grâce à quoi j'ai eu le temps de faire quelque chose, sinon, je n'aurais pas réussi une « maille honnête ».

À part ça, je suis très triste (on ne le dirait pas, vu de l'extérieur, mais la tristesse me déchire le cœur), Abramek et Tamara me manquent terriblement. Avant, je chantonnais *Kinderjorn*[1] (« Les Années d'enfance »), oh, comme j'allais bien alors ! Ah... oui, comme il y a deux semaines, Surcia m'a dit (à l'oreille) que, en marchant avec Chajusia, elles ont rencontré Estusia et Minia qui leur ont dit que j'avais changé en mieux. Je me demandais sans cesse à quoi ça pouvait être dû et je ne peux l'expliquer que par le fait que je travaille plus. Qu'est-ce que je dis ? Plus ? Je fais presque tout ! Ça n'est pas étonnant, du coup. Mais il y a peut-être autre chose que je suis incapable d'apercevoir ? Surcia me l'a-t-elle dit pour me consoler ? Oh, mon cher journal, qu'arrivera-t-il ? Dieu seul le sait !

---

1. *Kinderyorn* : chanson yiddish de Mordechai Gebirtig.

Ghetto de Litzmannstadt, 5 novembre 1943

Ce matin, je suis arrivée en retard au travail. Pas seulement moi, mais beaucoup de filles, ils ne voulaient pas nous laisser entrer, et ils ne l'ont pas fait. Je suis retournée à la maison. Ils ont laissé entrer Cipka, même si elle est arrivée en même temps que moi, j'ai dû lui apporter son petit déjeuner et un bol pour sa soupe, donc le portier m'a laissée la voir. Je lui ai laissé ma Arb. Karte[1] au cas où, et je lui ai ordonné de dire à Dora Zand de récupérer ma soupe. Ça marchera peut-être...

Et hier, il y a eu (je ne sais pas moi-même comment l'appeler) une sorte de scène : chez nous, c'est vraiment une « maison de fous ». Hier soir, j'ai voulu préparer un peu de laine pour aujourd'hui et vraiment, je n'avais plus grand-chose à finir. Cependant, elles se sont toutes couchées et quand Chanusia[2] est allée au lit, elle m'a dit qu'elle ne pouvait pas dormir et qu'elle devait éteindre la lumière. Je lui ai répondu que je le ferai, que j'avais presque fini. Chanusia n'a pas attendu et a éteint la lumière. Qu'est-ce que je pouvais faire ? J'ai rallumé. Je n'ai même pas eu le temps de revenir à table qu'elle avait à nouveau éteint. Alors je me suis rappelé que dans le « vestibule » la lumière était allumée, alors j'ai rallumé encore dans

---

1. *Arbeitskarte* (« Carte de travail ») : document prouvant l'embauche dans un atelier, comportant des données de domiciliation et une photographie. Sans la Carte, il n'était pas possible de percevoir sa soupe dans les ateliers.

2. Chana « Chanusia » Lipszyc (née le 03 janvier 1925) est la sœur d'Estera, et la cousine de Rywka.

la chambre, je suis entrée dans le vestibule pour l'y éteindre. Quand je suis revenue, Minia me souriait... Chanusia a commencé à me disputer, comme quoi elle ne l'autoriserait pas, etc., etc. Elle a éteint... « Très bien », ai-je répondu, énervée, les larmes me montaient aux yeux. Je me suis assise et je me suis mise à pleurer tout bas, la raison était de mon côté... Minia m'a conseillé d'allumer au niveau de la prise, elle n'aurait certainement pas le courage d'y aller sans cesse, mais moi, bien entendu, je ne l'ai pas fait ; Estusia m'a ordonné d'allumer la lumière. Je l'ai fait. Et c'était reparti, Cipka a commencé à pleurer, Estusia est descendue et a allumé la prise. Pourtant, je ne pouvais pas tout laisser sur la table comme ça, un peu par décence, en quelque sorte, un peu par satisfaction, et j'ai dit tout haut : « Je suis occupée à la maison toute la journée, je n'ai pas un instant à moi, et quand je veux terminer quelque chose, vous ne me le permettez pas ! » et j'ai ajouté en pensée : *Nous allons voir.* Chanusia est descendue et a éteint, puis, quand j'ai rallumé, elle est restée tout le temps assise sur le lit à vérifier que je ne fasse pas autre chose que me déshabiller. Et quand j'ai voulu ranger mon travail dans la sacoche, elle a éteint encore... Pendant tout cet incident, Cipka voulait me dire quelque chose, moi aussi, je voulais savoir ce qu'elle avait à me dire, mais je n'en ai pas eu l'occasion, et quand j'ai éteint la prise et que je marchais dans le noir vers mon lit, je suis passée près de Cipka, je me suis penchée sur elle, mais elle n'a pas eu le temps de me répondre, car soudain Chanusia a rallumé la lumière : « Va au lit, maintenant ! » « Quelle générosité » – à présent que je me trouvais près du lit, elle avait rallumé la lumière pour que je voie où j'allais. Et ainsi, elle n'a pas dormi de tout ce temps-là, alors que sans cela, elle aurait déjà dormi.

C'était ma petite satisfaction... Couchée dans le lit, je me suis recouverte de l'édredon pour que personne n'entende que je riais...

Ghetto de Litzmannstadt, 8 novembre 1943

Ce matin, j'avais de l'appréhension avant d'aller à l'atelier, parce que je n'y suis pas allée deux jours de suite et je craignais de ne pas arriver à suivre. Ma crainte a encore augmenté quand les autres fillettes se sont montrées mutuellement de nouvelles jupes (des modèles en papier), je n'avais rien de tel, mais heureusement, je n'étais pas la seule, plusieurs filles nous ont rejointes de la classe plus jeune, donc tout le cours a été répété. De toute façon, nous avons dû nous interrompre en plein milieu et nous avons eu une leçon de juif[1]. L'enseignant nous a parlé de *Shalom Alekhem*[2]... Hier (dimanche), il y avait des soupes pour tout le monde, ça sera probablement le cas chaque dimanche. Le soir, j'ai vu Surcia, mais nous avons eu peu de temps tant l'une que l'autre. Avant de nous séparer, Surcia m'a dit qu'elle avait encore quelque chose à me dire, mais qu'elle ne pouvait pas

---

1. Rywka parle à plusieurs reprises de « cours de juif » pour parler des cours d'hébreu.
2. *Shalom Alekhem* : salutation hébraïque signifiant « Paix sur vous ».

le faire « hop, à la va-vite », comme on dit, et qu'elle voulait m'entendre dire quelque chose... Je me creuse la cervelle à savoir ce que ça peut être ? Je manque de temps...

Ghetto de Litzmannstadt, 14 novembre 1943

Demain, Estusia va avoir vingt ans. Chanusia (via Lola) devait lui acheter quelque chose, mais elles n'y arriveront pas pour demain. C'est Cipka qui s'en souvenait le mieux et qui lui a acheté une carte postale. Je n'ai pas la patience... Je suis enrhumée, je tousse...

Ghetto de Litzmannstadt, 17 novembre 1943

La première neige est tombée hier. Nous devions retirer hier nos vêtements et nos chaussures, mais nous ne sommes pas arrivées à temps et nous l'avons repoussé à aujourd'hui. Je ne pouvais pas me rendre à l'atelier (Cipka non plus) et, en plus, mes souliers fuyaient terriblement. Hier soir, à la veillée, j'ai remis ma rédaction sur la honte et la foi [intitulée] « Mon enfance ». Maintenant, je suis fâchée contre Minia. Et je suis préoccupée. Ah, j'ai écrit une lettre à Surcia. Je l'aime de plus en plus. Quel dommage de se voir si rarement... Ewa et Fela m'ont dit que, depuis un certain temps, je change en mieux et en pire et que je suis devenue prétentieuse. Je leur réponds que c'est peut-être un peu parce que je vois Surcia, etc. Ewa m'a aussi dit que je devais certainement avoir parlé avec Surcia des autres filles et d'elle aussi. Oh, comme elles se trompent ! Ou peut-être que c'est la jalousie qui parle à travers elles, eh, probablement non... Une pierre me pèse sur le cœur[1]...

Ghetto de Litzmannstadt, 24 novembre 1943

(Je n'ai plus du tout le temps d'écrire mon journal...) J'en ai assez de cette vie... Ces reproches incessants de la part de mes cousines, etc. (En plus, il n'y a plus de *bajrat*.) Je me suis mise d'accord avec Surcia et j'ai écrit des lettres à ce propos. Ah, mon cher Dieu, quand tout cela va-t-il finir ? Je voudrais ne plus vivre du tout. Il y a un instant, j'ai pensé : « Quel dommage qu'il soit interdit aux Juifs de se suicider. » Mais il paraît qu'il est même interdit d'y songer. Je n'ai plus de forces pour tenir.

J'écris tout ceci en me tenant debout près de la petite table. C'est pourquoi je gribouille autant. J'ai l'impression que je n'en laisse rien paraître. Peut-être un peu... Oh, quand arrivera enfin la libération ? Parce que je deviens folle, vraiment... Je n'ai pas le temps... (Maintenant, il n'y a personne à la maison.)

---

1. Il s'agit d'une expression polonaise mal maîtrisée par Rywka. L'expression « Une pierre m'est tombée du cœur » existe et signifie un soulagement, un problème résolu. Mais la forme active « Une pierre me pèse sur le cœur » n'existe pas.

Ghetto de Litzmannstadt, 4 décembre 1943

Inachevé… détaché peut-être et abstrait… Quelque chose change en moi, et je ne sais pas quoi, même si je l'ai ressenti plus avant, mais aujourd'hui, après la réunion, Chajusia m'a confié ce qu'elle pense de chacune des filles. Elle m'a dit que je savais quelque chose, que je le ressentais, mais que je ne pouvais pas l'exprimer, que je n'arrivais pas à l'exposer à la lumière du jour. Je le sais. Je lui ai demandé de m'en dire davantage, mais elle n'a rien dit, peut-être une autre fois ?

La mère de Dora Zand est revenue de la « K[1] » avec un bras cassé. Elle est allée à l'hôpital[2], elle va peut-être y rester un moment, Dora a l'air très mal…

> *Et quand parfois je pense la nuit,*
> *Observant la grande « profondeur »,*
> *Mon cœur se serre,*
> *De tant de langueur…*
> *Alors, je songe à Abramek, à Tamara,*

---

1. Kripo – le siège de la police criminelle allemande, il se trouvait sur la place Kościelny 6/8 dans l'immeuble du diocèse d'avant-guerre appelé communément « la maisonnette rouge ». Ce bâtiment était craint de tous les habitants du ghetto. La majorité de ceux qui y étaient interrogés mourait suite aux tortures, même si la cause de la mort inscrite dans les documents était le plus souvent une « crise cardiaque ».

2. À son apogée, sept hôpitaux fonctionnaient dans le ghetto. Plusieurs d'entre eux ont été vidés de leurs patients (déportés et gazés au camp de Chełmno) lors de la grande *Szpera* de 1942 et transformés en ateliers de production.

À l'endroit où les a conduits le sort cruel,
Et je désire tant les avoir près de moi,
Comme la fleur désire la rosée fraîche.
Alors je rêve des rêves si doux,
Et je les vois tout près de moi réunis,
Et tendrement je leur souris,
Et je leur crée des projets d'avenir...
Mais quand soudain se rompt le fil
De mes songes doux et muets,
Alors j'ai tant de peine soudain,
Mon cœur gros me fait souffrir.

Ghetto de Litzmannstadt, 11 décembre 1943

Surcia a lu une partie de mon journal. Elle m'a dit que je devrais écrire davantage – de cette manière je cristalliserais mon style – et que je dois me contrôler au fur et à mesure de mon écriture. Elle m'a réclamé une longue lettre, que je lui écrive aussi ce que je pense de la vie humaine, ce que je crois et ce que je ressens, et que je ne tienne pas compte de mon savoir. Avant de m'asseoir pour écrire (j'ai un instant à moi), j'étais affreusement nerveuse, mais il apparaît que, pendant l'écriture, la nervosité passe. Il apparaît que je ne vois que les bons côtés chez Surcia et, quand je suis préoccupée, je pense toujours à elle. Ah, je ne manque pas de soucis ! Je dois finir, le dîner attend...
De la lettre à Surcia :

Chère Surcia ! Parfois je pense que la vie est un chemin obscur. Sur ce chemin, parmi les épines, il y a d'autres fleurs, plus délicates. Ces fleurs n'ont pas une vie facile, elles souffrent à cause des épines. Parfois ces épines sont jalouses de la beauté des fleurs et les blessent davantage. Et ces fleurs, soit elles deviennent des épines elles-mêmes, soit elles souffrent en silence et traversent la route couverte d'épines. Elles ne réussissent pas toujours, mais si elles tiennent bon, leur bonheur sera dédommagé. J'ai l'impression que ça arrive rarement, mais de toute manière je crois que chaque vrai Juif poursuit un but en silence et en souffrance à la fois. À part ça, je crois que la vie est belle et difficile, qu'il faut savoir vivre. Je trouve dignes d'envie les gens qui souffraient beaucoup et qui ont traversé la vie en gagnant le combat contre l'existence. Je sais, Surcia, que de telles gens (quand je lis à leur propos, par ex., ou quand j'en entends parler, etc.) me mettent du baume au cœur, car je me rends compte que je ne suis ni seule ni la première, et alors je peux mieux garder espoir. Mais je n'écris pas à mon sujet. Tu sais, parfois, quand je vais très mal, j'admire la vie. Alors, je m'interroge. Après tout, au même moment, certains pleurent, d'autres rient, d'autres souffrent, etc. Au même moment certains naissent, d'autres meurent, d'autres sont malades, etc. Ceux qui naissent grandissent, mûrissent pour vivre à nouveau et souffrir. Pourtant, tous veulent vivre, ils s'impatientent de vivre et toujours (parfois inconsciemment, peut-être). L'homme qui vit a de l'espoir et même si la Vie est dure, elle est belle. La Vie a un temps étrange et un charme étrange. (Mais je vais te dire la vérité : à présent, je n'ai plus du tout envie de vivre, je n'ai plus de forces, tout simplement, je vais me coucher dans un instant et je n'ai plus aucune envie de me lever.) Ah, Surcia, si je pouvais vraiment ne plus me lever ! Encore un peu et cette feuille de papier sera complètement mouillée... Surcia, quand je te remettrai cette lettre, ce sera de toute façon passé et je serai toujours vivante : Mais je ne sais pas si je vais réussir à faire face à cette existence si difficile... J'en doute fort. Ah, Surcia, je voudrais tant parler avec toi de quelque chose, te voir, mais en vrai... tu me manques. Tu es un grand plus dans ma vie. Ah, si je ne Vous connaissais pas, et le plus principalement Toi, alors je n'ai pas idée, j'exploserais certainement. Mais ça aussi, c'est au-dessus de tes forces, entendre une telle collection de malheurs... Ah oui, tu voulais savoir sur quoi je travaille dernièrement. Donc je veux arriver à savoir si j'ai une opinion juste à propos de telle ou telle chose, il ne s'agit pas seulement de choses, mais principalement d'actes et de pensées, etc. Est-ce que par ex. je juge mal ? S'il te plaît, écris-moi quelque chose. Ça serait une leçon pour moi. C'est Ta Rywka qui Te le demande de tout cœur. Bon rétablissement !

(Surcia est un peu malade.)

Ghetto de Litzmannstadt, 13 décembre 1943

Pour Hanoucca, nous devons organiser quelque chose. Mlle Zelicka s'invite, en fait, nous voulions organiser quelque chose pour que Surcia et Chajusia ne le découvrent pas, mais je doute que ça soit faisable. Moi, je fais ce qui est en mon pouvoir. J'écris tout ce que je peux. Et les autres fillettes, rien... À part ça, nous avons appris des choses très moches à propos de Mania, à savoir qu'elle recopiait des poèmes dans des livres, soi-disant que c'est elle qui les a composés. C'est très vilain ! Je projette de lui écrire une lettre pour qu'on se donne rendez-vous et je veux lui parler !... Voyant que les fillettes ne prennent rien en charge, qu'elles se reposent sur moi énergiquement et dans les grandes lignes, ça m'irrite beaucoup. J'ai peur de me présenter dupe[1]. À moins que nous ne fassions nous-mêmes quelque chose pour Hanoucca ou que nous ne prenions conseil auprès de Surcia et de Chajusia, je pense ne pas venir du tout... Autre chose : Mlle Zelicka m'a laissé hier chez nous une convocation pour midi en vue d'une affaire personnelle. Je suis très curieuse...

À part ça, la nouvelle directive de Bibow[2] annonce que ceux qui travailleront cinquante-cinq heures par semaine recevront un coupon (un demi-kilo de pain, 2dkg de lard, 10dkg de saucisson), c'est pourquoi on ne distribue plus les laissez-passer, et les gens accélèrent la production, etc. Ce coupon ne vaudra pas ce qu'il coûtera. Surcia me manque... et aussi Abramek, Tamara, et je les aime tant. J'ai remarqué que j'aime Cipka de plus en plus et que lorsqu'elle fait quelque chose

---

1. Expression populaire polonaise mal maîtrisée par Rywka : au lieu d'écrire *wystrychnąć na dudka* (« se laisser duper »), elle écrit *wystawić na dudka*, qui ne veut rien dire, sinon, littéralement « se présenter dupe ».
2. En réalité Hans Biebow (1902-1947) : commandant de l'Administration allemande du ghetto (*Gettoverwaltung*), originaire de Brême où il vivait avant guerre en dirigeant une entreprise d'import de café. En tant que patron du ghetto, il acquit une position forte et indépendante, ce qui influença sensiblement le caractère du ghetto de Łódź en tant que camp de travaux forcés. La production du ghetto donna de grands bénéfices tant à l'économie du Troisième Reich qu'aux dignitaires hitlériens.

de bien ou qu'elle a de bonnes notes (c'est la meilleure élève) ou qu'elle comprend les veillées, alors ça me remplit de fierté et je suis, même si ce n'est pas longtemps, bienheureuse...

Je voudrais tellement que tout aille déjà bien ! Ah !... Ah oui, nous rassemblons des provisions pour Dora Zand, elle ne va pas bien, de toute manière, ils donnent presque tout à leur mère qui se trouve à l'hôpital. Elle devra sans doute se faire opérer... Nous comptons nous débrouiller pour qu'elle reçoive l'affectation par notre atelier aussi.

Ghetto de Litzmannstadt, 15 décembre 1943

Une lettre pour Surcia !

Chère Surcia ! Hier, tu as été très enthousiaste (il y avait une veillée et nous discutions quoi organiser pour Hanoucca parce que tous les anciens vont venir) et moi aussi. Tu m'as demandé de t'écrire encore, donc je m'y mets. Une fois, en étant chez le dentiste, je songeais : le monde est semblable à une bouche, les gens aux dents et tout comme parmi les dents il y a des bien portants et des malades. Tant qu'ils sont sains, ils sont utiles, tout le monde les défend, en un mot, on a besoin d'eux, mais dès qu'ils tombent malades, alors soit on les soigne et ils sont plus ou moins sains, soit, si on les néglige, ils deviennent plus malades et parfois leur rétablissement est impossible et alors on les supprime. En tant qu'incapables de quoi que ce soit, ne pouvant plus rien donner au monde, on les supprime... Surcia, n'est-il pas ainsi ? Quand je songe à la vie humaine, des pensés m'assaillent de partout, ah, on ne peut que discuter de tout ça ! Et maintenant, ma Surcia, je voudrais absolument avoir une lettre (réponse) de Toi ! Et encore et encore ! Maintenant, je vais t'écrire quelque chose d'autre ! Il y a des situations à la maison lors desquelles je ne sais pas comment me comporter. Une fois, j'ai même prié pour que quelqu'un m'apparaisse dans mon rêve et me conseille... Et j'ai remarqué encore une chose, par ex. dans un livre, supposons qu'une personne plus âgée (peu importe de combien d'années) se comporte mal, alors le plus jeune lui fait la remarque et le plus souvent il atteint son but. Je suis d'avis que c'est une fantaisie d'auteur. De telles choses peuvent rarement arriver dans la vie. J'en suis le meilleur exemple... À part ça, Estusia me dit que je n'ai pas une once de bon goût. Moi, bien entendu, je ne réponds rien, mais j'essaye de voir si c'est la vérité. Si par ex. je fais quelque chose qui n'est pas tout à fait réussi, mais qu'une correction facile existe (car après tout on apprend de ses erreurs), alors elle parle tant que non seulement elle n'encourage pas à remarquer qu'on peut corriger, que rien de grave n'est arrivé, etc., mais au contraire, elle parle tant que l'envie de quoi que ce soit me quitte. Et encore une chose, si une chose ne lui plaît pas (ce qui arrive généralement), alors elle peut le répéter en boucle et on pourrait exploser d'impatience, mais elle, comme une folle, continue encore et encore. Alors je dois me retenir d'exploser, mais vraiment, il serait mieux que je m'énerve. Ou quand quelqu'un d'autre fait une chose de travers (pas seulement elle), elle lui attribue un numéro sur l'échelle de Rywka, Rywka n° 2, etc. Qu'est-ce qu'elle croit ? Et encore une chose, elle ne se retient même plus devant des gens, ce qui est pire. Et ça arrive presque tous les jours... Ah, Surcia, comme c'est difficile pour moi, ce n'est pas étonnant que l'envie de vivre me quitte. Et je le répète encore une fois que sans Toi, je ne sais vraiment pas quoi.

Écris-moi quelque chose, Surcia ! Ta Rywka.
Salutations.

Je manque complètement de temps.

J'ajoute : Surcia est d'abord venue chez nous, et pour discuter ces affaires justement. Tout ça se déroulera chez nous. Elle a apporté la réponse à ma précédente lettre où elle m'écrit qu'elle ne savait vraiment pas que nous étions de telles âmes sœurs. Et qu'elle attendait de lire une telle lettre. Nous avons pris rendez-vous pour vendredi.

Ghetto de Litzmannstadt, 18 décembre 1943

Oh, j'ai tant à écrire... Hier (vendredi), je suis allée chez Surcia. Elle m'a laissée lire un peu de son journal et, au cours de la lecture, j'ai remarqué que j'avais en fait tant à dire... Cette lettre où je lui parlais de la vie, elle l'a montrée à Mlle Zelicka, et c'est pourquoi Mlle Zelicka m'a transmis par Surcia la convocation pour mardi à 11 heures. Elle veut parler avec moi de ça. C'est si inattendu... Quand je suis venue chez Surcia, elle m'a demandé : « Est-ce que tu n'aurais rien contre le fait que je montre ta lettre à Mlle Zelicka ? » À la fin, je l'ai autorisée. C'est là qu'elle m'a dit que Mlle Zelicka l'avait déjà lue. Et c'est précisément pour ça qu'elle veut me parler. Elle m'a conseillé de m'y préparer... J'y pense beaucoup...

Aujourd'hui, à la veillée, nous avons discuté les détails de cette petite comédie pour Hanoucca. Je serai le ministre de l'Intérieur... Puis j'ai parlé avec Chajusia. Elle m'a dit que je devrais faire en sorte d'écrire le plus possible dans mon journal. Et que je devrais apprendre le plus possible. Le plus de choses en général... Ah, comme je le voudrais ! Je ressens vraiment un tel besoin d'apprendre... J'ai tant de mal avec ma vie intérieure... Et Chajusia comme Surcia répètent sans cesse « haut les cœurs ! », mais le cœur retombe de lui-même... et il est si difficile à soulever... Toujours ces efforts... Et la tristesse va de pair avec la fatigue... Ah, ce n'est qu'à présent que je me rends compte à quel point je pensais et je réfléchissais au sujet de la vie. Justement, j'ai lu à propos de la vie dans le journal de Surcia. Elle a ajouté que ce que j'ai écrit se tient à « cent pour cent » au-dessus de ce qu'elle a écrit, elle... Alors Surcia écrivait : « Et peut-être que ça serait mieux que les gens vivent éternellement ? » et de répondre : « Alors le gens ne sauraient pas quelle bonté les entoure. » Et moi, je rajouterais : « Une telle vie nous lasserait bien vite. Les gens vivraient indéfiniment, ils ne craindraient pas la mort, il n'y aurait plus aucun ordre dans le monde, et il me semble qu'on manquerait également de place, car où est-ce qu'on pourrait contenir tout ces gens ? Mais ça ne se passe pas ainsi et il est inutile d'analyser une telle chose... » Chaque fois que je répète ce mot, la « Vie », je me sens comme si je tenais devant une puissance, une immensité. Ah, que signifient les mots des hommes ? Comme ils expriment peu. Je viens de remplir toute une page ici et je n'ai même pas exprimé la moindre parcelle de ce que je ressens. Ce n'est pas aisé et c'est peut-être pour ça que quand c'est réussi, pour une fois, cela devient si beau. Ah, l'effort et la beauté... Est-ce que ça s'harmonise l'un avec l'autre ? Je crois que oui. Parce que si ça se trouve là, alors ça doit aussi s'harmoniser... Mais je crois que je me suis embourbée dans des banalités et je suis à court de temps. Estusia m'ordonne déjà de faire je ne sais quoi, dont elle pourrait très bien se passer. Et ma concentration s'évanouit aussitôt... Ah, mais je n'arrive pas à me détacher de l'écriture. Je sens que j'ai encore tant à dire. Dora Zand est malade, les glandes de ses poumons sont enflées[1]... Sa mère va mieux...

Ghetto de Litzmannstadt, 20 décembre 1943

Aujourd'hui, nous avons fêté le vingt-sixième anniversaire du mariage de Mme Kaufman. Notre classe lui a acheté une

---

1. Il s'agit de la tuberculose, appelée communément « Koch » au sein du ghetto (du nom de Robert Koch, le découvreur des bactéries de la tuberculose). Durant l'entre-deux-guerres à Łódź, cette maladie constituait la quatrième cause de décès : 9,2 %, après les maladies du cœur (22,5 %), la pneumonie (11,5 %) et le cancer (10,2 %). Dans le ghetto, la tuberculose devenait progressivement une cause de mort de plus en plus fréquente. En 1940, 589 personnes en sont mortes (8,6 % des décès), la maladie a causé jusqu'à 2 182 morts en 1942 (12,4 % des morts) et lors de la période finale du ghetto, la tuberculose causait 39 % des décès. Au total, 7 269 en sont mortes au ghetto.

gamelle, mais de type FF... Nous n'avons pas eu cours, nous avons simplement chanté. Cette Mlle Sabcia est vraiment du tonnerre... Pourtant, bien que ça soit amusant, je sentais que l'ambiance était artificielle. Minia m'a avoué que devant tant de gaieté son cœur se serre. J'ai même aperçu une larme dans ses yeux. Mais je n'ai plus le temps d'écrire... Peut-être plus tard.

Ghetto de Litzmannstadt, 22 décembre 1943

J'ai pris de l'encre à l'école avec moi parce que j'ai tant à écrire... Hier, j'ai discuté avec Mlle Zelicka. Elle m'a dit que Surcia lui parlait beaucoup de moi et qu'elle n'est pas seulement ma contrôleuse ou tutrice de la Protection des mineurs, mais aussi membre du groupe de Surcia, donc nous sommes liées davantage que de manière formelle. À part ça elle m'a dit qu'elle avait parlé avec Estusia (elle m'a demandé d'être totalement sincère, mais va être sincère dans ces circonstances... D'ailleurs, est-ce que je suis venue me plaindre ?). Bien sûr, je n'ai pas su de quoi elles avaient parlé... Elle m'a dit que c'est justement auprès d'Estusia que je devrais apprendre l'énergie pour la vie, parce que ça peut m'être utile. Parce que, par ex., un homme qui serait puissant d'esprit, mais qui manquerait de vigueur, serait comme molasse, alors que celui qui est à la fois hardi et débrouillard se tient bien plus haut qu'un falot pareil. Justement, Estusia devrait m'enseigner cette énergie, cette ingéniosité dans la vie, elle en possède. Elle a aussi ajouté que ça devrait être une école passagère parce que, après tout, la guerre ne durera pas éternellement et on ne sait pas ce qui arrivera après... Bien sûr, j'ai compris ce qu'elle avait à me dire, j'ai parfaitement compris, mais une chose est restée complètement indéchiffrable pour moi, à savoir quelle était la cause de tout ça, qu'est-ce qui a déclenché la conversation, c'est resté un mystère. À la fin, Mlle Zelicka m'a dit que moi seule dans notre groupe avait cette exception, que je pouvais venir la voir, que pour moi, qu'elle le veuille ou non, elle doit avoir du temps. Elle m'a demandé d'y songer... Bien entendu, j'y ai réfléchi, mais surtout à la cause de tout ça... J'ai compris que ça devait avoir un lien avec Estusia... Cipka savait que j'avais été convoquée chez Mlle Zelicka et, malgré moi, je lui ai demandé si elle savait de quoi Mlle Zelicka avait discuté avec Estusia... Et j'ai appris quelque chose de sa part. Donc, Estusia lui avait dit que je suis têtue, que je ne veux rien écouter, qu'avant d'emménager chez elles et dès le début, je provoquais des spasmes, etc. En un mot, elle a dressé de moi un très vilain portrait. Maintenant, j'ai compris. Je ne savais pas et je ne sais toujours pas quoi faire. Avant tout, je dois parler à Surcia. Tout s'écroule en moi... Je sens que mes yeux sont bandés, que je n'y vois goutte, mais que je dois absolument voir. Je n'arrive pas à trouver ma place, je ne confie rien à personne, seulement à mon journal et à Surcia, ah, *ma Surcia bien-aimée*. Et à présent, je ne sais plus rien, je ne sais plus quoi faire, ah, je ne sais rien, je suis impuissante... Et qu'arrivera-t-il ? Que faire ? Mais à qui poser la question et qui me répondra ? Ah, il y a tant de questions auxquelles il n'y a pas de réponses...

Maintenant, dans la classe, elles font un vote pour une sorte de cercle littéraire, une quinzaine de filles devraient en être. Ça m'intrigue... Je vais me renseigner de suite...

Ghetto de Litzmannstadt, 23 décembre 1943

Donc, j'ai été élue au cercle littéraire... Aujourd'hui, à 7 heures, je vais chez le tailleur, j'aurai du phoque sur le col et les revers, et un bonnet d'hiver. À part ça, on a fait un essayage hier. J'ai pris rendez-vous avec Surcia pour la retrouver vendredi. Le soir, je me suis disputée un peu avec Minia, je ne me souviens plus vraiment pourquoi (pour une chaise, je crois), je sais juste que j'ai été très énervée, et quand je me suis couchée, j'avais envie de me soulager en pleurant. Et heureusement, j'ai pu pleurer, mais pas beaucoup. Vraiment, je voulais mourir. J'ai voulu me remettre d'aplomb toute seule, mais au bout du compte, j'en ai assez de vivre.

J'ai pensé : je sais que, maintenant que je veux mourir, je ne mourrai pas, mais c'est quand j'aurai envie de vivre que je mourrai, quand j'aurai une raison de vivre. À quoi sert une telle vie ? Est-ce qu'il ne serait pas mieux de mourir quand on n'a pas de raisons de vivre et non quand on a envie de vivre ? Mais ces questions sont restées sans réponse. Et j'ai ressenti un besoin impératif de parler avec Surcia et de lui dire que je ne sais rien, que je n'ai rien appris, que je ne comprends rien... Maintenant, je ne crois plus que je sais peu de chose ou que je comprends peu de chose, mais simplement rien de rien. Je m'efforce de m'aligner sur mes copines, mais bon, elles sont si différentes... J'ai vraiment besoin d'une école, j'ai une telle soif d'apprendre... Et j'en reviens toujours au même point... Je veux, je veux et je suis comme attachée, je ne peux pas bouger de ma place, et qu'est-ce que ça va donner ? Parfois, je me demande en quoi consiste le bonheur humain. Le bonheur est très grand, quand on en est conscient. Quand, dans le bonheur, on n'oublie rien du reste. Ah, comme je suis loin du bonheur... Mais pourquoi j'écris tout cela ? Est-ce que je ne peux pas m'en passer ? Ah, ça m'ennuie... Hier, durant la nuit, j'ai pensé : *Tout va bien pour celui qui est inconscient, mais totalement inconscient, qui est un enfant, mais rien ne va pour celui qui est conscient de son inconscience...* Et j'appartiens précisément à cette catégorie de gens... Je ne vais pas bien. Et le pire, c'est que je ne trouve aucun conseil, que je ne sais pas quoi faire... Et toujours, toujours la même chose... Je n'ai qu'une seule réponse à tout : *Surcia*. Ah, Surcia...

Ghetto de Litzmannstadt, 24 décembre 1943

Ah, écrire !... Pouvoir écrire sans cesse, faire en sorte que la plume court d'elle-même sur le papier ! Je ressens un besoin, un si grand besoin d'écrire... Hier, j'ai réfléchi à la question du « sentiment ». Combien ça exprime ? Je pense maintenant aux sentiments passionnels. Et je pense à Surcia. Je sens que je l'aime de plus en plus. Ah, c'est pour elle que j'éprouve un amour véritable. Ô puissance du sentiment ! Ah, vraiment, c'est une puissance. C'est une puissance qui brise tout le reste, tout ce qui est contre elle. Pour pouvoir s'exprimer. Mais comment exprimer des émotions ? Est-ce seulement possible ? Probablement pas. Mais je voudrais écrire davantage, j'arriverai peut-être à m'extérioriser. Donc, j'éprouve pour Surcia le plus brûlant sentiment d'amour. Peut-être pas tant pour elle-même, mais pour son âme et par là pour elle tout entière. Ah, Surcia. Je me délecte de la mélodie de son prénom. (Encore heureux que nous soyons du même genre.) Car de quoi ça aurait l'air, un écrit pareil ? Mais avec mon journal, je suis parfaitement honnête. Cependant, que je ne m'écarte pas du sujet ! Elle est la seule à qui je laisse lire mon journal et je ne me retiens pas du tout. Ah, il y a si peu de gens que j'aime, mais en réalité... Et c'est peut-être pourquoi, quand j'aime quelqu'un, le sentiment est plus puissant que dans un autre cas. Elle, mes frères et sœurs... Ah, si je les avais tout près de moi ! Chaque lettre, chaque mot qu'elle me dit est comme sacré, comme si elle me liait d'un lien encore plus solide.

Je me rappelle les débuts et j'ai envie d'en rire... De quoi ça aurait l'air si je lui disais encore « Madame » ? (C'était une très bonne idée d'emporter le journal, la plume et l'encre à l'atelier, sans quoi presque rien ne serait écrit.) Ah, les mots sont tellement vides et expriment si peu. Selon moi, on ne peut communiquer qu'à propos de choses communes et quotidiennes avec des mots. Tandis qu'entre des gens qui s'aiment les mots profanent tout. De telles personnes peuvent se comprendre sans parole, leurs âmes, leurs yeux parlent et, le plus important, leurs sentiments parlent et ils ressentent...

Mais pourquoi j'écris tout ça ? Encore une question sans réponse... Parfois, je me demande ce que ça serait si je ne connaissais pas du tout Surcia... Je ne sais pas. Je ne me l'imagine pas du tout. Mais je suis capable d'apprécier ce bonheur qui m'a été donné. Et encore un sentiment... Je ne sais pas m'exprimer en mots, c'est plus facile en sentiments... Mais c'est assez... Je vais voir Surcia aujourd'hui, faites qu'il n'y ait aucun empêchement !

Ghetto de Litzmannstadt, 27 décembre 1943

Demain, il y aura... Ah, que ça soit réussi ! Hier, nous avons préparé les gâteaux, ah, j'avais une avalanche de travail, hier... et les invitations... Mais ce n'est pas ça que je voulais écrire, car je le décrirai le mieux après les faits. Ah, je devais écrire quelque chose, mais j'ai oublié... Ce chaos...

Ceux qui bénéficiaient du *bajrat* ne le reçoivent probablement plus que pour une seule personne. J'ai voulu retirer le nôtre hier, mais nous avons été rayées. Peut-être qu'Estusia va y remédier... Quant aux cousines, j'aurais préféré l'omettre parce qu'il se pourrait que ça dérive vers du *lachon hara*[1], mais je vais transcrire une chose : si on reçoit une allocation pour cinq personnes, tant mieux, mais si c'est pour trois ou pour une seule, je dois être suffisamment forte pour que, même si elles m'offrent quelque chose, je ne dois pas en prendre. Je

---

1. *Lachon hara* ou « langage du mal » en hébreu, péché honni dans le judaïsme.

n'ai rien contre elles, mais je ne veux rien qui serait à elles et point. Hier, Chanusia a récupéré ces portions qu'elle avait reçues de la part du président (de la viande et du saucisson), elle a donné du saucisson sur le pain de Cipka, et il s'est trouvé que Chanusia devait partir, et avant que Cipka ait pu finir, Estusia est revenue. La voyant manger, elle a demandé : « Il reste encore du vieux saucisson ? – Non, Chanusia en a récupéré du frais aujourd'hui – Et elle vous en a donné ? » a demandé Estusia. Cette question a été posée d'une voix si normale, mais je l'ai bien entendue et je me suis juré qu'à l'avenir je ne prendrai plus rien, mais alors absolument rien de leur part. Je peux encore être assez ambitieuse pour cela... Elles (à part Chanusia), si elles cèdent quelque chose (de leurs parts), c'est comme si ça ne se faisait pas de faire autrement, comme si elles étaient obligées. Alors merci, sans façon... mais assez avec ça. Je ne voulais pas du tout écrire de telles choses...

À part ça, vendredi, j'ai vu Surcia. Elle m'a dit que Mlle Zelicka était étonnée (positivement) de constater que je *juge* (je n'ai pas d'autres mots) mon état de manière si mature... L'écriture ne me vient pas aujourd'hui...

Ah, nous avons eu un gros souci avec Minia, elle ne voulait pas se déguiser, ah, ces fillettes sont parfois si puériles, et Sala Dajcz est aussi fâchée parce qu'elle n'a aucun rôle dans le spectacle. Eh, à quoi bon l'écrire ? Je voudrais déjà que ça soit fini...

Je suis remplie de tristesse maintenant...

Ghetto de Litzmannstadt, 30 décembre 1943

J'ai tant à écrire... Je suis excitée. Mais je dois commencer par le début. Donc globalement, la soirée était réussie, seulement dans la petite comédie, comme le public riait, alors Dorka et Ruta Maroko ont ri aussi (tandis qu'elles jouaient).

Nous avons dû attendre très longtemps avant que la « haute » n'arrive. Enfin, quand Bala Działowska est arrivée, elle a eu l'idée que deux fillettes aillent chez Mlle Zelicka et se renseignent sur ce qui se passait. Ils ont choisi Dora Borensztajn et moi. Ah, quel chemin nous avons parcouru ! Je ne vais pas en parler en long et en large, mais j'ajouterais que j'en ai fait un parallèle avec la vie. Et il s'est déroulé pas trop mal, nous ne sommes tombées qu'une fois, mais il a été très long (la course entre la rue Żydowska et la rue Brzezińska), sombre, la route en son milieu a été humide et glissante. Je marchais bien plus hardiment que Dora, avec la tête haute. Ah, si seulement je pouvais traverser ma vie *la tête haute* !

Mlle Zelicka était au lit, enrhumée, et nous a dit que Mme Milioner et les autres venaient à peine de partir de chez elle et qu'elles nous portaient une lettre de sa part. Elle a ajouté qu'elle est parmi nous de toute son âme et de toutes ses pensées et qu'elle est ravie de notre joie. Quand nous sommes revenues, quelque chose avait déjà commencé. Surcia lisait un exposé. Je ne vais pas le décrire, car je ne peux pas...

À la fin, Surcia et Chajusia distribuaient du *Khanike gelt*[1], de minuscules carnets pour chacune de nos fillettes, et dans chacun il y avait un mot à leur propos pour elles séparément... Moi, après ça, je me suis sentie affreusement triste, quelque chose m'étouffait. Ah, cette impression ! Je voulais prendre rendez-vous avec Surcia, je voulais le lui dire, ah, je sentais que si je pouvais pleurer de tout mon soûl je me serais sentie plus légère, mais comment pleurer ? Absurde ! Ah, Surcia et Chajusia m'auraient été si utiles... Mon Dieu, est-ce que pour m'épargner de tels sentiments je ne dois plus du tout m'amuser, rien, rien... aucune distraction ?... Dieu, que c'est dur ! Ah, mais quoi, je ne le faisais pas pour moi après tout, et c'est le début (comment l'exprimer ?) du retour de nombreux, de très nombreux Juifs dans leurs véritables... je ne sais pas m'exprimer mieux. À part ça, hier, j'ai écrit une sorte de réponse (et je l'ai transmise par Cipka à Chajusia) à ce qu'elles m'avaient écrit dans ce petit carnet. (J'ai aussi retranscrit ça à l'intérieur.) Chajusia m'a aussi répondu (j'accrocherai la feuille dans le carnet) et elle m'a juré (par lettre) qu'elle doit encore m'écrire longuement.

Et maintenant, je suis à l'atelier dans notre classe, mais je ne peux plus écrire parce que la pause est terminée...

---

1. *Khanike gelt* : petits dons d'argent.

Ghetto de Litzmannstadt, 31 décembre 1943

Ce n'est qu'aujourd'hui que je peux reprendre ma rédaction... Donc, dans notre classe... J'ai déjà écrit à propos de notre cercle littéraire. À ce moment-là, j'ai été élue, mais après les fillettes se sont disputées, certaines ne voulaient plus. Lusia et Edzia me l'ont confirmé. Moi, je savais très peu à ce sujet. Mercredi, Juta m'a demandé si on pouvait se réunir chez nous. Elle comptait sur le fait qu'Estusia et Chanusia iraient à leur atelier pour la soirée-spectacle (ou un truc de la sorte) et que personne ne serait à la maison, alors j'ai donné mon accord. Après coup, Edzia m'a raconté tout ça et aussi qu'elles ne veulent de moi comme membre seulement parce qu'elles savent que je peux fournir beaucoup d'avantages, des articles pour le journal, etc. Et maintenant, je ne peux plus refuser, même si je me sens offensée (ça donnerait l'impression qu'Edzia me monte contre elles), mais j'aurais voulu me retirer au plus vite... Le soir, les fillettes se sont réunies, mais qui est venu ? Peu de grandes, principalement des gamines. Aucune dirigeante. Eh, des bêtises... Des embêtements et rien de plus... Hier, Lusia m'a dit qu'elles (Edzia, Hela, Jadzia et Maryla Łucka... encore Maryla Łucka !) et une autre encore ont un autre cercle, qu'elles étudient la littérature, rédigent des journaux, etc., et veulent que j'en fasse partie. La littérature ! Oh, comme je voudrais l'étudier ! Mais je dois être prudente, car au cas où, Maryla Łucka... Et elles (à part Jadzia) vont se réunir chez nous. Et c'est très bien que je sois avec elles. Je pourrai les surveiller un peu. Encore plus tard, Lusia m'a dit que, en semaine, elles ne font que travailler et que le dimanche, après le travail, elles s'amusent... Parfois, des garçons viennent aussi... (J'ai pensé : *Aha ! Sois prudente !*) Mais c'est bien aussi que je puisse me trouver parmi elles et les surveiller. Je ne peux plus refuser maintenant, je ne peux pas me montrer sauvage, mais elles m'ont demandé d'être discrète et de ne le confier à personne.

Et notre cercle me plaît beaucoup. D'autres fillettes se greffent à moi, elles veulent venir aussi, c'est un grand privilège pour elles de pouvoir me parler et elles se vantent qu'elles sont de familles pieuses, etc. Ah, ça sera une révolution dans la classe si jamais ça continue, ça serait pas mal, mais j'ai peur que, si elles viennent et voient les enfants, elles ne s'enfuient, ah... C'est précisément de ça dont je parlais avec Chajusia hier – j'ai apporté les gâteaux de la soirée à Mlle Zelicka (seulement hier) et je suis passée chez un tailleur avec mon bonnet, donc sur le chemin de retour, j'ai fait un saut chez Chajusia. Elle m'a dit d'essayer d'exprimer mes sentiments et mes impressions de la « soirée ». Je n'y arrive pas... Je sens que quelque chose m'oppresse, que justement à ce moment-là j'aurais dû rester encore avec quelqu'un et en parler, je sentais que quelque chose me manquait, que j'ai perdu l'envie de tout. Sans l'excitation à l'atelier où je peux m'oublier un peu, je n'imagine même pas. Mon cœur serait bien plus gros. Ah, ce cœur... Je ne sais pas si j'aurais trouvé du réconfort dans l'écriture. Ah, si seulement je pouvais écrire à volonté ! Mais ça m'est inaccessible.

Quant aux cousines (hier, elles ont reçu la part B pour une personne – probablement, il y aura des catégories « L »,

« S » et « N »[1] maintenant), j'ai décidé, comme je l'ai mentionné, de ne profiter en rien de ce qui est à elles exclusivement (Cipka n'arrive pas à s'y résoudre, une gamine) et j'y arrive, j'en suis ravie. Bien sûr, quand elles achètent quelque chose, par ex. de l'oignon, de l'ail, etc., alors j'en prends, quand bien même elles ne voudraient vraiment pas, parce que c'est commun après tout, autant à moi qu'à elles, mais les allocations... Les allocations... c'est autre chose... Et je m'admire moi-même, car ça me vient facilement. J'me demande comment ça va évoluer, car jusque-là les cousines n'ont rien remarqué, j'me demande comment elles vont réagir à ça...

Ah, j'ai encore tant à écrire et à penser et ça m'est si difficile. Ah, c'est déjà la sonnerie...

Ghetto de Litzmannstadt, 3 janvier 1944

Donc, c'est ainsi... Hier, nous avons eu une assemblée, celle chez Maryla Łucka. (Maintenant, il faudra que je nomme chaque assemblée.) Nous avons étudié la nouvelle de Prus[2] : *Des légendes de l'Égypte ancienne*. En général, ça me plaît beaucoup, mais le plus important, c'est que je peux en tirer des bénéfices. Puis nous avons convenu de comment ça se passerait. Ainsi, une fois par semaine, nous allons avoir une réunion

---

1. Des allocations pour des ouvriers travaillant longuement (*Langarbeiter*), durement (*Schwerarbeiter*) et la nuit (*Nachtarbeiter*) ont été introduites par Hans Biebow à la fin 1943.
2. Boleslaw Prus (1847-1912), grand romancier polonais, positiviste puis réaliste.

de littérature pure ou de quelque chose d'autre et, dimanche, en plus de ça nous aurons une heure de jeu (pour que nous ne devenions pas de vieilles pies) et peut-être que des garçons nous rejoindront à ce moment-là. Hier, je ne me réjouissais pas et je n'en parlais pas du tout, mais [aujourd'hui] je me réjouis, car d'un : j'ai aussi ma propre opinion et si ça ne me plaît pas, je peux le leur dire, etc. ; et de deux, je peux [rester] avec Lusia, Hela, Edzia, je les connaîtrai mieux de cette manière-là. Globalement, cette réunion m'a donné beaucoup à penser, et surtout qu'après nous sommes passées au sujet du communisme, du bouddhisme, etc. Lusia a dit qu'elle était sioniste, Hela aussi, *Maryla Łucka* aussi. Jadzia n'a aucune opinion, à la fin Lusia a annoncé que moi non plus certainement. Je n'ai rien répondu à ça, mais j'ai décidé de discuter impérativement avec Lusia, car d'une manière ou d'une autre, elle se méprend. Durant tout ce temps, je pensais : *Moi, sioniste, Maryla Łucka sioniste aussi, et donc aussi Jadzia, car si toutes les autres sont sionistes, alors elle aussi.* Ça ne s'harmonisait pas, ne se liait pas ensemble. Quand on est rentrées à la maison (Lusia avec moi), j'ai demandé à Lusia ce qu'elle entendait par là, en disant que nous étions sionistes. Elle a commencé à me parler de l'idée sioniste, non, c'est non (le pire, c'est que je n'arrive pas à m'exprimer), mais nous sommes arrivées à nous comprendre tant bien que mal. Donc, ce *notre*, cette idée commune, Lusia l'appelle sioniste. Véritablement juive, *notre* idée, alors que Maryla et Jadzia n'ont rien à voir avec ça : cette idée leur a plu, elles ont intégré ce nom, mais il n'y a rien de plus profond là-dedans. J'ai soupiré de soulagement. *Donc toi,* j'ai pensé, *tu es des nôtres, tu ne fais que l'appeler différemment, peut-être avec raison, mais peu importe.* Je dois encore discuter avec elle parce que c'est encore trop peu, je pense que j'y arriverai mieux. Quant à nos réunions, elle dit que *fun Tehilim*[1] ne s'accorde pas avec ça, que ceux qui rient des autres (les cyniques), ceux-là ne manquent pas toujours de justesse. Je lui ai conseillé d'aborder ce sujet en réunion. À part ça, tout va bien. Je ne vais pas tarder à lui parler... – Donc, j'ai pris rendez-vous avec Lusia... J'ai vérifié... Tout va bien chez elle. Mais j'ai décidé de discuter encore de ça avec Chajusia ou Surcia... Je suis contente que Lusia soit des nôtres...

Ghetto de Litzmannstadt, 5 janvier 1944

Hier à la veillée, Chajusia inscrivait pour les formations (Surcia ne pouvait pas, car elle est tombée et a affreusement cogné sa main) et elle devait encore séparer le groupe en deux, mais il était très tard. Je suis ravie qu'on sépare enfin le groupe, mais je suis inquiète que Surcia et Chajusia soient séparées également. Tout le monde veut avoir Surcia, personnellement, moi aussi, mais Chajusia dans tout ça ?... Chajusia m'a dit que Surcia, comme elle, voudrait le groupe le plus âgé, ce qui est compréhensible... Beaucoup de filles viennent de notre classe (Dorka Zand a annoncé que je voulais rebaptiser toute la classe). Ah, si seulement j'y arrivais ! Mais après

---

1. *Tehilim* : Psaumes en hébreu.

tout, je ne leur demande pas de venir, c'est elles-mêmes qui veulent et me donnent des fondements assez viables, mais surtout la « volonté », elles veulent !... Au début, j'inscrivais les fillettes pour les cours, mais Prywa m'a dit qu'elles ne convenaient pas toutes, qu'elles ne viendront qu'une fois et se moqueront ; d'ailleurs, je poserai la question à Surcia... Ah, comme c'est bien d'avoir Surcia et de pouvoir lui demander souvent conseil ! Je lui apporterai certainement mon journal vendredi, mais je voudrais que mon écriture soit plus compréhensible, je pense qu'elle se préoccupera pour bien des choses... Je ne lui cache rien pourtant, et si cela arrivait, alors nous en parlerons. (Les filles du cercle littéraire viendront aujourd'hui à 6 heures. Quant à l'autre cercle, celui de l'atelier, j'y ai renoncé et elles n'ont pas l'air de vouloir me demander de revenir.) Et hier, c'était une sorte de commencement du cercle avec M. Wolman, il ne pouvait pas donner le deuxième cours rien que pour elles, donc nous en avons profité. Il nous posait des questions sur différents classiques, mais nous ne savions que très peu de chose, bref.

Je voudrais passer un peu à mon sujet... Donc hier j'avais quelque chose à écrire, c.-à-d. je sentais que j'avais quelque chose à écrire, mais, même si j'avais eu le temps, je n'aurais pas su quoi écrire, car je l'ai oublié, tout simplement. Je suis devenue mademoiselle-oublie-tout. Avant, quand on me disait quelque chose, je m'en souvenais même si on me réveillait en pleine nuit, et maintenant ? (Ah, la sonnerie, déjà.)

Je voulais écrire sur Tamara, ah, parfois, j'ai des remords, je ne sais pas, et qu'arrivera-t-il ? Ah, comme ça m'est difficile...

Mon imagination me peint différents tableaux... différents...
et même quand il en arrive un agréable, dans lequel je trouve
une sorte de réconfort, alors, vraiment, je n'arrive plus à me
trouver d'endroit où me mettre... et je suis si épuisée (quelques
personnes m'ont fait la remarque que j'ai mauvaise mine). Mais
ce n'est rien, c'est peut-être parce qu'il n'y a plus de « B ». Mais
moi, vraiment, je ne sais plus... et j'ai ce sentiment étrange...
que je ne sais pas exprimer... je ne sais pas où me mettre...

Ghetto de Litzmannstadt, 6 janvier 1944

Estusia est malade... Une forte fièvre l'a saisie hier... Il ne
me manquerait plus que ça... Et moi... je ne sais pas ce qui
m'arrive... je ne sais pas quoi faire... je m'accroche à tout,
comme une noyée au dernier rasoir[1]... Hier, j'en suis venue à
la conclusion que j'aimais être seule à la maison, je ne savais
pas l'expliquer, si j'étais gênée devant quelqu'un ou une chose
de la sorte. Je ne saurais le dire, mais hier, j'en suis venue à
la conclusion que tant que je suis seule, je réside comme dans
un autre monde, alors je vis de ma vie intérieure, mais quand
il y a quelqu'un d'autre, par ex. mes cousines ou un voisin
plus âgé, alors je me sens embarrassée (ni comme ci ni comme
ça)... Quand, par ex. (à cette heure-ci, quand je suis seule),
mes camarades me rendent visite, je suis sereine, d'accord, je

---

1. Rywka mélange ici, par inadvertance, deux expressions populaires
polonaises : *ostatnia deska ratunku* (« la dernière planche de salut ») et
tonący brzytwy się chwyta (« un homme qui se noie saisit même un rasoir »).

« ne m'immerge pas » dans l'autre vie, mais parfois je peux dire une pensée (bien que ça n'arrive pas très souvent et mes camarades viennent rarement). C'est pourquoi je n'ai pas pu m'échapper très loin en pensée hier soir (parce que je devais faire attention aux gruaux en train de cuire, etc.) et elle (la pensée) s'échappait et j'avais du mal à maintenir mon équilibre.

Ghetto de Litzmannstadt, 7 janvier 1944

Vendredi... ah, comme j'aime le vendredi soir ! Et en plus, j'ai pris rendez-vous avec Surcia ! Lusia veut aussi aller la voir avec moi, c'est bien (nous allons parler de sionisme) et juste après l'allumage des bougies Mania viendra me voir, elle veut s'entretenir avec moi... Et quand je reviendrai de chez Surcia, Fela viendra chez moi, donc tout mon vendredi soir est occupé. (Tous mes soirs seront occupés maintenant et j'en manquerai encore.) Ah oui, je suis allée chez Fela hier, j'étais honteuse de ne pas y être allée de toute la durée de sa maladie (hier, elle était déjà habillée), elle devait passer chez moi, mais elle a décidé qu'elle ne manquerait pas d'honneur à ce point et... je suis contente qu'elle ne soit pas venue, parce que j'aurais eu encore plus honte, son père m'en voulait de ne pas m'être mon-trée de tout ce temps, mais je voulais tellement et, chaque soir, j'avais d'autres affaires en tête... Estusia a la grippe, de toute manière la grippe sévit dans tout le ghetto (une épidémie[1]).

_____

1. Le 10 janvier, on a inscrit dans *The Chronicle* : « Une sévère épidémie de grippe sévit dans le ghetto. Le nombre de malades atteint

Mais vraiment, je décris tant la vie « extérieure » que je manque de temps pour la vie « intérieure »...

La femme de la rue Żydowska qui verse les salaires vient d'arriver et moi, ça fait trois mois que je ne touche plus ma dizaine et je n'ai pas de moment pour m'en occuper... Mais assez avec ça... Ce n'est que dernièrement, il y a quelques jours à peine, que je me suis aperçue que je réfléchissais à beaucoup de sujets, seulement je n'ai pas le temps d'écrire à ce moment-là (le plus souvent, ça m'arrive en épluchant les patates). Sincèrement, chaque fois que je réfléchis, je me répète une strophe que j'ai composée (je ne l'ai même pas encore notée) :

> *Oh, écrire, de toutes mes forces écrire*
> *Dans mon cher journal tout dire !*

Et des émotions encore... Et la même chose encore... Je crois que mon journal pourrait sans soucis s'appeler « Surcia » parce qu'elle en a été à l'origine et... absolument de tout... Mais j'ai perdu le fil... Hier (pendant que j'épluchais les patates), je ne sais plus comment j'en suis arrivée là, il suffit de dire que j'ai réfléchi au « mendiant ». Au ghetto, il n'y a pas de mendiants[1], mais avant la guerre, il y en avait, et

---

50 % des équipes dans certains ateliers ou départements. La maladie dure sept à dix jours et presque tous les malades ont dans les premiers jours une fièvre qui atteint les 40 degrés. Les pharmacies n'arrivent pas à répondre aux besoins en médicaments. Les ordonnances sont réalisées la plupart du temps seulement après quarante-huit heures. Les médecins n'arrivent pas à suivre non plus. La plupart des malades subsistent sans soins médicaux. » Lucjan DOBROSZYCKI, *The Chronicle, op. cit.*

1. La situation était bien différente dans le ghetto de Varsovie, par exemple. Dans bon nombre de témoignages, on évoque de multiples

même en grand nombre... Est-ce qu'ils devaient vraiment mendier ? Est-ce qu'ils ne pouvaient vraiment pas gagner leur vie autrement ? (Est-ce qu'ils devaient mendier leur vie ?) C'est si humiliant ! Ah, quel dommage que je comprenais si peu avant la guerre ! Peut-être que ça serait plus facile pour moi aujourd'hui !... Mais quoi ? Je m'écarte du sujet... Donc, est-ce que, parmi eux, il n'y avait vraiment personne de débrouillard ? Est-ce qu'il n'y avait que des malades parmi eux ? Des gens incapables de quoi que ce soit ? Je n'y crois pas ! D'ailleurs, j'ai lu à ce propos aussi. Je suppose que c'étaient des gens modestes (pas tous naturellement) qui ne savaient pas jouer des coudes... et ils ont été repoussés eux-mêmes [...]. Ils souffraient en silence... et malheureusement, peu d'entre eux arrivaient à traverser la vie, ils n'arrivaient pas à soulever ce poids, « la vie ». Mais ils voulaient vivre, oh, je le sais parfaitement, je le sens, car même les gens emprisonnés à perpétuité souhaitent vivre... et si ? Et eux (s'ils ont atteint leur but) étaient des héros, car quoi ? Ceux qui se sont gavés dans leurs taxis, qui avaient toujours du confort à foison, qui ne devaient pas chercher à se procurer un morceau de pain, ces soi-disant enfants de la chance, ceux-là, d'après moi, sont des malheureux, ils n'ont pas éprouvé de combat contre la vie, ils ne savent tout simplement pas ce qu'est la vie !... Ah, ne pas savoir ce qu'est la vie ? Je n'arrive pas à saisir qu'on puisse être inconscient de sa vie, de son existence. Et le monde est ainsi. Les uns semblent

---

mendiants, réclamant surtout de la nourriture. La majorité d'entre eux était des enfants.

heureux, mais au fond, ils sont malheureux parce qu'ils ne savent pas ce qu'est la vraie vie, et les autres paraissent malheureux (ça ne veut pas dire que la chance leur sourit), et ce sont justement ces chanceux naturels, mais... tout doit avoir ses limites, donc leur combat contre la vie, leur inconfort et leurs difficultés devraient se terminer aussi, seulement... ces gens devraient savoir que, même si leur calvaire est fini, ça ne veut pas dire que le calvaire n'existe plus, au contraire, ils devraient être conscients de leur chance et cela est très difficile, malheureusement, on y arrive peu. C'est très difficile...

Ah, quand je réfléchissais à tout ça hier, je n'avais que des questions, et aujourd'hui, prise par l'écriture, j'ai rempli toute une page. Donc, je décide que si je réfléchis à quelque chose, alors je vais essayer de le retranscrire, j'y arriverai peut-être ? Après tout, quel autre choix j'ai ?

(À propos du cercle littéraire à l'école, je ne suis allée à aucune réunion, et quand elles ont fait la liste des membres, Guta m'a demandé si je comptais venir, j'ai répliqué que, justement à ce moment-là, je n'avais pas le temps, ce qui est l'exacte vérité, parce que je n'ai déjà pas assez de jours dans la semaine.)

Ghetto de Litzmannstadt, 14 janvier 1944

Cela fait tant de temps que je n'ai plus écrit... Surcia a lu mon journal... Elle m'a écrit une lettre que je pourrais lire très, très souvent, y trouver sans cesse des nouveautés...

Mais puisque près d'une semaine est passée sans que j'écrive quoi que ce soit, il n'est pas étonnant que j'aie des choses à écrire. Donc, dimanche, je me suis fait arracher une dent... monstrueuse, les racines de cette dent se trouvaient sous une autre dent, et tout ça, d'ailleurs, je ne vais pas le décrire, mais j'ajouterai qu'encore aujourd'hui (vendredi) mon visage est enflé... La grippe sévit dans le ghetto, où que j'aille, la grippe... Les ateliers et les bureaux sont vides... un tas d'arrêts maladie. (Monsieur Zemel a plaisanté en disant qu'il placera les ordonnances devant les machines et qu'elles ordonnent la production). Madame Markus est malade aussi, je ne sais pas précisément ce qu'elle a (Icykzon passera aujourd'hui), elle a une forte fièvre et c'est pourquoi Minia ne va pas au travail non plus. Chajusia a la grippe, la mère de Surcia aussi et... je manquerais de pages si je voulais inscrire tous ceux qui sont malades... Les réunions s'en ressentent... les unes et les autres... La semaine dernière, le samedi, je n'ai pas reçu ma soupe, alors que ma carte était tamponnée. (Je ne suis pas la seule, d'autres également.) Nous allions rue Żydowska tous les jours, ils le repoussaient du jour au lendemain et le mercredi, ils nous ont répondu qu'ils n'en étaient pas responsables, donc Sala Skórecka et moi, nous sommes allées au FuKR[1] (chez M. Perl, c'est chez lui que je travaillais au début à la

---

1. FuKR (*Fach- und Kontrollreferat*) : la plus haute chambre de contrôle créée par Chaim Rumkowski le 6 novembre 1940. Un conseil de quatre membres présidait la Chambre sous les ordres du frère de Chaim Rumkowski, Józef. Sa fonction principale était une lutte sans merci contre les crimes commerciaux et les abus. Elle contrôlait les activités des ateliers et des administrations du ghetto. Elle avait le pouvoir

C. B.[1] avant qu'il ne passe au FuKR), il m'a dit qu'il y aurait un contrôle... Puisque j'étais sur place, j'ai fait un saut à la Compt. Gén. mais il n'y avait que Rachel Bejman au secrétariat... la grippe... Maryla Łucka et son père sont malades également, chez Mme Lebenstein tout le monde est souffrant sauf elle, M. Samuelson est malade, Jankielewicz remplace M. Berg, parce que Berg est malade aussi, Rundberg est à moitié malade, il est revenu l'après-midi, etc.

De ce cercle littéraire, nous avons publié un journal... merveilleux, vraiment merveilleux... Et j'ai encore composé deux poèmes. Je vais en transcrire un :

> *Souvenirs...*
>
> *Je me souviens de mon petit frère*
> *Je me souviens de mon cher père*
> *Et d'une figure féminine*
> *C'était ma mère !*
>
> *Je me souviens de l'école*
> *Et de mes camarades*
> *Et de mes enseignants*
> *Et de mes leçons...*
>
> *Je m'en souviens et je soupire*
> *Mon cœur va se clore*

---

de licencier les fonctionnaires avec effet immédiat, de perquisitionner les appartements et les bureaux.

1. La *Centralna Buchalteria* (« Comptabilité générale », en polonais) supervisait le circuit de l'argent dans le ghetto, elle fournissait la monnaie du ghetto à toutes les institutions et réceptionnait les moyens de paiement qui y arrivaient. Elle était dirigée par Salomon Ser. Lucjan DOBROSZYCKI, *The Chronicle, op. cit.*

Le Journal de Rywka Lipszyc

La brume recouvre mes yeux
Je suis proche des pleurs...
À mes lèvres se suspend
La question : pourquoi ?
N'y a-t-il pas dans le monde
Un coin plus adéquat ?

Cette question pourtant
Reste une simple question
Et ne donne rien de plus
Que davantage d'affliction

À cette souffrance
S'ajoute la langueur
Qui tiraille mon cœur
Qui ballotte mon cœur

Je manque et je me remémore
Et ça déchire mon cœur
Ah, c'en est assez
De cet affreux malheur !

Quelque chose me révolte
Je ne connaîtrai nulle paix !
Je demande : n'est-ce pas assez
De ces efforts, de ces corvées ?

Un manque affreux
Un manque mortel
De ma sœur, de mon frère
De ma mère et de mon père

Je crie et je crie !
(Mais nul n'entend ma voix)

Qu'adviendra-t-il ?
Mais quoi ? Mais quoi ?

Pour l'heure cependant
Je n'ai rien d'explicatif
Peut-être cet unique :
« Nous les Juifs ! Nous les Juifs ! »

Est-ce qu'après la lettre que m'a écrite Surcia je devrais composer un tel poème ? Mais je pense que ce n'est pas grave, après tout, je ne veux pas souffrir, mais... ça, je l'ai déjà remarqué il y a très, très longtemps, et Surcia dans sa lettre n'a fait que l'éveiller... que j'aime la souffrance... seulement, c'est si dur et je crains justement ce découragement... j'ai peur que ça ne me brise... Mais je me rappelle bien que lorsque quelque chose arrivait (quelque chose d'important) tout le monde semblait devenir fou, alors que moi, en plus de ça, en profondeur, au fond de mon âme, j'ai trouvé de la place pour un autre sentiment... Mon cœur grandissait... Mais je suis encore loin de pouvoir me comparer à rabbi Akiva[1]... et... encore une chose... par ex., rabbi Akiva était un savant. Il pouvait trouver, il savait comment agir... alors que moi... (je dois me mettre en retrait) je sais si peu que j'en deviens impuissante, je ne sais pas ce que je fais, je ne vois que les taches noires de mon inconscience...

---

1. Rabbi Akiva est une figure majeure du développement du judaïsme rabbinique. Souvent cité dans la Mishna et le Talmud. Il est mort en martyr de la main des Romains, en 135 apr. J.-C.

Ghetto de Litzmannstadt, 15 janvier 1944

C'est monstrueux... Je sens que je perds l'équilibre de mon âme... Chez Surcia, la mère et les deux frères sont malades... Chajusia est malade... Hier, je suis passée chez Surcia, elle m'a montré certains de ses poèmes. Ah, je croyais lire les miens... Quelle ressemblance ! Aujourd'hui à la veillée, il n'y avait ni Surcia ni Chajusia. Cette dernière nous a donné à lire un article de journal. *Tsulib a kleyn bashefernish*[1]. Sur le chemin du retour, Ewa et moi avons fait un saut chez Chajusia pour lui rendre le journal et je ne sais pas pourquoi, mais nous avons parlé de la *Szpera*[2]. Ewa s'est confiée un peu, j'ai l'impression que ça lui a fait du bien, moi, j'ai pratiquement gardé le silence, car qu'aurais-je pu dire ?... Chajusia nous a raconté comment ils se sont sauvés de la rue Czarnieckiego[3] (ils y étaient déjà durant la *Szpera*). Cette conversation et tout le reste m'ont complètement abattue... je me sens mal... ah,

---

1. « En raison de la petite créature. »
2. *Szpera* : ce terme provient de l'expression allemande *Allgemeine Gehsperre* (« Interdiction totale »). Il définit les événements tragiques du 5-12 septembre 1942, la grande rafle qui a mené à la déportation de 15 681 personnes considérées comme non productives, essentiellement des personnes âgées (plus de soixante-cinq ans), malades et des enfants de moins de dix ans. Durant la *Szpera*, Tamara, la sœur de Rywka, et Abramek, son frère, furent déportés et gazés, avec les autres, au camp d'extermination de Chełmno.
3. Rue Czarnieckiego se trouvait la prison des Juifs condamnés par le tribunal du ghetto. Durant les déportations, c'était également le lieu de rassemblement des personnes destinées aux convois en dehors du ghetto (le plus souvent vers le camp d'extermination de Chełmno).

des forces ! Il m'en manque tant... mon cœur est devenu de pierre... oui, ça m'étrangle, quelque chose m'étrangle...

Et maintenant une histoire... Fela est venue chez moi aujourd'hui et m'a dit que Kałmo (le frère de Dora Zand, le cadet) a emprunté chez elle des patates et du chou-rave sans prévenir qui que ce soit à la maison, pareil chez Dora Borensztajn. C'est une crapule, celui-là. Ah, je suis navrée pour Mme Zand et pour Dora. À propos, j'ai raconté à Fela l'affaire de mes soupes du samedi, parce que je me suis rappelé que Prywa avait envoyé Kałmo rue Żydowska ; maintenant, on pourrait tout lui mettre sur le dos... mais qui sait... Je voudrais tant ne pas y aller lundi... mais bon... c'est étrange, insupportable... je ne sais pas où me mettre, mais est-ce que ça irait mieux si je n'allais pas au travail lundi ? Pas du tout... Surcia m'a lu des *Tehilim* hier. Ah, c'est vraiment merveilleux et très actuel aussi, on peut encore les comprendre, s'en imprégner, mais c'est seulement dommage que je ne puisse pas les saisir [dans l'original], je pourrais me revigorer autrement alors... Ah, la souffrance est nécessaire, mais ça suffit, parce que dans la vie normale on souffre aussi et tout devrait avoir ses limites... Je crains d'écrire une lettre à Surcia parce que, en lieu et place du réconfort, je lui ai écrit tout autre chose...

Et Chajusia m'a demandé aussi de lui écrire quelque chose... ah, je suis exténuée déjà... J'ai des remords parce qu'on a déporté Abramek et Tamara, oh, mon Dieu ! Rends-les-moi maintenant, je n'y tiens plus, mon cœur va se briser... Abramek, où es-tu ? Tamara ! Oh, je n'en peux plus ! Des forces, ah... Et les sanglots m'oppressent... Et je suis comme pétrifiée, je n'arrive même plus à pleurer... Ah, allez tous au diable, bandits, assassins... je ne vous le pardonnerai jamais, jamais, mais face à « eux », je suis impuissante... En outre, on parle de cadavres à la maison maintenant... Aujourd'hui, à 2 heures, une des voisines est morte. Elle s'est évanouie et... voilà... une femme bien portante... et quand est-ce que ça en sera assez ? Quand est-ce que cette souffrance illimitée se terminera-t-elle ? J'en perdrai la raison... Des forces... Mon Dieu ! Des forces !

Ghetto de Litzmannstadt, 17 janvier 1944

Chanusia a la grippe... Madame Markus va mieux... Nous avons déjà eu des mathématiques à l'école aujourd'hui, oui, c'est là que tout redeviendra à l'ordre du jour en premier. Les meilleures machines ont été transportées dans la salle de formation, et nous serons réunies avec le troisième groupe... Hier, nous n'avons pas eu d'assemblée chez Maryla Łucka (nous sommes bien allées chez elle et nous sommes restées chez elle tout le temps), mais sa mère est malade et... toute cette grippe... c'est un obstacle immense... Mardi, nous aurons une réunion générale avec tout le monde et, mercredi, une sorte de conseil, seulement avec les anciennes et les plus âgées. Jusque-là, quand nous venions aux réunions, tout était familier, nous étions unies, et aujourd'hui, nous nous sentons étrangères... Hier, en marchant dans la rue, je rêvais... L'image suivante m'est venue à l'esprit : une chambre légèrement éclairée, il fait chaud, quelques enfants sont assis autour de la table, ils s'occupent entre eux ou écoutent ce que je leur lis, ah, je leur lis le ghetto, je leur raconte, je vois leurs yeux étonnés, ils n'arrivent pas à concevoir qu'une chose pareille ait pu avoir lieu... Ah, si ça pouvait déjà être cette époque-là. Comme j'ai déjà hâte... J'ai froid et j'ai faim, mais je n'ai pas seulement froid parce que c'est l'hiver, mais parce que je manque de chaleur intérieure, et je n'ai pas seulement faim parce que j'ai peu à manger et je n'arrive pas m'en rassasier, mais parce que j'ai faim et soif de quelque chose, parce que je ressens un manque, un grand vide, et que cet espace est froid et creux (la faim). Ah, se réchauffer !... Hier, nous avons dû prendre nos propres sacs pour récupérer mes portions (je les ai cousus hier chez Chajusia), car ils ne les donnent plus qu'en *tytkas*[1]. En plus, nous avons dû les porter sur un long chemin...

J'ai froid dans les environs du cœur – quand je l'ai senti, je me suis rappelé une certaine histoire à propos d'un garçon pauvre et d'un vieillard, le garçon disait : « Quand j'ai froid aux pieds, je tape du talon, quand j'ai froid aux mains, je peux les frotter, etc. », et il en faisait la liste dans l'ordre, jusqu'à ce qu'il arrive au cœur, il n'y a nul remède au refroidissement du cœur, et le vieillard, en lui tendant un manteau ou quelque chose de semblable pour qu'il se réchauffe, lui a dit : « Le cœur, surveille ton cœur, mon enfant, parce que c'est le plus important, prends garde à ce qu'il ne prenne pas froid ! »

---

1. « Petits sacs » ou « petits tas ».

J'ai commencé par écrire une lettre à Surcia et franchement, je vais lui faire de la peine avec cette lettre, je lui ai écrit que je n'en pouvais plus, que les forces me manquent, comme si c'était mon journal.

Ghetto de Litzmannstadt, 19 janvier 1944

Et encore très peu de temps... Les cours à l'atelier sont presque normaux... Mais ce n'est pas de ça dont je veux parler... Surcia est venue à la réunion d'hier très contente, sa mère se porte bien mieux... Le soir, en me mettant au lit, j'ai involontairement tendu la main vers la sacoche des photographies... je n'en ai regardé que quelques-unes, oh... Dieu... quand j'ai regardé la photo de Tamara, je me suis rappelé qu'elle vient d'avoir six ans, elle est dans sa septième année ; moi, à cet âge, j'allais déjà à l'école. Ah, quelle joie ça serait si tous les enfants allaient déjà à l'école !... Des larmes m'en sont venues aux yeux... À travers la brume des larmes, j'ai vu les yeux terrifiés de Tamara (c'est l'air qu'elle a sur la photo)... ah, j'ai peur de l'écrire... on aurait dit qu'ils m'appelaient, comme si elle m'appelait à l'aide... et moi, rien... je restais couchée dans mon lit, je ne pouvais même pas pleurer... et mon cœur se révoltait, brûlait de courir vers elle... et je n'ai rien fait... ah, Tamara, où es-tu ? Je veux te venir en aide... Et je me révolte, et je brûle de courir, mais comment, je suis attachée... Ah, combien de tragédies se trouvent dans ces mots !? Alternativement, j'ai peur, ils me manquent, des sueurs froides me recouvrent, puis une chaleur immense, je m'accroche à tout comme un homme qui se noie à l'ultime rasoir... Je veux m'abrutir de mots en songeant à autre chose, mais cette torpeur, cette impuissance remonte à la surface... Que faire d'autre ? On ne peut pas vivre ainsi !... Oh, des forces ! Des forces ! Mon Dieu ! Des forces !... Et alors, je me demande avec crainte si je reconnaîtrais Tamara. Les années passent !

Ah, mon Dieu ! Et comment ne pas y songer ? Comment le supporter ?... J'ai aussi regardé dans les yeux de maman (mais en photo) : oh, mon Dieu ! Combien ils expriment et quelle ressemblance entre elles ! Ah, plus jamais, plus jamais je ne te dirai « maman » ! Tu m'as quittée pour des siècles ! Ah, comme c'est horrible, comme ça étouffe ! Dieu, permets-moi au moins de remplacer ma mère auprès de mes frères et sœurs. Laisse-moi souffrir à leur place ! Oh, mon Dieu ! Comme c'est difficile !... Et partout seule !

Ghetto de Litzmannstadt, 20 janvier 1944

J'ai remarqué que je cherchais l'inspiration... et justement dans les souvenirs... Ah, je me rappelle quelque chose maintenant... L'autre jour, quand je parlais de sionisme avec Surcia, elle m'a dit que le plus important dans un livre, c'est le contenu, et en seconde position le style (c.-à-d. le contenu c'est la Torah et le style, c'est la Palestine) et, si les deux choses coexistent, et le contenu, et le style, alors l'ensemble est beaucoup plus beau, mais le plus important, ça reste le contenu... Quand monsieur donnait un cours et nous parlait de Chalem Aleikhem[1], nous disant que c'était cette sorte d'homme qui, à partir de petits événements quotidiens, à partir de presque rien en fait, était capable d'écrire, c.-à-d. de présenter sous un tel éclairage (humoristique) qu'involontairement ça devenait intéressant, c.-à-d. que d'après lui ce n'est pas tant le contenu qui est important, mais la manière de raconter, le style. C'est pourquoi, quand il a lu une nouvelle, j'ai remarqué qu'elle ne contenait rien, que ce n'étaient que des faits stupides, mais drôles... et celui qui le comprend, ce rire le fait souffrir... aïe... que ça fait mal... d'après moi, c'est une perte de temps... C'est pourquoi ça ne m'étonne plus que chez les sionistes la Palestine se trouve à la première place et chez certains la Torah en deuxième, chez d'autres pas du tout, et c'est parce qu'ils ne sont pas encore assez matures pour le comprendre... ce sont des enfants stupides et naïfs sur ce point... Les malheureux !

Ah, mon Dieu ! Comme c'est bien que je sois née dans cette maison justement et pas dans une autre... Malgré tout, sur cet aspect-là, j'ai eu beaucoup de chance... Et je sais évaluer[2] cette chance...

---

1. Chalem Aleikhem (1859-1916) : humoriste et écrivain Juif ukrainien, né à Pereïaslav, dans l'Empire russe, mort à New York aux États-Unis. Très populaire en son temps. Un des pionniers de la littérature yiddish.
2. Probablement un contre-sens involontaire de la part de Rywka : elle écrit *ocenić*, voulant dire « évaluer », alors que *docenić* voudrait dire « savourer, apprécier ».

Ghetto de Litzmannstadt, 21 janvier 1944

Vendredi !... Ah, ça fait une semaine entière que j'attends le vendredi soir et le samedi... Je ne sais pas, je n'arrive pas à m'imaginer ce que ça serait si on n'avait pas cet unique samedi (aujourd'hui, en hiver, et les vendredis soir). Comme je me sens bien alors. Je peux penser, rêver (j'ai le temps), ah, rêver, rêver et oublier, survoler au galop cette grande (peut-être pas si grande) route qui me sépare encore de ça... Qui sait si elle m'en sépare ? Mais pourquoi y penser ? Laissez-moi rêver ! C'est un tout autre monde, mais puisque je suis déjà un peu expérimentée dans cette vie, alors même les rêves ne sont pas quelque chose de charmant pour moi, j'y suis aux prises avec la vie, avec ce géant... Mais avec cette différence que j'ai des personnes pour qui le faire et je m'y attelle volontiers et ça m'est si doux... Oh, plus vite ! Je n'ai plus de patience, l'excitation me submerge... mais... je me pose la question : est-ce que je ne me fais pas d'illusions ?... Mais je chasse rapidement cette pensée et je ne veux pas que la moindre broutille encombre ma rêverie si douce ! Peut-être que quelqu'un qui m'observerait hocherait la tête en disant : « Pauvre enfant, elle se leurre ! » Mais j'y suis obligée. C'est un soulagement pour moi de se transporter librement aux pays des songes... Mes rêves, ah, qu'ils se réalisent !

En dehors de ça, à peine Chanusia s'est-elle levée après sa grippe que Chajusia s'est couchée à son tour, le jour même, mais elle va déjà mieux et n'a plus de fièvre... Et même si nous sommes déjà le 21 janvier, il n'y a pas eu de vrai froid, au contraire, le temps ressemble plus au mois de mars : des flaques, de la boue, et c'est pourquoi la grippe s'est répandue. La semaine dernière, ça a gelé un peu et la grippe s'est interrompue, mais dès qu'il y a de la gadoue, elle revient...

Quelques heures me séparent encore de l'allumage des bougies... et après ? Ah.

Ghetto de Litzmannstadt, 24 janvier 1944

De la lettre pour Surcia :

Ah, Surcia, j'ai tant à t'écrire que je crains de ne pouvoir te dire quoi que ce soit !

Mais passons aux choses sérieuses ! Le samedi, j'ai eu très mal à la tête et je me sentais très mal, puis j'avais un souci, parce que comme tu le sais peut-être, le samedi 8 janvier, je n'ai pas reçu mes soupes, etc. Et puis... Ce samedi (nous étions encore au lit), Hela Jochimowicz est venue et a dit qu'il y avait un contrôle du FuKR à l'atelier et que j'étais déclarée présente, donc il fallait que j'aille à l'atelier sinon elles pourraient se faire repérer (à cause de ma présence). En dix minutes, j'étais à l'atelier. Le contrôleur m'a posé énormément de questions et a écrit en mon nom, puis, à la fin, il m'a demandé de signer ; j'ai répliqué que je n'écrivais pas le samedi. Tout le monde souriait, le contrôleur voulait s'assurer que je signe à un autre moment et il m'a dit qu'il reviendrait lundi, que l'autre fillette serait peut-être présente elle aussi (il manquait Sala Surecka). Quand je suis revenue en classe, tout le monde m'est tombé dessus ravi et m'a demandé comment et ce qui s'était passé. J'ai dû répéter tout plusieurs fois. En un mot, j'ai provoqué un événement. Alors, je suis restée jusqu'à 13 heures au cas où elles auraient besoin de moi et qu'elles ne soient pas obligées de courir me chercher. Elles étaient toutes très contentes... Quand je suis revenue à la maison et que j'ai tout raconté, quand Minia a découvert que nous sommes allées [porter plainte] au FuKR (Estusia était déjà au courant), elle m'a dit qu'à cause de mes soupes, quelqu'un pourrait finir rue Czarniecki, que je n'aurais pas dû aller au FuKR, que l'autre aurait pu y aller, mais pas moi. (Même si je n'y étais pas allée, le père de Sala l'aurait fait, il avait décidé d'y aller en premier.) J'ai vraiment eu un gros chagrin d'avoir fait ça et je me sentais si mal, mais qu'aurais-je pu faire d'autre ?... C'est fait. Et puis, Sala y serait allée quand même... J'y ai pensé toute la journée et en plus de ça, j'avais mal à la tête et je me sentais fiévreuse... Nous ne sommes pas rentrées directement chez nous le soir (pour être franche, je voulais venir tout te dire, mais tu étais sortie avec Chajusia et Róża). (C'est alors qu'en sortant de chez Dora après la veillée je me suis aperçue que son frère Kałmo, qui venait de rentrer à la maison, avait le visage et la tête enroulés de pansements : qu'est-ce que ça signifie ?)

« L'autre histoire » m'est revenue en tête et l'ensemble faisait une sorte de mélange, je n'arrivais pas à tirer mes idées au clair...

Nous avons tourné dans la rue Zgierska avec Ewa (plus Sala et Cipka derrière nous). Elle me rappelait un peu la rue Piotrkowska[1]. (Elle m'a avoué que tu lui étais aussi

---

1. La rue Piotrkowska est l'axe principal nord-sud de la ville de Łódź, rue dont les Juifs ont été bannis dès le début de l'occupation allemande en 1939.

extrêmement précieuse. Je lui ai dit que tu ne t'étais pas du tout isolée avec moi, qu'elle pouvait faire comme moi.) Je ne pouvais pas rentrer à la maison, mais je me sentais très mal, j'aurais voulu me coucher et dormir, mes jambes ne me portaient plus, mais ce n'était rien... Pour rentrer chez moi à ce moment-là, j'aurais eu besoin d'un peu de chaleur, mais c'était tout le contraire, l'atmosphère m'aurait glacée...

Peu importe, mais c'est aussi parce que si j'étais rentrée à la maison, ça n'aurait pas plu à Estusia, etc. Donc j'ai considéré que ça me passerait... Mais passons : à propos de mon journal, alors vraiment, j'ai hâte que tu le lises enfin, mais je voudrais encore le remplir un peu (quelques jours).

À part ça, tu m'écris qu'Estusia est contente de moi. Est-ce que tu me l'écris pour me consoler ? Parce que dernièrement elle m'a prise en grippe et me traite sans cesse (nouveau mot) de fainéante... Toute la journée... d'ailleurs, je te l'ai déjà dit, ce ne sont encore que de grandes enfants...

Ah, je n'ai plus le temps et j'ai encore beaucoup à t'écrire, mais ça sera aussi dans le journal, donc tu l'apprendras quand même...

Je me dépêche terriblement... Hier soir, Chajusia m'a envoyé par Srulek des patates (beaucoup), du sucre et de la farine, mais aussi une lettre de Surcia (à laquelle j'ai répondu), mais il n'y avait rien à propos de ma lettre dans la sienne, Prywa n'est pas au courant non plus... cela m'étonne...

J'ai réussi à prendre un bain hier, mais j'ai dû énormément attendre... Ah oui, même si on est à peine le 24 janvier, le temps ressemble plutôt au mois d'avril... qui l'aurait cru ?

Je suis un peu préoccupée, je dois me rendre rue Żydowska après le travail et tout ça... Et j'ai aussi remarqué autre chose : que j'essaye de trouver un peu de réconfort dans les souvenirs et dans la douleur, j'y arrive un peu...

Parfois, je veux dormir et tout oublier dans mon sommeil, ou que la nuit soit longue, mais les pensées s'accrochent à moi et il règne un chaos terrible... Je ne peux plus imaginer l'avenir, comme avant, parce que tout cela a déjà été imaginé... je l'ai mis de côté et... j'attends la fin de la guerre. Ah, mais cette attente est en elle-même tragique ! Et après ?... J'en tremble... faites que j'y arrive ! Ah, mon Dieu ! Je crois que tu m'aideras, car si ce n'est toi ? Qui d'autre ! Ah, si tu ne le fais pas, alors vraiment, je ne sais plus... (J'ai mal à la main, tellement j'ai écrit aujourd'hui.)

Ghetto de Litzmannstadt, 25 janvier 1944

J'ai apporté le linge à la laverie hier et sur le chemin du retour, je suis passée chez Zemlówna, ce dont je suis très contente, car quand j'avais besoin d'aide je venais chez elle très souvent, et quand je n'avais besoin de rien, je ne me montrais plus... Cela faisait tant de fois que je me promettais que je passerais certainement aujourd'hui, ou demain, à coup sûr, etc. Après quoi, je suis passée chez Surcia pour lui remettre la lettre... Donc, ce n'était pas pour me consoler que Surcia m'avait écrit qu'Estusia était fière de moi, elle a entendu Estusia le dire, mais puisque ça ne correspond à rien, Surcia m'a dit que ça devait être dit par commodité et... enfin, à quoi bon écrire une telle chose ? Qu'est-ce que cela va m'apporter ? Mija Zemlówna m'a dit à l'instant ce qui s'est passé à l'école. Donc, les enfants du groupe 6 prennent chaque jour les patates de leurs soupes et les laissent au secrétariat. Il s'est avéré que Mme Perl mange en cachette une partie de ces patates. C'est Hala, celle qui réunit les patates qui l'a découvert. (Mme Perl !... je ne l'aurais jamais soupçonnée... qui d'autre me décevra encore ? Ah, comme c'est ignoble... fausseté et imposture... Ça fait si mal !) Donc, Hala (une gamine) a fait courir la rumeur que Mme Perl mangeait les patates en cachette. Une assemblée a eu lieu hier à ce sujet et Hala devait être expulsée de l'école. Des délégations devraient suivre... peut-être qu'Hala restera... mais ce seul fait... et Mme Perl... Il s'est avéré que ces aliments que Chajusia m'a envoyés sont pour Dora...

Surcia m'a rappelé cette fois où, après la réunion (chez les Dajcz), nous sommes passées chez moi pour que je lui donne ma lettre et qu'Estusia a dit tout haut que je devrais avoir honte parce qu'elle était obligée d'éplucher les navets, puisque je ne l'avais pas fait. Surcia avait été révoltée : n'y est-elle pas habituée ? Est-elle meilleure que moi ?... Ah, que faire ? J'écris à propos de faits ? N'ai-je vraiment rien de mieux à faire ?

À part ça, Zemel nous a demandé, à Sala et à moi, de passer rue Żydowska après le travail. Sala y a retiré sa soupe hier et on m'a demandé d'y retourner demain.

Ghetto de Litzmannstadt, 26 janvier 1944

De la lettre à Surcia :

Tu m'as demandé dans ta précédente lettre de t'écrire ma définition du bonheur. Donc, d'après moi, heureux est l'homme qui peut se relever et il est alors encore plus heureux, car il est d'abord tombé et il peut savourer son bonheur ! Mais le bonheur peut aussi avoir d'autres significations, par ex. la tranquillité d'esprit, le soulagement, etc., mais il est plus grand quand l'homme en est conscient, car il peut alors l'apprécier. Par ex., pour moi, la chaleur serait un grand bonheur... et même le travail le plus pénible serait une douceur et un bonheur si je savais que je le faisais pour quelqu'un qui m'est proche. J'ai déjà eu l'occasion de l'expérimenter à l'époque où maman était malade – et j'étais beaucoup plus jeune à ce moment-là et je faisais tout toute seule, mais cet effort m'était si doux... je me sentais si bien !... Je savais que ma mère était contente et cela me procurait des forces. Personne ne l'a jamais su, c'est une chose personnelle jusqu'à aujourd'hui... C'est vrai, j'ai aussi eu des moments pénibles, mais je savais que je ne pouvais compter sur personne. D'ailleurs, j'avais aussi Abramek... ah, Surcia, je te le dis, quel enfant merveilleux c'était !... Tu ne peux pas seulement te l'imaginer... Et nous pouvions nous soutenir mutuellement... Et maintenant ?... Rien d'étonnant que tout me soit si difficile... Et je vais te dire encore une chose : jusque-là, quand tu m'écrivais qu'Estusia était fière de moi et que cela devrait me réconforter, je m'efforçais à ce que ça soit réellement le cas, mais ça ne pouvait en aucune façon marcher. Et maintenant que tu m'as confié qu'Estusia le dit sans y croire, j'ai ressenti (avant, je le comprenais) que tu me comprends vraiment et... que tu es toujours avec moi et que tu m'aides tout le temps !

Très bien, à bientôt ma chérie ! Ta Rywka !

J'écris de telles lettres à Surcia qu'elles pourraient aisément faire partie de mon journal...

Hier, j'ai encore regardé les photographies... mais seulement celles d'Abramek et de papa... Papa !... Je l'ai eu un instant devant les yeux comme s'il était en vie... Mais quelque chose m'a chuchoté... *Papa est mort... papa est mort... non, ce n'est pas possible... il est en vie, il est en vie...* Quelque chose m'a chuchoté encore : *cela va faire trois ans*[1]... Non, ce n'est pas possible, tant que je vois ses yeux, les yeux de papa sont si expressifs... et... je me suis rappelé de sa poignée de main, je la sens encore dans la mienne, c'était en ce jour de Yom Kippour où on nous a laissés entrer à l'hôpital (de la rue Łagiewnicka[2]) et, au moment des adieux, papa m'a serré la main... Oh, tout ce qu'exprimait cette poignée de main, combien j'y ai perçu d'amour paternel, oh,

---

1. Jakub (Jankiel) Lipszyc est mort le 2 juin 1941 et a été enterré sur le « champ du ghetto », quartier G-V, tombe 222.
2. L'hôpital n° 1, situé aux 34/36, rue Łagiewnicka. En plus de l'hôpital, un des appartements de Chaim Rumkowski se trouvait dans l'immeuble. Lors de la *Szpera* de septembre 1942, les malades ont été déportés au camp d'extermination de Chełmno. Après la liquidation de l'hôpital, on y a installé des ateliers textiles.

mon Dieu, je n'oublierai jamais cet instant-là ! Mon papa, si vivant, si aimant, le plus cher des êtres de cette terre... déjà... je n'ai pas le droit... de rêver de toi... ça serait une chimère, oh, tragédie ! La tragédie de mon existence ! Tu te caches sous chacun de mes mots... sous chacun de mes soupirs... partout tu me suis, pas après pas...

Pour ce qui est de mes parents, je n'ai plus le droit de me leurrer... ils ne sont plus parmi nous, ah, que ces mots font mal, qu'ils blessent ! Comme des piques de hérisson... Les images de la mort de mon père et de ma mère défilent sous mes yeux... Je n'étais pas présente lors des derniers instants de la vie de mon père, quand on m'a appelée... papa était déjà mort... Dieu ! J'aurais voulu me jeter sur lui, le suivre, oublier tout... C'était comme ça aux premiers moments... mais après, je ne pouvais plus... j'avais encore ma mère, mes frères et sœurs... j'étais obligée de vivre... j'étais obligée... pour eux ! Mais alors, pour la première fois de ma vie, je me suis extériorisée un peu... j'ai pleuré et... je voulais oublier... et... inconsciemment, par les pleurs, j'ai laissé couler ma grande douleur... jusque-là, j'étais secrète... personne ne savait rien à mon propos, moi-même, je ne savais rien sur moi... ce n'est qu'à ce moment-là... et c'est alors que je l'ai remarqué, que ma petite maman m'a comprise... maman... elle a senti... Dès lors, nous nous sommes rapprochées et nous ne vivions plus comme mère et fille, mais comme deux amies les plus proches et les plus sincères... nous ne sentions plus du tout alors la différence d'âge... (et j'avais douze ans). Ah, mon Dieu ! Maman est partie et ce qu'elle n'a pas eu le temps de me dire restera à jamais un mystère... Après sa mort, je me suis rapprochée de mes frères et sœurs (Abramek m'a nommée « mère » ; « tu es notre mère », disait-il), je voulais la leur remplacer, mais... ça ne m'a pas été donné non plus... je suis restée seule avec Cipka...

Et dans le contenu de la souffrance, la tragédie joue une mélodie... Assez, assez de la tragédie à présent... je ne peux pas supprimer ma souffrance... La souffrance – c'est la vie... tu veux vivre, tu dois souffrir... Ou autrement : en récompense de ta souffrance, tu vis... Je ne changerai pas de contenu... mais la mélodie, je veux changer la mélodie... car... car je ne tiendrai plus très longtemps... j'en ai déjà eu assez !

Ghetto de Litzmannstadt, 27 janvier 1944

Hier, nous avons eu notre premier cours chez Bala Działowska... Je crois que ça s'annonce très bien... Nous en aurons trois fois par semaine, le dimanche à 16 heures et le mercredi et le samedi à 7 heures...

J'ai mal à la tête, ce qui est rare chez moi, mais ça arrive plus souvent ces temps-ci... Je suis allée hier rue Żydowska parce que Opatowski m'a dit de venir pour que je reçoive mes soupes. Mais quand j'y suis allée, il m'a demandé de revenir dans quelques jours... J'ai peur que ça ne donne plus rien...

Ghetto de Litzmannstadt, 31 janvier 1944

Je commence par une lettre à Surcia. Surcia m'a donné à lire ses lettres et celles de son amie Miriam, et j'ai été soudain si inspirée que je lui réponds par une lettre si immense que ça pourrait être mon journal. Et donc :

Ma Surcia adorée,

Ah, j'ai tant à t'écrire que je ne sais vraiment pas par quoi commencer... Mais je vais essayer tant bien que mal. Donc, j'ai lu tes lettres... Aux endroits où vous écriviez que vous êtes joyeuses, etc. j'ai eu peur pour vous, ni plus ni moins, car c'était une période si incertaine... et j'ai cherché à me rappeler si j'avais aussi été joyeuse ; mais bon ? Ça n'a pas de sens... Après tout, je n'avais alors qu'à peine onze ans... (année 1940). À part ça, j'ai compris énormément dans ces lettres, j'ai énormément ressenti... À présent, je sais ce qu'a été Miriam pour toi et je le ressens avec toi, tu as perdu quelqu'un (je ne devrais peut-être pas écrire cela, mais il le faut). Surcia, crois-moi, je le ressens parce que j'ai traversé la même chose... et... j'ose à peine... mais je te propose, parce que je vois que ça te serait très utile, de te confier à moi, au moins un peu... ah.

Surcia, je désire ton bien, je t'aime tant, ma Surcia, permets-moi de remplacer Miriam auprès de toi, ne serait-ce qu'en partie... Oh, Surcia, j'ai envie de pleurer maintenant, j'ai fini ces lettres et je songe aux dernières... Ah, Surcia, comme je le ressens... Surcia, je manque de mots, car que représentent-ils ? Surcia, je t'en prie, sens-le... Surcia, il ne faut pas que maintenant, quand je t'écrirai que je t'aime, tu croies que je cherche à égaler Miriam, que tu me plais et c'est pourquoi je te veux, mais sache-le : je t'aime du plus sincère des sentiments d'amour...

Ma chérie ! Quand je feuillette parfois mes premières lettres et que je me rappelle que je te demandais de devenir mon amie, des sentiments étranges m'envahissent, mais à ce moment-là... à ce moment-là, nous nous connaissions peu à vrai dire et qu'est-ce que ça signifie par rapport à aujourd'hui ?... Je suis contente d'avoir lu ces lettres, car de la même manière que je veux que tu saches tout à mon propos, je veux tout savoir de toi...

Surcia : le père ! Comme je le comprends ! Et je ressens plus encore... oh, quand je le lisais alors, j'ai ressenti (j'ai honte de l'écrire à présent) que j'aurais voulu te serrer dans mes bras, car j'avais un si grand besoin de pleurer...

Ah, Surcia, tu m'attires si fort... Tes lettres (et les miennes pour toi) sont véritablement mon journal. Ah, Surcia, ma main me fait mal, tellement j'écris vite, je voulais tout te transmettre et je sais que ça vaut zéro, zéro en comparaison de ce que je ressens et ce que j'ai à te dire. *Ah, Surcia*, je ne peux rien écrire de plus grand que ces mots... Car que signifient les mots ?

Ah... Surcia, je devrais t'écrire encore une lettre, ou mieux, te lire mon journal, d'accord, ma chérie ? (Ça concerne la soirée de vendredi.)

Mais je dois déjà te dire au revoir (sur le papier). Surcia, mon amour, je pense à toi tout le temps, tu m'attires tellement.

C'est si... non, je ne trouverais pas la bonne expression.

À bientôt, ma chérie. Ta Rywka...

Je n'ai pas pu en écrire plus à l'atelier... et maintenant non plus, je doute que j'aie le temps d'en écrire davantage, je ne voudrais pas que les cousines sachent que j'écris, elles auront assez à commenter comme ça... Mais ça suffit...

Donc, Surcia et Chajusia m'ont emmenée le vendredi soir à la veillée des adultes. Surcia m'a dit que c'était bien dommage que je ne sois pas venue la semaine d'avant, car ça avait été si merveilleux... Mais ce n'est pas de ça dont je voulais parler. Je voulais plutôt exprimer tout ce que cette veillée m'a donné et l'inclure dans la lettre, mais dernièrement, j'ai si peu de temps et tellement de travail... Donc... après la veillée, quand on commençait déjà à chanter, Róża a entonné soudain *Shalom Alekhem*, ce qu'on dit vendredi avant le Kaddish[1] (comme ce mot sonne mal en polonais !). Ah, Shalom Alekhem... tant de souvenirs... Des images défilent devant mes yeux... Papa revient du temple, maman prépare la table, tout le monde est d'excellente humeur et... justement ça, *Shalom Alekhem*, papa marche dans la pièce et dit *Shalom Alekhem* (ah, ça a un son idiot en polonais !). *Shalom Alekhem*, mon Dieu ! *Shalom Alekhem*, combien de choses ça a réveillées en moi, cela fait si longtemps que je n'en ai plus entendu un vrai, quand je l'entendais, je suis devenue songeuse, mes pensées et mon âme ont été transportées... à cette époque-là, cette époque qui ne reviendra plus jamais, jamais... Oh, mon Dieu ! Et je n'entendrai plus jamais ce

---

1. Kaddish : élément de liturgie juive récité autour d'un verre de vin pour célébrer le shabbat.

Shalom Alekhem de la bouche de mon père... Mais comme je voudrais l'entendre au moins de la bouche d'Abramek ! Mon Dieu, laisse-moi me sauver au plus vite par ce (les mots me manquent) *Shalom Alekhem* et combien de choses sont exprimées dans ces mots, ah, si ça pouvait être déjà Shalom... que le Shalom vienne déjà pour tous les Juifs... Mon Dieu ! Autorise-le, autorise-le ! Tout cela me manque... Et je ne sais pas... J'ai aussi lu les lettres de Surcia et de Miriam et tout cela mis bout à bout a réveillé tant de choses en moi... mais je dois finir, il est presque 5 heures et demie et ils ne devraient plus tarder à revenir des ateliers...

Ghetto de Litzmannstadt, 1ᵉʳ février 1944

C'est déjà le 1ᵉʳ février !

Quand je lisais les premières lettres entre Surcia et Miriam, je me suis rappelé le début de la guerre. Ah, de quoi avais-je l'air ?... Et justement, ça m'étonne qu'elles aient pu écrire de telles lettres parce que ce n'était pas qu'un temps d'inquiétude et de crainte, mais c'était aussi si soudain que ça nous sautait aux yeux, c'est pourquoi j'avais si peur, mais c'est passé... Aujourd'hui, c'est le douzième anniversaire de la mort de papy Lipszyc et, en parallèle, Abramek a eu douze ans il y a quelques jours... Abramek... je pensais à lui aujourd'hui... J'étais couchée dans le lit, j'avais encore presque une heure de temps devant moi... Et... j'ai eu l'impression qu'ils avaient remmené une partie des gens déportés pendant la *Szpera*.

J'ai été remplie d'une nouvelle énergie... aux actes... J'y ai couru vite et... Abramek se trouvait parmi eux. (Ah, quand je l'écris, ça me paraît si futile... si dérisoire... Eh, je ne l'écrirai plus, car à quoi bon ? Ce n'est qu'une douce rêverie... Ah, si ce rêve pouvait se réaliser... Dieu, aide-moi... Mais j'écris toujours à la même sauce, ça ne se peut pas...)

Ils me manquent...

Il est plus de 13 heures et nous (la formation) n'avons toujours pas reçu nos soupes. Il y a de nouvelles cartes d'identité aujourd'hui et tout le monde court partout... Heureusement que j'avais la soupe de Cipka... Et nous n'avons pas eu cours. Une journée étrange... Jusque-là, j'ai lu les devoirs maison donnés lors du cours chez Bala, j'en ai eu mal à la tête, à lire trop longtemps... J'espère que j'y arriverai sans grand mal...

> *Ah, j'ai un si grand appétit...*
> *Et je suis si triste...*
> *Oh, larmes, mouillez mes yeux...*
> *Et que je sois enfin soulagée...*
> *Et que je puisse pleurer la nuit*
> *Et... que je puisse dire : en avant ! Oui !*
> *Ah, comme c'est encore loin de moi*
> *Que me sépare de cet état ?*
> *Que faire ? Ce qui dort en silence au fond de mon âme*
> *Veut bondir et... courir jusqu'à Dieu lui-même !*
> *Oh, mon Dieu, aide-moi, hisse-moi,*
> *Seule, je n'y arriverai pas !*
> *Ne me laisse pas tressaillir devant le labeur*

Et pose mon pied puissant au sol devant moi !
Mon Dieu ! Je sens une telle langueur...
Dieu ! Et je n'ai nul remède contre ça.
Je m'étouffe humblement devant Ta majesté
Je veux être pure ! Réduire mes péchés !
Dieu ! Un tel manque ! Dieu que j'aime tant !
Un tel manque... de quelque chose de plus grand...
Et les plaies de mon cœur me font souffrir
Quelque chose sanglote... et brûle de courir
Vers Toi !
Mon Dieu !
Mon Dieu aimé, j'ai foi que Tu m'aideras !

Ghetto de Litzmannstadt, 2 février 1944

Ah ! L'amitié et l'amour sont un grand avantage dans la vie humaine... C'est un vrai don de Dieu et un bonheur... Heureux celui qui vit dans l'amour et l'amitié... Cela réconforte et rassure...

Oui, j'aime Surcia !

C'est véritablement l'unique rayon fort (et brûlant) au milieu d'une atmosphère froide et glaciale...

Comme j'en suis reconnaissante à Dieu !... Quand je remonte le temps en pensée et je songe qu'il s'en est fallu de peu pour que nous ne nous rencontrions jamais... N'est-ce pas un commandement de la Providence ? Ah, que Dieu est puissant, comme il est tout-puissant et bon. Comme c'est bien que je croie en Lui !

Comme j'aime Dieu ! Je peux me reposer sur Lui toujours et partout, mais il faut également que je mette la main à l'ouvrage, car, après tout, rien ne s'accomplira tout seul !... Mais je sais que Dieu m'aidera !

Oh, comme c'est bien que je sois juive et comme c'est bien qu'on m'ait appris à chérir Dieu... Je suis reconnaissante pour tout cela ! Merci, mon Dieu.

Ghetto de Litzmannstadt, 3 février 1944

Hier en cours, Bala nous a demandé d'écrire une rédaction sur la manière dont nous nous imaginons notre arrivée en Palestine, ou plutôt en *Eretz Israel*. Je pense savoir pourquoi elle pose un tel sujet, donc, puisqu'il y a différentes sortes de filles parmi nous, elle veut savoir ce que pense chacune d'entre elles : il se pourrait qu'elles soient sionistes ?

Ah, *Eretz Israel*, il y a tant de contenu dans ces mots, comme je languis de voir ce pays !

Et au final, au lieu d'une rédaction en langue juive, je l'écris dans mon journal en polonais !

Tout bien considéré, le désir de voir ce pays a diminué un peu depuis la *Szpera*, cette langueur a décru à cause de la nécessité croissante de revoir Tamara et Abramek... C'est à eux que je pense en premier.

Mais revenons à ce que je veux écrire : donc Bala Działowska sera probablement l'enseignante de langue juive lors du deuxième cursus, mais nous ne serons plus là, Prywa

et moi, c'est pourquoi nous devons faire en sorte de rester pour le deuxième cursus, nous irons voir Zelmówna
aujourd'hui pour ça...

J'aime me remémorer des souvenirs... J'en deviens béate,
béate dans un sens différent... Je cherche de l'apaisement
là-dedans. De l'apaisement ! Un simple mot, mais il signifie tellement ! Comme je l'espère ! Mais j'ai remarqué que
j'écrivais tous les jours pratiquement la même chose et ça
n'a réellement aucun sens ! Je voudrais écrire quelque chose
de concret, oh, je voudrais et je voudrais tant et tant...

Ghetto de Litzmannstadt, 4 février 1944

Hier, je suis allée avec Prywa chez Zelmówna, sa mère
est soudain tombée malade du cœur il y a quelques jours
et, avant-hier, elle s'est retrouvée à l'hôpital. Quand je lui
ai demandé comment ça allait et que Halinka a répliqué :
« Tout irait bien, si maman... » ; quand elle le disait jusqu'à
ce mot-là, j'ai eu sérieusement peur... Quant à notre affaire,
je lui ai seulement dit que nous voudrions beaucoup rester à
l'atelier et elle a immédiatement répondu qu'elle demanderait
à son frère... S'il est d'accord, ça sera une chose de réglée...
À part ça, depuis plusieurs jours, j'ai une grande envie d'aller
au cimetière[1]... une sorte de force inconsciente... Comme

---

1. Il y avait deux cimetières juifs dans le ghetto. Le premier cimetière
juif de Łódź, près de la rue Wesoła, fermé depuis 1892, et un cimetière
dans le quartier de Marysin, où on enterrait tous les morts du ghetto.

je voudrais m'y rendre !... Auprès de maman et de papa. Comme j'ai envie !... Mon Dieu ! Et comment ça serait, quand, par ex., nous serons en *Eretz Israel*, nous serons alors si loin de nos parents... Une bonne idée m'est venue à l'esprit à l'instant : donc, on pourrait inscrire notre lieu de résidence sur les pierres tombales et peut-être que quelqu'un (de nos proches) que nous n'aurions pas pu retrouver passerait par là et le verrait... Mais nous sommes encore si loin de ça... Dieu ! Que cette guerre se finisse enfin !

Pour le moment, c'est la formation qui se termine et non la guerre... Nous aurons probablement une semaine pour des travaux privés... Je vais coudre une robe-tablier pour Cipka ou une autre robe... Et les journées défilent si vite, nous sommes à nouveau vendredi et c'est déjà le mois de février...

Ghetto de Litzmannstadt, 7 février 1944

J'ai tant à écrire que je n'ai vraiment pas le temps d'une quelconque introduction, car je n'ai rien écrit depuis vendredi, donc il s'est accumulé beaucoup de choses. Je commence par une lettre à Surcia :

Ma chère Surcia ! J'ai tellement hâte d'être demain et je sens un tel devoir d'écrire que je ne peux pas attendre davantage et j'écris dès aujourd'hui... Donc, allons-y : j'ai décidé de ne demander l'autorisation de personne et d'aller à la veillée du vendredi. Tu sais pourquoi, Surcia ? Tout simplement parce que je sens que ça m'apporte énormément et je ne laisserai personne m'en priver. Peut-être que je ne devrais pas le faire, par fierté, mais dans ce cas, je dois passer outre à mon orgueil. Et Surcia, ne sois pas fâchée contre moi, *je dois* y aller ! Ah, Surcia, maintenant les veillées se feront de plus en plus rares... Surcia, si peu, ça ne se peut pas... Je dois en avoir plus ! Je le dois !

Et encore une chose. Dernièrement, je suis allée à plusieurs veillées d'adultes et, chose étrange (peut-être que je ne devrais pas te l'écrire), ces réunions me correspondent plus. Ah, la Torah ! Même si nos veillées ont aussi un rapport avec elle, celles des adultes me sont plus proches... Je ne sais pas pourquoi... Ne crois pas, Surcia, que ce que je veux dire, c'est de me retirer de nos réunions et de ne venir qu'à celles-ci, non, je ne dis rien de tel, mais je t'avoue les choses telles qu'elles sont. Ah, Surcia, de toutes les sources dont je peux retirer du savoir, ce véritable savoir, j'ai peur d'en perdre un seul mot, et tant que j'en aurai l'occasion, je dois profiter de tout, *il le faut* !

Donc, Surcia, tu ne peux plus prendre en compte les fillettes, te demander ce qu'elles vont en penser, etc. Éventuellement, j'irai seule, mais j'irai ! J'irai !

Surcia, ne dis rien, tu n'as pas le droit de le dire, ne blesse pas mon cœur, comprends-moi ! J'ai ce sentiment étrange, quelque chose se révolte en moi, je veux m'accrocher à tout ce que je peux, et là, c'est à notre savoir, la Torah, c'est quelque chose de stable et de durable, peut-être y trouverai-je un peu de réconfort ! Surcia, je dois le faire ! Ne sois pas en colère contre moi ! Je t'écrirai peut-être quelque chose demain. Pour l'heure, bonne nuit !

Ta Rywka qui t'aime !

Si je n'avais pas écrit tout cela, je n'en aurais pas dormi de la nuit. Bonne nuit. (Je vais réfléchir maintenant à propos des « habitudes ».)

Et à présent, aux choses sérieuses ! Donc, quand nous sommes allées avec Surcia à la réunion (des adultes) le vendredi, elle m'a dit que les autres filles pourraient être jalouses parce que j'y vais et elles non, etc. À la fin, elle a ajouté : cette fois, c'est l'exception ! Ça signifie que je ne devais aller qu'à la veillée de vendredi dernier. J'étais un peu déçue, parce que c'était bénéfique pour moi, mais je ne pouvais pas défier Surcia. D'ailleurs, c'est Surcia qui m'a dit de venir en premier lieu. Mais quand la veillée a commencé et que j'en suis venue à la conclusion que je ne pouvais plus manquer ça, même s'il fallait pour ça ravaler ma fierté, alors maintenant je dois le faire coûte que coûte... tant pis... J'étais préoccupée parce que je ne voulais pas n'en faire qu'à ma tête, mais dans ce cas, je ne peux pas prendre en compte cette considération... Encore heureux que je rentrais à la maison avec Róża et que nous avons pu parler de cette veillée... Ah, comme c'est bien d'être juif, mais un Juif véritable, un Juif au plein sens du mot ! C'est pourquoi je dois puiser ce savoir tant que je peux et de toutes les sources... Et ne laisser personne me perturber dans cela. Il se peut que Mlle Zelicka n'en soit pas satisfaite, mais si on en vient là, je n'hésiterai pas à aller la voir...

À part ça, samedi matin, j'ai eu le rêve suivant... Je suis assise à table dans un appartement, Cipka et maman sont assises avec moi, soudain, on entend des voix dans la rue, des voix très connues, maman s'est approchée de la fenêtre, moi derrière elle, j'ai vu Abramek... Maman a aussitôt sauté par la fenêtre (c'était un rez-de-chaussée sur demi-étage), moi, je ne pouvais pas, je sentais des larmes couvrir mes yeux, je tournais en rond dans la chambre, mais je perdais patience et je me suis approchée de la porte. Quand j'étais près du seuil, j'ai pensé : *je suis si tranquille, je ne cours pas, je ne fais rien, je marche paisiblement, presque indifféremment*, et c'est alors que la porte s'est ouverte et ils sont entrés (je croyais qu'il n'y aurait qu'Abramek) : Tamara en premier, Abramek derrière elle, puis maman. Je leur ai sauté dans les bras, j'ai pris Tamara par la main, j'ai remarqué que Tamara n'était qu'un petit peu plus grande, mais elle ressemblait en tout point à celle que nous avons vue pour la dernière fois. Abramek, de son côté, était bien habillé et plus grand aussi... Tamara m'a dit que là où ils étaient, on les forçait aux grossièretés, que si quelqu'un était bien élevé, alors il était puni... et... je me suis réveillée... J'ai regretté de ne pas avoir dormi plus longtemps. Dès qu'il a commencé à se passer des choses, j'ai dû me réveiller... c'est la première fois que je rêve d'eux, la première fois... Je n'ai pas su me rendormir, j'avais ce sentiment étrange, peut-être qu'à un autre moment ce rêve m'aurait donné du réconfort, mais cette fois-là, que tout cela se soit réuni ensemble, je ne savais pas où me mettre, j'avais envie de pleurer, de hurler... Ah, je me sentais à l'étroit et j'ai simultanément senti un si grand besoin de voir Surcia que j'ai décidé que peu après le tcholent[1], je m'habillerais et j'irais chercher Surcia... Cependant, nous nous sommes habillées encore avant le tcholent, par hasard... Ah, j'avais peur que les cousines n'aperçoivent l'expression de mon visage et qu'elles ne devinent. (Encore une chose qui se passe ces temps-ci, mais que je ne vais pas décrire en détail, elle concerne les cousines et la nourriture. Je me fais du souci pour Cipka parce qu'elle est faible, et avec ces rations[2], elle n'a même pas eu droit à une cuillère de sucre. Chanusia en avait caché pour Pessa'h, et on en prenait un peu pour les gâteaux, mais quand on sortait la réserve, Minia en mettait sur son pain, etc. C'est pareil pour d'autres choses...) Quand je l'ai dit à Surcia (j'ai rendu visite à Chajusia, Surcia est venue plus tard), elle m'a dit qu'il fallait absolument régler ça auprès de Mlle Zelicka. J'ai peur que ça ne soit pas très faisable... À part ça, Chajusia m'a lu *Hovot ha-Levavot*[3] et ça m'a

---

1. Tcholent : plat de shabbat typique de la cuisine juive ashkénaze, maintenu au chaud dans un four ou sur un foyer depuis la veille. Les principaux ingrédients du tcholent sont des pommes de terre, de la viande à l'os, des haricots, de l'oignon, parfois, on ajoute des gruaux de sarrasin et des pruneaux séchés. La version préparée au ghetto était évidemment beaucoup plus pauvre.

2. La nourriture était rationnée au ghetto. Le système de rationnement naissait progressivement et ce n'est qu'à partir de 1941 qu'on peut parler d'un fonctionnement stable. Les produits rationnés étaient le pain, le thé et le café, le sucre, les allumettes, le savon et la lessive. On utilisait des règles séparées pour distribuer les légumes (sur la base de carnets pour légumes). Parfois, on distribuait des allocations exceptionnelles (par ex. de légumes ou de viande) et leur attribution était à chaque fois affichée via des annonces indépendantes.

3. *Hovot ha-Levavot* : L'un des plus populaires ouvrages de l'éthique juive. Rédigé en judéo-arabe au début du XIe siècle en Espagne par Bahya ibn Paquda, puis traduit en hébreu.

apporté beaucoup. Puis elle m'a demandé de réfléchir à la question de « l'habitude ». Elle va finir de me le lire samedi prochain... Mais c'est encore trop peu... (Ah oui, Surcia a dû se faire plâtrer la main à cause de sa fracture.) Après que nous nous sommes dit au revoir, je me sentais plus légère, j'étais contente et c'était aussi parce que les plus âgées des filles de notre groupe ont été conviées à la réunion générale avec les adultes le dimanche. Quelques heures plus tard, je suis rentrée satisfaite à la maison, je n'essayais pas de comprendre à quel point cette satisfaction était naturelle, parce que je ne voulais pas gâcher ma bonne humeur... Mais après la veillée, la bonne humeur est partie, peut-être parce que j'étais placée à côté de Lusia et de Edzia. La veillée était merveilleuse, mais si j'avais été assise à un autre endroit, j'en aurais retiré bien plus... Elles me dérangeaient. Lusia avait dû brûler son violon (il a fallu rendre tous les instruments du ghetto[1]) et, de temps en temps, elle

---

1. L'ordre de dresser la liste de tous les instruments du ghetto fut publié le 17 janvier 1944. Le 29 janvier, les propriétaires furent convoqués pour les restituer. Les instruments ainsi réunis furent officiellement achetés pour les besoins d'un orchestre allemand et d'une école de musique des Jeunesses hitlériennes pour des sommes dérisoires établies par un expert allemand. Extrait de *The Chronicle*, daté du 8 mars 1944 : « 15 violons de la plus haute qualité, dont 2 ayant au moins trois cents ans, donc d'une valeur inestimable, ont été évalués en tant que lot à 100 Reichsmarks, donc en moyenne pour 7 RM pièce. Deux saxophones de maître, valant 1200 RM avant la guerre, ont été achetés pour 40 RM. Quatre pianos des marques les plus prestigieuses, qui valaient plus ou moins 7000 RM, ont été achetés aux Juifs par l'expert pour 600 RM. Des mandolines, guitares, cithares, luths, flûtes, clarinettes, saxophones, tambours, trompettes, cymbales, etc., atteignaient aux yeux de l'expert des prix moyens oscillant entre 2 et 3 RM pièce.

éclatait en sanglots. Ça m'a laissé une impression étrange...
Encore heureux que nous devions nous réunir le dimanche,
mes pensées pouvaient au moins s'accrocher à ça... et à la
maison aussi ; elles étaient toutes ravies, on devait y aller
toutes les cinq (Cipka exceptionnellement aussi). Et justement hier, à la veillée... hier à la veillée, ma conviction
a été renforcée ! Ah, tout me semble si futile en comparaison de notre savoir porteur de vie, en comparaison de
notre puissante Torah ! Ah, si on compare ? Est-ce qu'on
peut seulement comparer ? C'est absurde ! Maintenant, il
y aura aussi des cours pour les plus âgées, les cousines se
sont inscrites, Surcia et Chajusia également et, partout, il
y a de l'enthousiasme, ça redonne des forces. Ah, si j'étais
plus âgée, j'aurais pu m'y inscrire moi aussi, plus d'informations auraient trouvé leur chemin jusqu'à moi, alors que
là... Ah, mais que puis-je y faire ? Je suis si impuissante !
Ah, Dieu, aide-moi ! Aide-moi... À part ça, la faim progresse, une faim horrible et sans espoir. Et il fait aussi plus
froid, il gèle la nuit, ah, à quoi bon l'écrire ? Les paroles
sont si futiles et elles n'expriment rien, ah, toujours ah et
ah. Mais assez avec ça...

Après tout, je suis reconnaissante à Dieu d'être juive ! Je
suis reconnaissante parce qu'il m'a permis de le comprendre.

Dieu ! Je sais si peu et je comprends si peu, mais ce que
j'ai entendu signifie tellement, ça m'a tellement remplie, que

---

Pour la totalité des instruments rendus, [Chaim Rumkowski] a obtenu
environ 2400 RM (selon la valeur actuelle du marché, cela correspond
à 2 000 comprimés de saccharine). »

vraiment... Ah, et c'est précisément pour ça que tant que j'en ai l'occasion, je dois en profiter, il le faut...

J'ai remarqué encore une chose. À savoir que jusque-là je voulais apprendre de toutes les sources, mais je ne savais pas précisément quoi, alors que maintenant si, je sais, maintenant, c'est différent, je sais que j'ai soif d'apprendre, mais d'apprendre la Torah, notre chère, notre précieuse, notre toujours nouvelle et pourtant si vieille Torah.

Notre Torah qui nous donne la vie !

Notre mère Torah !

Ghetto de Litzmannstadt, 10 février 1944

Cela fait si longtemps que je n'ai pas écrit... (à part un brouillon !). Cela fait plusieurs jours que je ne peux pas écrire dans mon journal, car je manque d'encre. Estusia avait pris mon encrier à son atelier et elle devait me ramener de l'encre[1], mais elle oubliait toujours... Enfin, elle en a apporté aujourd'hui, mais c'est déjà le soir.

Comme je savais que quand il se passe beaucoup de choses il est difficile de se rappeler de tout, je me faisais des notes au

---

1. On manquait de matériel d'écriture au ghetto. Il arrivait que les médecins ne rédigent leurs ordonnances que sur des feuilles de papier apportées par les patients. On exploitait chaque morceau de feuille. On écrivait dans de vieux cahiers d'écoliers, sur les versos des livres de comptabilité ou dans les marges des romans. Un jeune poète du ghetto de Łódź, Abram Cytyn, inscrivait de nouveaux poèmes entre les vers des anciens.

brouillon. Donc, note du 9 février : le 8 février, une directive a été donnée, ou plutôt un ordre (des Allemands) d'expulser 15 000 hommes âgés de 18 à 40 ans, employés des bureaux du ghetto. Aujourd'hui, le 9 février, monsieur Wolman a aussi reçu cette convocation.

Ah, mon Dieu, les déportations recommencent... Minia a même dit en riant (l'idiote) qu'après les hommes ils expulseront les femmes, donc elle aussi...

Personne n'est en sûreté, ni nous dans le ghetto, ni les autres à l'extérieur...

Mais Toi, mon Dieu, Toi, Tu peux tout et je continue à croire que Tu nous mèneras par le bon chemin !

Ah. Je voudrais tellement que tout aille bien enfin !

Note de la journée d'aujourd'hui : Une telle famine sévit dans le ghetto que, vraiment, je ne sais plus comment ça se passera... Et en plus, cette déportation... Ah, vraiment...

Et à part ça... à part ça, Ewa va écrire un journal (elle a déjà commencé, donc maintenant, nous écrivons ensemble), peut-être que Fela et Dorka aussi, dont je suis très contente...

Je leur ai écrit des lettres parce que dernièrement des choses me remplissent et je n'ai personne avec qui les partager ; Surcia est trop loin (eh, le mieux, ça serait avec Surcia...), mais après tout, on ne peut pas se limiter à une seule personne, c'est impossible et c'est pourquoi je leur ai écrit, parce que je veux savoir ce qu'elles pensent de la vie humaine...

Et à part ça, l'un de ces derniers soirs, j'ai lu une vieille lettre (de juillet) de Minia pour moi. J'ai l'impression de l'avoir mieux comprise seulement maintenant... et dans le passage où elle écrivait que l'écriture sera un soulagement à mes souffrances, j'ai senti qu'elle se moquait de moi, parce qu'il est évident qu'elle n'avait pas compris cette question... Ah, vraiment, cette lettre m'a fait très mal... J'ai décidé de la montrer à Surcia... Qu'elle sache, qu'elle sache qui est Minia. Oh, mon Dieu, sous cet aspect, Minia est une telle enfant, comment peut-elle ne pas comprendre ça, ah, mais à quoi bon l'écrire ?... (femme capricieuse) comme l'avait définie Surcia, et c'est la vérité...

Hier, j'ai fait la queue pour les briquettes de charbon, il faut que tout soit retiré jusqu'au dimanche et c'est pour ça qu'il y a eu de telles files d'attente. Une file d'attente, ou plutôt une queue immense. Il y aurait tant à écrire à ce sujet ! Mais je n'en dirai rien et c'est tout. J'écrirai seulement que je voudrais réellement, réellement que tous ces *curesy*[1] se terminent une bonne fois pour toutes... Je n'ai plus de forces...

La faim a toujours eu d'affreux effets sur moi et c'est pareil aujourd'hui. Cette année a été, comment dire, un soulagement et nous a éloignés du combat contre la faim... Ah, comme ça épuise ! Comme c'est une impression horrible que d'avoir faim. Le mieux, c'est encore quand je ne suis pas à la maison, quand je suis en cours... ou je ne sais où, partout, sauf à la maison, être à la maison serait presque dangereux... Oh, laissez-moi tranquille avec de telles idées, avec une telle écriture... c'est stupide... Aujourd'hui, c'est encore

---

1. *Curesy* : probablement de l'argot polonais d'origine yiddish ; des difficultés, des catastrophes.

différent que du temps d'avant la *Szpera*, aujourd'hui, j'ai encore plus faim lorsque Cipka n'a pas à manger et je me sens rassasiée lorsqu'elle mange...

Oh, mon Dieu, comme c'est difficile !

Quand arrivera enfin l'époque où *toutes* les faims seront effacées ? Et *toutes* les soifs ? Et tous les moments de froid ?

Oh, mon Dieu !

Et maintenant, j'ai encore tant à écrire. Alors allons-y ! Après le travail (je suis revenue plus tard aujourd'hui parce qu'on avait une assemblée au sujet du comité de santé, mais ce n'est pas important), nous avons eu une réunion chez Lusia (notre journal est très bien, encore, mais... comme le disait Surcia, il manque de caractère, d'âme...). J'ai rencontré Surcia sur le chemin, elle venait justement chez moi, elle avait des souliers à réparer et une lettre... Ah, j'ai dû me retenir plusieurs heures avant la lecture de cette lettre. [...] Mlle Zelicka m'a autorisée à venir à leurs veillées du vendredi. Quand j'ai lu ça, je me suis dit quoi ? Seulement ça ? Si peu ? Rien de plus ? Ah, voyez comment je suis ! Dès qu'on me permet une chose, j'en veux déjà plus... Et à part ça... elle m'a écrit qu'au sujet de notre affaire (celle de Cipka et de moi), dont nous avions parlé chez Chajusia ce samedi, elle en a parlé à Mlle Zelicka, et justement en ce moment... En ce moment, Mlle Zelicka se trouve chez nous, moi, je suis chez les Dajcz et j'essaye de tendre l'oreille, j'entends : le ton monte ou s'apaise, etc. Cipka m'a rejointe à l'instant. On l'a priée de sortir... ce n'est que là qu'ils commencent à parler. Ah, je serais si désolée... Je n'arrive pas à m'imaginer comment ça se passe. Dieu, Dieu, aide-moi, il n'y a que Toi, Toi seul, qui le peux ! Oh, mon Dieu !

Mlle Zelicka m'a fait appeler en premier. Ah, elle a tout géré de façon si adéquate, si intelligente, je n'aurais pas su le faire aussi bien, certainement pas... Donc, en plus des produits à cuire, on doit peser le reste[1]... Ah, ce ghetto... Dieu, cher Dieu !... Et ces déportations aussi... ça afflige tant, mais comme l'a écrit Surcia : *Hazak*[2], on n'a pas le droit de se laisser abattre, il faut se tenir au-dessus de cette affliction... ah, mais pourquoi ça m'importe ? Demain, je vais chez Surcia et après, il y aura une réunion, rien d'autre ne compte. Je ne devrais pas me soucier de quoi que ce soit... Mais ce n'est qu'une façon d'écrire, parce que, en réalité, tout cela me préoccupe grandement... Mais bon ? Je vais m'énerver ! Ça n'a pas de sens d'être toujours triste, grave et tragique, c'est idiot... Car quoi ? Hé, jeunesse ! Ne dors pas ! Bouge ! Tu sais, cher journal, je ne suis plus du tout si triste depuis que Mlle Zelicka est passée ici en premier (elle vient de partir chez les Dajcz où elle parle de la même chose, ça serait indispensable à Srulek !). Elle m'a demandé de passer à son bureau dans deux semaines... À part ça, Mlle Zelicka va donner un cours pour les plus âgées et les cousines vont y assister. Elles sont si contentes !... Que je ne perde pas de temps, si j'ai un instant où je ne suis pas triste. Ah, au diable ! C'est déjà fini, quelques minutes à peine... J'ai un souci avec ça, car j'aurai des parts séparées avec Cipka, ce

---

1. On peut supposer que l'intervention de Mlle Zelicka fut provoquée par un conflit concernant la division de la nourriture.
2. *Hazak* : « Sois fort », en hébreu.

qui n'est pas si bon que ça, et, en plus, ils vont nous donner des moitiés des doses de sucre en deux fois, parce que nous sommes des enfants, après tout...

Ah, Estusia, Estusia, c'est toi qui te trompes, tu crois peut-être qu'il m'en manquera ne serait-ce que pour une journée, oh non, certainement pas !

Pourtant, je voudrais que Cipka puisse manger à sa faim, qu'elle ne soit pas obligée de se dire qu'il n'y en a pas assez, etc. Ils ne peuvent pas me garantir ce plaisir... Oh...

Mais je sais ce que je vais faire... j'ai déjà trouvé une solution pour ça. On verra... On verra !

Mon Dieu, aide-moi ! Toi seul, mon Dieu !

À part ça... à part ça, j'ai remarqué que je n'ai presque rien écrit à propos de Cipka jusque-là. Je n'y ai peut-être pas beaucoup réfléchi, mais maintenant... En cet instant... je me suis dit : Cipka... un chuchotement dans mon âme, quelle douceur émane de ce prénom ? Ah, Cipka, cela me comble... c'est vraiment une enfant si douce... Ça me fait penser que ce matin, je regardais une photo d'elle quand elle avait trois ans (en 1936), c'était aussi en hiver et c'était dans la rue, ses traits ont très peu changé, ils sont presque identiques, mais la stature, la silhouette a tellement changé. Sa silhouette sur la photo a l'air, c.-à-d. elle ressemble beaucoup à Tamara... Cela fait tant d'années ! Aujourd'hui, Cipka est déjà dans son onzième année. Ah, comme le temps passe vite !

Si vite et si lentement à la fois, comme une tortue, comme un serpent, comme de la gomme, vraiment...

J'ai hâte d'être demain soir...

Ghetto de Litzmannstadt, 11 février 1944

Écrire !... Ne faire qu'écrire !... Alors, j'oublie la nourriture et tout le reste, j'oublie tous mes tourments (j'exagère un peu). Que Dieu donne la santé et le bonheur à Surcia, rien que pour m'avoir soumis cette merveilleuse idée d'écrire un journal... Parfois, quand je m'assois pour écrire, j'ai l'impression que je n'écrirai rien, mais dès que je commence à écrire, j'ai tant, tant de sujets que vraiment, je ne sais vraiment pas par quoi...

Je voudrais que les deux semaines soient déjà passées, que je puisse aller chez Mlle Zelicka... Parfois, je sens que j'ai déjà quelque chose à dire, mais... (il faut toujours un « mais ») j'ai honte, tout simplement.

Ah, c'est à nouveau vendredi !... Comme le temps file vite !... Et vers où ? Le savons-nous ? Qu'est-ce qui nous attend dans le futur ? Je me pose cette question avec crainte, mais aussi avec une curiosité juvénile. Et si ? Et à ça aussi, il y a une réponse, la grande réponse : Dieu et la Torah ! Dieu le père et Torah la mère ! Voici nos parents ! Tout-Puissants, Omniscients, Éternels ! Quelle puissance ! En face de ça, je ne suis qu'une créature minuscule difficile à distinguer sous un microscope... Mais bon... Ah, je ris du monde entier, moi, une pauvre Juive du ghetto, moi qui ne sais pas ce qui adviendra de moi demain... je ris du monde entier parce que j'ai un soutien, parce que j'ai ce grand, cet immense soutien, la foi, parce que je crois ! Et de cette manière, je suis plus forte, je suis plus riche et plus valable[1] que les autres… Dieu, comme je Te suis reconnaissante !

Un contrôle de l'hygiéniste vient de s'achever à l'école. Mais n'aie pas peur, cher journal, j'ai été et je suis toujours propre.

Ghetto de Litzmannstadt, 12 février 1944

Oh, mon Dieu, qu'est-ce qui se passe dans le ghetto ? Encore une déportation !… Il y a plein d'enfants rue Czarnieckiego[2], même âgés de cinq ans, comme otages à la place de ceux qui ont reçu des convocations… Mme Krochmalnikowa (cousine de l'un des hommes de « K[3] », notre voisine[4]) a dit que ça ne faisait que commencer et qu'on ne savait pas encore combien de personnes seraient déportées… Hier soir, je suis passée chez Chajusia (c'était vendredi, je suis allée chez Surcia, mais je ne l'ai pas trouvée), le père de Mania Bardes était là. Quand nous sommes descendues, j'ai appris que Mania se trouvait rue Czarnieckiego en tant qu'otage

1. Rywka utilise par erreur le mot *warciejsza*, qui serait une forme supérieure erronée de l'adjectif *warta* (signifiant « valable »).
2. Dénomination habituelle de la prison centrale, située dans les immeubles de la rue Czarnieckiego, 12-18. Durant la préparation des transports vers l'extérieur du ghetto ou pendant les déportations vers les camps, la prison servait de lieu de rassemblement.
3. Il est probablement question d'un policier juif en poste dans le bâtiment de la police criminelle allemande « Kripo ».
4. La famille Krochmalnik (la mère Sura Rywka et ses deux filles, Bela Perla et Fajga Rachela) habitait au 38, rue Wolborska, appartement 22, donc à proximité des Lipszyc (appartement n° 16).

pour son père[1]... Mon Dieu ! La foudre s'est abattue sur moi ! Mania, rue Czarnieckiego ! Non, c'est insupportable... Nous ne nous sommes pas rendues à la réunion et Surcia m'a dit que tant pis, mes débuts devaient être ainsi, car, après tout, Mlle Zelicka m'a autorisée à venir. Je suppose qu'elle a probablement lu ma lettre à Surcia parce qu'elle aurait commenté qu'on n'avait pas le droit de refuser un tel « je dois » et aurait ajouté que c'était une caractéristique très saine chez moi, car les gens ont déjà tellement perdu par fierté, or aujourd'hui, nous manquons de tout. (Donc chez moi, si la fierté s'en était mêlée, ça aurait été très nocif. Mais assez avec ça, ce n'est pas la peine de s'en occuper aujourd'hui.) Je dois ajouter que Surcia et Chajusia étaient très nerveuses, et même qu'elles perdaient un peu les esprits, si je peux l'exprimer ainsi, elles étaient affligées. On a déjà annulé la veillée d'aujourd'hui et tout ça, mais moi, je suis d'avis que justement, en ces temps difficiles, nous devrions nous réunir, car sinon nous sommes toutes éparpillées... Oh, mon Dieu !... Aujourd'hui, dès que je me suis habillée, je suis allée chez Chajusia, nous avons fait la suite du *Hovot ha-Levavot*, nous avons parlé de l'habitude, c'est un sujet si vaste que je vais tâcher d'écrire quelque chose à ce propos plus tard, ça serait un souvenir très agréable pour moi et ça m'aide beaucoup aussi. Fela et Basia sont arrivées en plein milieu... Puis je suis allée chez nous avec Fela...

---

1. Il arrivait que des membres de la famille soient emprisonnés en tant qu'otages à la place des personnes qui se cachaient ou qui ne répondaient pas aux convocations.

Pendant tout ce temps, on parlait de la nourriture. En effet, les réserves de pain des cousines sont déjà au plus bas...

Ah, laissez-moi... Puis je suis retournée chez Chajusia. Surcia n'a pas pu venir [...]. Soudain, Mme Bardes est venue et a dit que Mania ne se trouve plus rue Czarnieckiego, mais au poste[1]... Qui le sait ? Pourvu que, avec l'aide de Dieu, tout se passe bien... Puis nous avons reçu une portion de nourriture et... je ne sais pas pourquoi, je me suis sentie plus gaie...

J'ai décidé d'écrire impérativement des lettres à Surcia et à Chajusia... ah, parce qu'elles se sont tellement effondrées que c'en est terrible. Au bout du compte, ce n'est pas étonnant, c'est déjà la cinquième année de guerre et les gens sont déjà tellement épuisés par toutes ces épreuves, et qui sait ?... ce ne sont pas les dernières !... Ah, Dieu, préserve-nous du mal !

Aujourd'hui, j'ai également beaucoup à écrire et je viens d'offrir un cahier à Fela, elle va écrire un journal aussi, elle lit *Le Journal de Laura*[2] à présent en guise de modèle, mais d'après moi, ce n'est pas nécessaire d'avoir des modèles pour écrire un journal. C'est vrai, au début ça vient difficilement, j'en suis le meilleur exemple, mais après, on arrive à s'y faire... En fin de samedi, quand j'étais chez Chajusia, et c'était aussi un peu sous le coup de cette déportation, je me suis remémoré des choses, j'en ai même parlé un peu avec Chajusia.

---

1. Le service d'ordre, appelé aussi police juive, possédait des postes dans différents quartiers du ghetto.
2. *Le Journal de Laura* : un roman pour adolescentes de Felicja Szymanowska publié en 1930.

Elle m'a conseillé de me rapprocher de Cipka, de parler avec elle, de lui demander ce qu'elle pensait de tout ça et des choses d'avant, etc. Je vais essayer, c'est même mon devoir, je dois remplacer sa mère selon mes possibilités, je ne m'y suis pas encore attelée, à dire vrai, même si j'y pense tellement, et c'est vrai, je ne peux pas faire grand-chose pour tout le monde, mais pour Cipka si, car j'ai Cipka auprès de moi. (Oh, mon Dieu, je tremble tout entière qu'aucun ennemi ne l'atteigne, que personne ne puisse la toucher, qu'elle soit toujours à moi, oh, mon Dieu, aide-moi, je n'arrive vraiment pas à écrire en polonais à présent, je manque d'expressions.)

Je m'interromps sans cesse, je discute, Mme Markus se dispute avec moi en soutenant que nous n'avons encore jamais connu une telle famine. Elle, peut-être pas, mais nous ? Mais moi ? Oh, mon Dieu, tout ce que nous avons déjà traversé ! Quand maman était malade, je cuisinais 200 grammes de patates pour quatre personnes, sans coloniales[1], les patates étaient pour maman, nous ne buvions que l'eau de la cuisson et chacun recevait un morceau de patate pour le goût... « pour le goût »... Et je parle encore de nourriture ! Qu'est-ce

---

1. *Kolonialka* (les articles des colonies) : on appelait ainsi les rations de farine, de gruau, d'épices, de graisses, de soupes en poudre ou de produits d'hygiène. Avant la guerre, on nommait « articles de colonies » les produits importés comme les agrumes ou les épices. Un exemple de ration de *kolonialka* (du 10 mars 1944) : 600 g de farine de blé, 500 g de mélange de café, 450 g de sucre blanc, 120 g de fécule de navet, 200 g de gruau (de sarrasin), 100 g de colorant (de légumes), 100 g d'huile, 50 g de sel aux herbes, 250 g de graisse alimentaire, 15 g de bicarbonate de soude, 150 g de soupe en poudre, 10 g d'acide de citron, 400 g de sel, 0,5 tablette de savon.

qui m'arrive ? Quand je songe à un repas, je suis saisie de volupté et de dégoût ! Quelles deux extrémités ! Quelle opposition ! Mais ils vont quand même de pair !... Mais assez ! Assez au sujet de la nourriture !

Demain, il y aura des soupes dans les ateliers (c'est dimanche). J'irai à 9 heures et demie...

J'ai tellement envie de dormir ! Je dormirais volontiers durant cette partie de la guerre qui arrivera encore et je me réveillerais encore plus volontiers après la guerre... En définitive, je pourrais lire le récit des événements. Car, même si c'est intéressant, j'ai déjà eu une telle part de tous ces « agréments » que ça ne me donne pas envie d'en voir davantage... Mais bon ? Est-ce que quelqu'un me demande mon avis ? Non. Le courant de la vie l'apporte de lui-même, il cavale... Il cavale, il cavale tant, en avant, plus loin, combien de personnes se sont déjà interrogées : pourquoi, à quoi bon, dans quel but et lentement, elles perdaient la foi petit à petit, elles se décourageaient à l'idée de leur vie future... ah, c'est si épouvantable ! Le découragement face à la vie. C'est pourquoi je suis reconnaissante par trois fois à Dieu, et même quatre, qu'il m'ait donné la capacité de croire, parce que sans elle j'aurais renoncé à la vie comme les autres gens, et même à tout ce qui entoure la vie. J'ai été sauvée à temps. Beaucoup de mérite en revient à Surcia. Il est possible que cette salvation sacrée, cette véritable réflexion et cette approche de la vie fussent venues quand même, mais plus tard... Cependant, je suis heureuse que ça se soit déjà passé. C'est elle, Surcia, qui a fait naître ces idées, toutes ces véritables idées, ces bonnes idées. Je réfléchissais déjà à la vie humaine auparavant, bien auparavant, mais ça n'était pas si fort, si puissant que ça l'est devenu quand Surcia m'a dit qu'elle était contente de constater que j'avais une approche si saine (encore une fois, je ne sais comment m'exprimer) ; à ce moment-là, j'ai commencé à y penser encore plus, à y réfléchir plus et plus profondément, à l'élargir et à l'approfondir. Il se peut que ça puisse aussi être le cas avec d'autres choses, mais... aie de la patience, avec l'aide de Dieu tout ira bien, on ne peut pas résoudre tout d'un coup ! Mais on le voudrait tellement, on le voudrait tellement !

Ah, mais alors ? Comme je m'égare, et à une période pareille, de quel droit ? Je dois écrire une lettre à Surcia ! J'ai tant de peine pour elle, je ne sais pas pourquoi, depuis hier, j'ai de la peine pour elle et pour Chajusia et... en général, pour tout le monde...

Oy, G-t, leyz shoyn oyz yisroel fun goles ! Oy, G-t, ven vet shoyn zayn di geule[1] ?

Ils me manquent tant. (Comme l'a dit Chajusia aujourd'hui, nous sommes un seul grand morceau de manque...) Ah, c'est si vrai, si vrai !

Ghetto de Litzmannstadt, 13 février 1944

Dimanche... je suis en ce moment assise à l'atelier et j'attends, comme toutes mes camarades, la distribution des soupes...

---

1. « Oh, Dieu, ramène rapidement Israël de l'exil ! Oh, Dieu, quand la rédemption viendra-t-elle ? » en yiddish.

Il fait affreusement froid. Dehors, il y a de la neige, la salle de classe n'est pas chauffée. J'écris, ou plutôt je gribouille, ma main gauche planquée dans la moufle... j'ai envie de dormir... Le courant dirige puissamment le flot du manque vers le cœur... qui m'inonde le cœur... Ils me manquent tant... J'ai tant de remords... Peut-être que si Abramek avait eu une apparence plus soignée on ne me l'aurait pas enlevée[1]... Après tout, il était si bon... combien de fois, quand j'ai manqué de pain, il m'en donnait de sa portion ?... ah, combien de fois ?... Et c'est pour ça qu'il avait mauvaise mine... J'ai des remords... J'ai tant envie de pleurer, de pleurer, de pleurer, de hurler tout simplement... Ce matin, quand j'étais avec Cipka, je lui ai parlé un peu et je lui ai demandé que, si elle ne pouvait pas me répondre sur-le-champ, qu'elle y réfléchisse un peu et qu'elle me dise plus tard ce qu'elle pense des gens... Ah, je l'aime tant... une étrange envie de dormir me prend, une sorte de manque ensommeillé... Il est inconfortable de rester assise ainsi pour écrire et il fait affreusement froid... Ah, que vaut aujourd'hui mon inconfort ? Je n'ai pas le droit d'écrire de telles choses... J'ai un endroit où poser ma tête la nuit, je devrais m'estimer heureuse. Combien de gens n'ont même pas cela ? Est-ce que je sais, est-ce que je peux savoir si Abramek et Tamara ont au moins cela ? Oh, mon Dieu, réunis-nous ! Ah, comme ils me manquent et j'écris

---

1. L'un des critères de choix lors des déportations, et principalement durant la *Szpera*, avait été une « apparence soignée », donc celle qui pouvait garantir une bonne capacité au travail. C'est pourquoi on s'efforçait de faire paraître les enfants comme plus âgés qu'ils ne l'étaient en réalité et d'effacer les symptômes apparents des maladies ou de l'épuisement.

toujours, toujours la même chose... Écrire ! C'est une sorte de don. Merci mon Dieu de m'avoir donné la capacité d'écrire !... Et après ? Voilà une question... Et la réponse ? Rien... je commence à m'ennuyer et vouloir dormir... je ne sais plus... Je n'ai envie de rien et, en même temps, j'ai envie de beaucoup, j'ai envie de tant que c'en est trop, et comme je ne peux pas le faire, alors je n'ai envie de rien... Quand est-ce que ça ira enfin bien ? Je ne le sais pas... En voilà une réponse !... Ah, je vais finir par m'endormir sur mon banc à écrire de la sorte, je devrais peut-être remettre l'écriture à plus tard et aller sur les autres bancs avec mes camarades ? Est-ce que ça serait mieux ?... Je ne sais même pas ça... Mais, vraiment, ça n'a pas de sens de faire la sotte comme ceci... Ils me manquent tant !... Mon Dieu... Les paroles se rompent...

Ghetto de Litzmannstadt, 14 février 1944

Lettre à Chajusia :

Chère Chajusia ! Je me fais beaucoup de soucis pour toi... Tu te chagrines trop à cause de cette déportation, ressaisis-toi, Chajusia ! Crains le courroux de l'Éternel ! On n'a pas le droit de se laisser aller, Chajusia, je te comprends parfaitement, je sais ce que ça veut dire, mais tout doit avoir ses limites... Chajusia, peut-être qu'à cause de ce grand tracas...

Je vais te confier maintenant une partie de mes réflexions. Donc, à une période normale (si on peut l'appeler ainsi), j'aurais eu le droit de traverser divers états, diverses humeurs, mais à présent ? À présent, cela m'est interdit ! À présent, je dois garder la mesure... je dois en être consciente pour que, Dieu m'en garde, je ne perde pas mon équilibre. Et c'est aussi ce que je te dis : accroche-toi ! Ne te fâche pas contre moi à cause de telles leçons de morale ou parce que moi, étant plus jeune que toi, je m'autorise une telle démarche... Mais sache que je te l'écris du fond du cœur parce que je veux, ah, je ne veux que ton bien. D'ailleurs, tu le sais parfaitement !... Chère Chajusia ! Est-ce que Surcia se préoccupe autant que toi ?

Montre-lui cet extrait de ma réflexion (à mon sujet). Et tu dois absolument revenir à la raison !... Ne reste pas à la maison à longueur de journée ! Sors faire un tour ! Ça irait peut-être un peu mieux !

D'ailleurs, tu t'en aperçois toi-même que tu tombes dans un extrême. Ah, Chajusia, tu te diras peut-être que je ne peux pas le comprendre, mais crois-moi ! Crois-moi, après tout, je suis coincée dedans aussi et j'ai cette horrible conscience clairement devant les yeux, mais malgré tout, crois-moi, je ne peux pas me laisser sombrer au fond... Là réside toute la prouesse, celle de *se contrôler soi-même* et de ne pas laisser *le mal te contrôler*... Mais c'en est assez ! Pour le moment, salut !

Ta Rywka

À propos de Chajusia, ce n'est pas la peine d'en écrire davantage, on peut le déduire de la lettre... Et à part ça, je ne sais pas ce que deviendra notre formation, il n'y a pas assez de filles... peut-être qu'on va fusionner avec les cours de Róża Sztajer, mais nous allons beaucoup y perdre... j'ai pensé que quelques filles pourraient passer dans l'un des cours pour les plus âgées, mais Chajusia m'a dit que c'était impossible… et que ce n'était pas le moment pour ça… Ah, mon Dieu ! c'est si difficile ! (Avant de commencer à écrire à ce sujet, je voudrais ajouter quelque chose :) donc, hier soir, nous avons eu une réunion, ou plus précisément « une soirée » chez Maryla Łucka, ça aurait été mieux que ça se passe à une autre période, mais bon. Il y avait aussi deux garçons, Józio et Paweł… Ils sont supportables… De toute manière, je me tiens à l'écart, et comme ils ne viennent que le dimanche, alors je voudrais aller ailleurs, pour peu que je trouve une excuse pour ne pas revenir les dimanches, ça serait bien mieux si je pouvais aller chez Surcia et lire avec elle un morceau des *Tehilim* – ah, c'est un tel délice !

Mais il ne faut pas que je m'écarte du sujet !

J'ai dû m'interrompre. Zemel est venu et a fait un discours, ou plutôt, il a répété le discours du président[1]. Donc : concernant ceux qui doivent être déportés et qui se cachent… la population les aide, qui plus est… Et c'est interdit… Il paraît que ça ne doit pas être des travaux trop rudes[2]… Mais qu'en sait-

---

1. Chaim Rumkowski a prononcé ce discours devant les directeurs des fabriques le 13 février à 17 heures. Lucjan DOBROSZYCKI, *The Chronicle, op. cit.* Rumkowski a été chargé d'envoyer 1 500 hommes « aux travaux », mais les personnes concernées ont commencé à se cacher massivement pour éviter la déportation. Dans son discours, le président sommait les hommes de se présenter pour le transport. D'un côté, il certifiait qu'aucun danger ne guettait les personnes expulsées, de l'autre, il menaçait, en déclarant que, si le ghetto ne préparait pas un contingent adéquat, le pouvoir allemand pourrait s'en charger.
2. Les déportés de mars 1944 ont été orientés vers les usines d'armement HASAG à Częstochowa et à Skarżysko-Kamienna. Malgré un travail difficile, bon nombre de ces personnes ont survécu à la guerre.

on ?... À part ça, il sera interdit de marcher dans la rue aux heures de travail, soit entre 7 heures [du matin] et 5 heures de l'après-midi... Le ghetto se transforme en *Arbeitslager*[1]... Les appartements devront être fermés. Seuls les gravement malades avec des certificats médicaux seront autorisés à rester dans les logements... Et personne d'autre... Maintenant, je ne sais vraiment plus comment ça se passera le samedi... L'appartement, au pire, on peut le fermer de l'extérieur, accrocher un cadenas... mais qu'en sera-t-il de la présence à l'atelier ?... Mon Dieu ? Comment on va faire ? Seul Toi, Tu le sais. Ça m'a tellement abattue que j'en ai écrit un poème... Je ne sais absolument pas comment ça se passera avec les veillées... L'approvisionnement et les autres départements seront ouverts jusqu'à 17 heures pour que les gens puissent tout percevoir[2]... Mais c'est le samedi qui me préoccupe le plus... C'est de pire en pire...

Mon Dieu ! N'est-ce pas assez ?
Combien de temps serons-nous tourmentés ?
Le manque nous étouffe tel un os dans la trachée
Ce qui arrivera demain reste impossible à discerner !
Ah, mon Dieu ! Aide-nous finalement !
Ce ghetto est une horrible machine à cloisons !

---

1. « Camp de travail », en allemand.
2. Toutes ces nouvelles directives ont été introduites pour préparer le ghetto aux visites surprises des commissions allemandes. Grâce à ces changements, le ghetto devait donner l'apparence d'un travail ininterrompu. D'où l'obligation de présence dans les ateliers et les restrictions dans les déplacements dans la rue. Craignant les positions des commissions allemandes, Rumkowski a déclaré l'interdiction du maquillage pour les femmes. Lucjan DOBROSZYCKI, *The Chronicle, op. cit.*

Entrée du ghetto de Łodz.

Avec l'aimable autorisation de Yad Vashem Photo Archive, référence 4062/200.

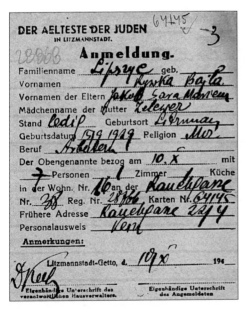

Fiche d'entrée de Rywka
dans le ghetto de Łodz.

Avec l'aimable autorisation des Archiwum Państwowego
de Łodz.

Affiche annonçant
la scandaleuse *Szpera*
le 5 septembre 1942.

Avec l'aimable autorisation de Yad Vashem
Photo Archive, réf. 4062/189.

Enfants sur le point d'être déportés avec leur famille.

Avec l'aimable autorisation de Yad Vashem Photo Archive, réf. 4062/410.

Élèves dansant pendant une récréation au collège Franciszkanska de Łodz.

Avec l'aimable autorisation de Yad Vashem Photo Archive, réf. 4062/53.

Jeunes filles juives étudiant ensemble dans le ghetto de Łodz.

**Enfants capturés pendant une *Szpera*
en marche vers un point de rassemblement.**

Portrait d'adolescentes et d'enseignantes portant l'étoile jaune dans un atelier de couture du ghetto de Łodz.

USHMM, photographie n° 21400, avec l'aimable autorisation de Ruth Eldar.

Enfants à la recherche de charbon dans le ghetto de Łodz.

Avec l'aimable autorisation de Yad Vashem Photo Archive, réf. 4062/166.

Chaim Rumkowski, président du Conseil juif (avec les cheveux blancs), assiste à une cérémonie dans le ghetto de Łodz.

Avec l'aimable autorisation de l'USHMM, photographie n° 63014B, et celle de Gila Flam.

Barrière encerclant le ghetto de Łodz avec une pancarte en allemand : « Quartier juif. Entrée interdite ».

Avec l'aimable autorisation de Yad Vashem Photo Archive, réf. 4062/311.

Femmes et enfants de chaque côté d'une clôture dans le ghetto de Łodz.

Avec l'aimable autorisation de Yad Vashem Photo Archive, réf. 4062/459.

Juifs déportés provenant du ghetto de Łodz.

Avec l'aimable autorisation de Yad Vashem Photo Archive, réf. 4062/160.

Mina et Esther, les cousines de Rywka, sont les seules membres de leur famille à avoir survécu à la Shoah. Photos prises en 1948.

Avec l'aimable autorisation de Hadassah Halamish.

Surcia, modèle de Rywka dans le ghetto (Sara Selver-Urbach).

À partir de la jaquette de ses mémoires, *Through the Window of My Home.*

Zinaida Berezovskaya, le médecin de l'Armée rouge qui a retrouvé le journal de Rywka dans les ruines du four crématoire à Auschwitz-Birkenau en juin 1945; photo prise en 1943.

Avec l'aimable autorisation de sa petite-fille Anastasia Berezovskaya.

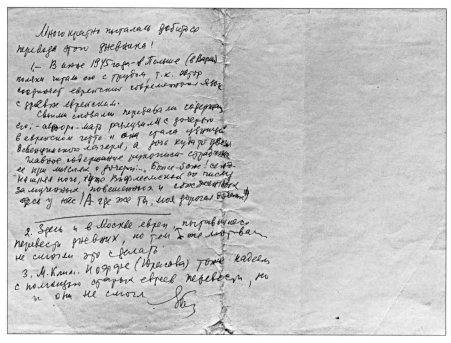

« J'ai essayé bien des fois de faire traduire ce journal !
1. En juin 1945, en Pologne (Varsovie), les Polonais avaient du mal
à le lire, car l'auteur mélange la langue juive moderne et ancienne.
Voici comment ils en résument le contenu :
L'auteur – la mère – a été séparée de sa fille dans un ghetto juif
et emmenée à Auschwitz, alors que sa fille a été envoyée ailleurs.
Le sujet principal du manuscrit : la souffrance de la mère qui pense
à sa fille ("Mon D…! Mon D…! Hier soir était pire encore que
la Nuit de Bethléem en termes de morts sous la torture, de pendus
et de brûlés vifs. Et où es-tu, ma chère fille !").
2. Les Juifs qui ont essayé de traduire le journal ici à Moscou
n'ont pas réussi, pour les mêmes raisons.
3. M. Klim. Ioffe (Yurasova) pensait aussi pouvoir le traduire
avec l'aide de Juifs plus âgés, mais sans succès.
Signé *Zinaida Berezovskaya* »

Ce mot de Zinaida Berezovskaya ajoute un mystère de plus à
l'histoire du journal de Rywka. Elle y décrit ses efforts pour faire
traduire le journal. Elle écrit que les Polonais avaient du mal à le faire
parce qu'il « mélange la langue juive moderne et ancienne ».
Peut-être pense-t-elle à l'hébreu et au yiddish. Mais Rywka a écrit
son journal presque intégralement en polonais.

Le traducteur indique que le journal a été écrit à Auschwitz
par une mère en deuil de sa fille. Pourtant, comme nous l'avons
appris, Rywka Lipszyc avait quatorze ans quand elle a écrit
son journal dans le ghetto de Łodz. Nous sommes incapables
d'expliquer la différence entre le journal et la description
qu'en fait le Dr Berezovskaya.

Mon Dieu, combien de temps va continuer
Cette vie avec sa dose de poison ?
Ainsi, nous allons de plus en plus mal...
Tout est plus sombre... dénué d'espoir...
Est-ce que le sort de chacun doit être inchangé ?
De mourir misérablement dans un ghetto cloisonné ?
Cette vie, la nôtre, est si misérable...
Et elle aurait pu être si merveilleuse !
Ça me brûle !... l'éteindre m'est infaisable,
Cette souffrance éternelle m'amenuise !

Oh mon Dieu ! Tout est entre Tes mains !
Apaise nos cœurs blessés !
Mets un terme à notre martyre !
Et comble nos âmes assoiffées !

Ghetto de Litzmannstadt, 15 février 1944

Comme d'habitude, ce qui est tragique est également risible, mais d'un autre côté, par ex., les gens sur la place du charbon ou la place des légumes, etc., travaillent de 5 heures de l'après-midi à minuit !

Est-ce qu'on aurait pu s'imaginer une chose pareille par le passé ? Certainement pas !... Ah, comme c'est tragique !... Encore heureux que le printemps s'approche, que les journées s'allongent, etc. Parce que c'est déjà assez pénible comme ça. Par ex., j'imagine les gens qui travaillent sur les places en pleine nuit. Il fait froid, peu de lumière, une file d'attente monstrueuse, c'est la pagaille, tout le monde a envie de dormir. Ah, mon Dieu !... Et face à de telles affres, ma vie à la maison devient minuscule, etc. Pourtant, il y a des choses qu'on ne peut pas souffrir en silence... Et donc : hier, Minia n'est pas du tout rentrée à la maison durant la pause déjeuner. J'ai cru qu'elle ne pouvait pas marcher. Ce n'est rien. Il n'y avait plus d'eau à la maison... D'habitude, il y en a toujours eu au 31 rue Wolb., mais tout est en panne là-bas aussi aujourd'hui, nous avons dû en porter depuis le n° 21, j'étais très pressée, car je devais aussi retirer des briquettes de charbon, c'était la dernière portion remise au lieu du bois... je voulais y être avant 17 heures, quand je partais, le dîner cuisait déjà... Je suis revenue à la maison à 19 heures. Je suis passée chez Ewa, nous avons discuté (à propos des journaux intimes), je n'avais pas tellement faim et, en plus, je me disais que, si elles avaient envie de manger, elles m'appelleraient. Elles ne m'ont pas appelée jusqu'à 20 heures. J'ai compris que, à ce moment-là, le dîner devait certainement être prêt. Je suis rentrée, Estusia et Chajusia mangeaient encore. Je voulais me servir et, à mon étonnement, la marmite était vide. Elles ont toutes souri et Estusia m'a dit : « Dommage que tu ne sois pas revenue trois heures plus tard. Qu'est-ce que ça aurait été si j'avais tout laissé sur le feu ? Ça aurait été froid et tu aurais dû couper du bois... » J'ai voulu lui répondre : « En effet, si c'est si dommage, alors j'aurais vraiment dû revenir trois heures plus tard », mais je n'ai rien dit... Depuis quand c'est elle qui doit décider quand est-ce que je dois manger ? J'aurais dû manger quand je n'avais pas encore faim et après, j'aurais dû manger du pain ?... Au bout du compte, la soupe

m'attendait dans le four... Sur ce point aussi, elle s'est avé-
rée très imaginative et elle l'a laissée au four... Eh, Estusia,
Estusia... tu pourrais mûrir un peu!... Quand je mangeais,
Estusia a parlé à nouveau : « Il faut encore descendre un seau
d'eau dès ce soir. » C'était annoncé à tout le monde, mais j'ai
senti que ça m'était adressé. Plus tard, Minia est allée se coucher. J'ai fait le lit de Cipka. J'étais très fatiguée... Il est vrai
que je comptais encore repriser des vêtements au lit, mais j'ai
renoncé bien vite à cette idée, je ne voulais plus que dormir...
dormir... Quand Estusia a vu que je me déshabillais, elle a
lancé : « Descends le seau! – Je ne le descendrai pas parce que
je ne peux pas! » Elle a commencé à gronder, elle a accouru
vers moi. Je lui ai dit que j'avais assez porté de choses comme
ça (Minia était couchée, Chanusia faisait du crochet près du
poêle). « Qu'est-ce ce que tu as porté ? hurlait Estusia... – Je
ne te le dirai pas, tu le sais très bien! » Premièrement, je lui ai
montré que je n'étais pas toujours obligée d'être aussi soumise,
je peux être ferme. Des gifles ont volé... Ah, à partir de maintenant, ça ne sera plus du tout comme tu le veux, c'est sûr!
Rien que dans cette affaire, elle semblait une enfant : elle me
frappait à la tête, l'idiote. J'ai voulu la repousser et j'ai déchiré
mon tablier, elle a perdu une bague. Enfin, elle s'est écartée,
je me suis couchée... « Je vais faire en sorte que tu sois mieux
ailleurs », a-t-elle dit.

« Ah, combien de fois j'ai déjà entendu ça! » Oh, mon
Dieu, comme je me sens seule! Je ne sais pas si elle fera
comme elle le dit, mais j'ai pensé : ira-t-elle chez Mlle Zelicka ?
De quoi ça aurait l'air ? Elle dit toujours qu'elle est contente

de moi, et maintenant ? Maintenant, elle devra dire qu'elle ne veut plus que je vive chez elle ? Ça me paraît peu probable… Ah, est-ce le moment de songer à ça ? N'est-ce pas assez que l'époque soit si tragique, si épouvantable, et je n'ai même pas un refuge appelé « maison ». Je me suis rappelé cette phrase lue dans *Une lueur dans l'obscurité*[1], « même le plus modeste, mais un coin à soi ». Ah, c'est si vrai ! C'est pour ça que j'ai si froid !… J'ai envie de pleurer ! Pleurer, hurler à cause d'une si grande douleur qui m'assiège de toute part ! Oh, mon Dieu ! Tout est si étroit ! J'étouffe !

Oh, Dieu ! Il se peut que quelque chose se prépare. Je ne sais pas. Aujourd'hui, à l'atelier, nous avons décidé que nous irions chez Edzia à 17 heures. Sur le chemin du retour, j'ai décidé de retirer le linge. J'ai fait un saut à la maison pour prendre mon carnet et de l'argent. Minia était là. Comme je n'ai pas trouvé l'argent dans la jupe, j'ai demandé à Minia si elle en avait. Aucune réponse… J'ai demandé encore une fois… Aucune réponse… J'ai demandé si elle m'entendait… Aucune réponse… Et ainsi de suite, j'ai demandé plusieurs fois, et elle ne m'a jamais répondu… Je me suis énervée et je suis partie en annonçant que je me rendais en réunion. Je n'avais aucun doute sur le fait qu'elle ait entendu… Au moins une fois… Les larmes me montaient aux yeux… Qu'est-ce qu'elle croit ? Je comprenais que je commençais à ne rien comprendre… Je ne savais pas quoi penser… Les sanglots

---

1. Roman de C.E. Weigall, *Une lueur dans l'obscurité. Roman pour demoiselles adolescentes*. Publié pour la première fois en 1930.

m'étouffaient... C'était affreux. Plus tard, Cipka m'a dit que Minia lui avait demandé ce que je lui avais dit... Je ne crois pas qu'elle n'ait rien entendu, et même si c'était vrai ? Elle ne m'a pas adressé une seule fois la parole !... Mon cerveau n'arrive pas à le saisir... Quand je suis revenue, Chanusia était déjà à la maison, j'ai voulu ramener de l'eau (un seau était plein), mais elle m'a dit que ce n'était pas la peine... Je ne comprenais plus rien à nouveau !... Mais plus tard, quand on a sonné de la deuxième cour pour l'eau, Chanusia est descendue... Je me le suis expliqué comme ça : pourquoi en apporter de si loin, il vaut mieux le faire de près... Mais je ne sais pas, tout cela me met d'une humeur si étrange que c'en est affreux... Ah, mon Dieu ! Cette ambiance dans le ghetto et à la maison. Ah, c'est insupportable ! Mais que faire ? Ce n'est qu'une manière d'écrire, car en réalité je tiendrai le coup...

La police frappe aux portes en pleine nuit[1], ils cherchent des fugitifs cachés quelque part. Cette nuit, ils sont même venus chez Prywa, ils lui ont posé des questions à propos des hommes... Ah, mon Dieu ! Il n'y a pas encore eu de période pareille au ghetto... Des périodes horribles se sont succédé, chacune différente, certes, celle-ci est différente aussi... Quand Zemel parlait hier de cette population qui aidait encore des personnes à se cacher, qu'elle ne voulait pas les livrer, il m'est apparu clairement que nous, les Juifs, étant déjà assez expérimentés dans le domaine des

---

1. Il s'agit de la police juive, le service d'ordre, dont les actions étaient liées à l'obligation de retrouver les personnes refusant d'être déportées.

déportations et de leurs conséquences, nous attrapons ferme-
ment comme l'homme qui se noie le dernier rasoir et nous
ne voulons en aucune façon livrer ces gens... Mais, malheureusement, nous somme impuissants. Nous n'arrivons pas
à faire face... Ah, comme je me suis sentie mal alors !...
Ah, comme j'étais à l'étroit ! J'ai revu en détail la *Szpera*...
Abramek... Oh, mon Dieu, comme tout est devenu sombre
devant mes yeux !... D'ailleurs, ce poème parle de ça également... Et ce qui me préoccupe le plus, c'est le samedi...
C'est vraiment terrible... Terrible... Terrible... Tragique...
Oh, tragédie ! N'est-ce pas assez ? Est-ce la dernière ? Dieu
seul le sait ! Mais... je dois me dire : garde la tête haute ! Et
ma tête retombe si étrangement... Que faire pour la lever ?
Je ne sais pas ! Ah, quelle amertume ! Que c'est amer ! Oh,
je voudrais faire couler tout mon chagrin sur le papier, ça
irait peut-être mieux ? Ah, quoi encore ? À l'heure où tant
de gens souffrent, à l'heure de cette époque atroce, tragique,
le présent, est-ce le lieu pour mes afflictions stupides, pour
mes souffrances ? Ah, mais je ne les diminue pas ainsi, au
contraire, je les augmente... Et tout me devient encore plus
froid... Le froid ! Au seul souvenir de ce mot, je tremble...

Ah oui, Srulek m'a d'abord apporté une lettre de Chajusia...
J'ai l'impression que ça va déjà bien mieux, ce qui me ravit...
Surcia est probablement passée chez elle, mais elle n'avait visiblement pas de lettre pour moi... Je voudrais tant la voir !
Demain soir, il y aura un cours, peut-être que je pourrai faire
un saut chez Chajusia après... Tout le monde me manque
tant !... Et, par ailleurs, je ne sais pas ce que devient Mania

Bardes, ce qui se passe chez les Wajskol, ni chez Dorka Zand, je ne sais vraiment rien... Je voudrais tant trouver une solution, mais qu'est-ce que je pourrais imaginer ? Quoi ?

Ah, nous sommes passées chez Edzia aujourd'hui, nous avons vu une partie des hommes[1] (une seule), ils se dirigeaient rue Czarnieckiego, on entendait des pleurs. Ah, comme ça déchire le cœur ! Ça écorche ! Nous sommes tous un seul et immense lambeau...

Nous sommes un lambeau !... Dieu, réunis-nous, c'est l'heure ! Recolle-nous en un seul morceau, inséparable ! Ah, quand est-ce que cela arrivera ? À quand la *Geula*[2] ?

Ghetto de Litzmannstadt, 16 février 1944

Nous sommes arrivées à l'école à 7 heures aujourd'hui... Nous sommes tombées sur un changement de « décors »... Des tables et des machines étaient alignées dans la salle de cours. Et alors ? Ça ne m'intéresse pas ! Mais il y a autre chose ! Le portier ne voulait pas me laisser entrer le matin, je ne laisse jamais ma Arb. Karte d'ordinaire, et aujourd'hui, il ne voulait me laisser entrer en aucune façon. Je lui ai laissé ma carte du déjeuner au lieu de la Arb. Karte... mais ce n'est pas important non plus... Ce qui est important, ce qui est vraiment le plus important, c'est que les filles me manquent énormément, tout comme nos réunions et tout ça...

---

1. Une partie des hommes destinés à la déportation du ghetto.
2. *Geula* : « rédemption », en hébreu.

Et à part ça... quelque chose en secret... les cousines n'ont presque plus de confiture ni de sucre brun, alors que Cipka et moi en avons encore beaucoup... Quand nous allions au travail ce matin (Cipka et moi), elle m'a dit que, quand nous sommes allées retirer nos rations dimanche, Chanusia s'est adressée à Estusia comme suit : que nous allions probablement manger trop vite notre confiture et notre sucre et elles devront nous en ajouter. Ce à quoi Estusia a répondu : « Certainement, je n'avais aucun doute là-dessus... » Cousines stupides, comme vous vous êtes trompées ! J'ai cette satisfaction secrète... je n'ai jamais songé à être aussi « magnanime » que vous ! Et je n'y pense toujours pas... Ha, ha, ha ! quelque chose au fond de moi se moque d'elles... Et... Et peu importe, ça ne vaut pas la peine d'y penser ! On vit une période si horrible... Une partie de la population a été déportée, et il y a aussi une grande famine... mais j'ai déjà écrit tout ça... Je sens une chose que je n'arrive à exprimer d'aucune manière, alors que je voudrais tellement... Je voudrais tant aider tout le monde, je voudrais tant être utile à chacun, je voudrais servir à quelque chose ! Des sentiments inexprimés me remplissent... Je ne sais plus. Mais en tout cas, ce « quelque chose » a à voir avec le manque et aussi je suis si triste... Oui, mais je ne me laisserai pas envahir par le chagrin, car je sais qu'il ne m'apporterait rien de bon et je suis opposée au mal... car je veux le bien !... Ah, comme je le veux !... Il est vrai qu'on dit vouloir, c'est pouvoir, mais dans ce cas, on ne peut pas l'appliquer... parce que je veux tellement... tellement... mais que puis-je faire ? Peu, très peu, presque rien...

(J'écris à la maison maintenant) Lettre à Surcia :

Ma Surcia bien-aimée !

Je dois t'écrire immédiatement car je ne puis attendre plus longtemps... Donc : quelque part aux environs du 20 septembre, tu as écrit un poème, tu te souviens, il y avait une réunion chez nous à ce moment-là [...] et tu as apporté deux poèmes, tu les as montrés aux cousines, elles étaient admiratives, mais quand je t'ai demandé de me les montrer, tu as tourné la tête en disant que je ne les comprendrais pas...

Tu vois, Surcia, je feuilletais plusieurs poèmes aujourd'hui par hasard (Minia en a recopié certains), et soudain, je commence à lire « La Vie, la vie, la vie... ». J'ai tout de suite pensé à toi, que c'était certainement ton poème et celui de ce jour-là... je pense que tu sais déjà !... Ah, Surcia, je pense que tu sais que je l'ai très bien compris (oh, comme il est magnifique !). N'est-ce pas que je l'ai compris ? Tu le sais ! Et j'ai aussi compris que tu ne pouvais pas me les montrer alors, étant visiblement persuadée que je ne les comprendrais pas (je les aurais déjà compris à l'époque), mais aujourd'hui, tu le sais ! N'est-ce pas, ma chérie ?

Surcia, mon adorée ! Que t'écrire de plus, sinon que j'ai déjà tant à te dire et, quand nous nous verrons, je ne saurai pas par quoi commencer, ah, il y en a tant et dans le journal, il y en a déjà tant ! Ah, Surcia !

Aujourd'hui, à l'école, j'ai eu une conversation avec une camarade, une certaine Marysia Glikson (une *apikojres*[1]), à

---

1. *Apikojres* (yiddish, du grec *apikoros*) : Juif qui ne croit pas à la révélation et réfute la véracité de la tradition rabbinique, personne qui s'écarte de la tradition judaïque.

propos de Mlle Zelicka, tu peux t'imaginer ce qu'elle avait à me dire !... Elle a été adoptée, et Mlle Zelicka est sa tutrice. D'autres fillettes qui connaissent Mlle Zelicka se sont jointes à la discussion et aucune n'était d'accord avec elle. À la fin, elle m'a lancé : « Elle est faite de la même pâte que toi ! » Quand j'ai entendu ça, j'ai cru que celle qui s'adressait à moi n'était pas... en tout cas pas une Juive. Et à part ça... Ah, je ne peux pas t'écrire autant, d'ailleurs, c'est dans le journal...

Des salutations de la part de ta tante ! À bientôt ! Des bisous (maintenant, je peux !)

Ta Rywka qui t'aime.

Il s'est passé (ou plutôt, il se passe encore) une chose à la maison, et ce n'est que Cipka, ah, tout vient de Cipka... Cipka (elle écrit un journal aussi maintenant) donc c'est comme suit : Cipka a remarqué qu'il lui manquait de la confiture jour après jour, elle me l'a dit ce soir et, quand Minia est rentrée, il lui en manquait aussi. Nous soupçonnons... non, je ne peux pas l'écrire pour l'heure... Et quelque chose m'est apparu clairement, et je me sens persuadée à nouveau qu'on n'a pas le droit d'accuser quiconque à moins d'en être totalement persuadé... Déjà à l'époque, quand nous tenions tout en commun, j'ai remarqué que tout disparaissait... Estusia en avait parlé, peut-être qu'elle nous soupçonnait (Cipka et moi)... et moi, je pensais que c'était Minia... il est vrai que Minia léchait un peu de confiture, par ex., mais malgré ça, il en manquait toujours trop et je n'arrivais pas à croire que c'était Minia. Aujourd'hui, nous avons appris... Mais je ne veux pas le croire du tout... Oh, mon Dieu, être si déçue par les gens ! C'est insupportable !... Cipka m'a aussi confié qu'une fois, quand elle devait aller à l'atelier à midi, elle faisait semblant de dormir et que « cette personne » (Cipka l'a sentie) s'est approchée de la cannette avec le sucre et Cipka a entendu quelqu'un mâcher... Minia a aussi remarqué aujourd'hui que leur boîte de sucre avait été déplacée et que ses taches de café[1] étaient dispersées sur toute l'assiette, alors que, quand elle est partie ce matin, elles étaient disposées ensemble... Je n'arrive pas à penser à autre chose... Oh, mon Dieu ! Si on ne peut plus faire confiance à de telles gens, alors à qui ? À qui ?

Ah, la confiance ! C'est si minable ! Mon Dieu ! Ah, de telles saloperies ! De telles abominations ! C'est insupportable !... Et c'est aussi le ghetto qui fait ça ! Et ça a emporté les meilleurs... Les pires sont restés. Dieu ! Conseille-nous ! Aide-nous !

Ghetto de Litzmannstadt, 17 février 1944

Hier durant le cours, Fela m'a dit qu'il paraîtrait que Mania devrait être relâchée et que son père était à la maison, donc ils l'ont pris... Pourtant, rien n'est certain... une telle amertume coule de tout... Ah... Plus tard, le soir, Surcia est venue chez nous (quand je suis rentrée des cours, Minia parlait déjà avec Estusia à propos de ces disparitions... durant quelque jours, jusqu'à samedi, nous allons faire des traits et nous verrons bien... Ah, ça serait vraiment horrible) ; donc

---

1. Il est question de biscuits, appelés « taches » ou « patches », préparés à base de café de blé mélangé avec de l'eau et grillés sur une poêle.

quand Surcia était là, les cousines avaient déjà commencé à lui en parler, mais comme entre parenthèses, moi, je ne pouvais pas lui dire non plus [...]. Ça a fait un effet terrible sur les cousines. Estusia est extrêmement déçue, et elles toutes en général... Mais c'est assez... À part ça, Surcia m'a apporté une lettre... Je suis contente d'avoir écrit cette lettre à Chajusia. Que ça ait été franc, que ce soit venu directement du cœur, je n'ai pas besoin de le préciser... Je suis également ravie d'avoir pu faire quelque chose, du moins grâce à ces quelques mots, ah, que de forces ai-je puisées dans cette lettre de Surcia ?!... Je veux de la réciprocité !... Rien que de la réciprocité !... Une fois tu me donnes, la fois suivante je te donne... et ainsi de suite... C'est comme ça que ça devrait se passer, mais comme ce n'est pas toujours le cas, et même que c'est rarement le cas, donc nous, au moins nous, nous devrions vouloir ce (le terme me manque) et ne pas exiger cette réciprocité de quelqu'un, mais l'exiger de nous, de nous-même !... Et tentons de la rendre, selon nos possibilités, à celui qui le mérite. Par la même occasion, on peut en apprendre beaucoup sur soi-même. À mon avis, la vraie réciprocité ne consiste pas en ce que, puisque tu as fait quelque chose pour moi, alors je suis obligée de te rendre la pareille immédiatement, ou si je fais quelque chose pour toi, c'est parce que je veux ou même que j'exige de la réciprocité. Non ! Selon moi, la réciprocité devrait être désintéressée ! Parce que je ne vais pas tenir les comptes de tout ça et je te rendrai la pareille, ou même je te rendrai un service, quand je le pourrai vraiment et quand ça viendra du fond

du cœur... Et c'est de cette réciprocité-là que je parle!...
Et avec Surcia justement... c'est réciproque!

Quand je suis revenue à la maison, la première chose que
j'ai entendue de la bouche de Minia, c'est de vérifier le pain
de Cipka. C'est ce que j'ai fait et (ah, mon Dieu, comme
c'est dur d'en parler !) un morceau de pain manquait... parce
que... maintenant, je ne peux plus écrire sur d'autres sujets,
car le plus important, ça reste le pain...

Nous sommes cruellement déçues...

Je ne peux plus regarder cette personne, elle me répugne...
Du pain... quand je l'ai découvert, je voulais vraiment... je
ne sais plus moi-même ce que j'aurais fait à cette personne...

Oh, mon Dieu !... *Far guts, varft min shteyner*[1]...

Malheureusement, dans ce cas, c'est la vérité...

Il faut être pourri jusqu'à l'os pour faire une chose de ce
genre... et à cette innocente enfant en plus !

Ah, cette déception fait très mal ! Estusia est extrêmement
déçue, peut-être le plus d'entre nous toutes...

Ah, il vaut mieux ne plus écrire sur le sujet, il vaut mieux
ne plus y penser, mais la question subsiste... Ah, c'est le
ghetto ! Ce ghetto ! Vraiment, c'est insupportable !

Ça y est, nous sommes toutes en cours (ce n'est plus une
école, parce qu'on a changé le nom en *Fachkurs*[2]), nous n'aurons plus cours de juif ni de comptabilité, seulement cinq heures

---

1. « En remerciement pour le bien, les gens jettent des pierres »,
en yiddish.
2. *Fachkurs* : formation professionnelle. Leur objectif était une préparation rapide des enfants au travail physique.

de couture (de production) et une heure de dessin technique. Interdiction d'apporter livres ou cahiers à l'atelier... De plus, tout cela est clandestin, ils (les ateliers) doivent nous cacher, car ça reste contre le règlement que nous, les enfants, puissions apprendre quelque chose... Tout cela mis bout à bout, ça fait très mal... (Chez eux, nous ne sommes plus des êtres humains, mais des machines.) Ô douleur! Mais je me réjouis encore de ceci : je ressens que ça fait mal. Car tant que je sens que ça fait mal, ça veut dire que je suis encore humaine, car je ressens, et dans le cas contraire, ça irait très mal... Mon Dieu! Merci pour tout le bien que Tu nous fais! Merci! Merci, mon Dieu!

Demain, nous avons encore un contrôle de l'hygiéniste, comme chaque vendredi...

Ghetto de Litzmannstadt, 20 février 1944

Szpera!... Tant de souvenirs tragiques, de douleur, de manque, d'anxiété etc. (je n'y arriverais pas même si je voulais les comptabiliser) est contenu dans ce mot! Oh, mon Dieu, tant de terreur! Rien que de s'en rappeler... et qu'en sera-t-il si une *Szpera* recommence[1]? Est-ce une *Szpera*?... mais (par chance) elle ne ressemble pas à la précédente, merci mon Dieu... C'est dimanche... Nous restons à la maison... Je me

---

1. Le 20 février, l'interdiction de se déplacer dans le ghetto fut déclarée. Seuls les gardiens furent autorisés à venir dans les ateliers. Les personnes destinées aux envois en dehors du ghetto étaient interpellées à leurs domiciles et conduites au point de rassemblement, rue Czarneckiego (la prison). Lucjan DOBROSZYCKI, *The Chronicle, op. cit.*

suis efforcée de terminer au plus vite mes tâches ménagères et pouvoir enfin écrire... car vraiment, j'ai tant à écrire... Donc aujourd'hui il y aura probablement une *Szpera* toute la journée et nous ne pourrons pas sortir dans la rue... Aujourd'hui, dès le matin, nous avons été réveillées par des coups à la porte... Minia a ouvert... Un policier est entré et a posé des questions sur les hommes (nous voulions lui dire qu'il était le seul homme qui se trouvait dans notre appartement, mais ce n'était pas le moment de plaisanter), il a marché un peu dans la pièce, il a déplacé le lit de Minia, a ouvert l'un des placards et... voyant qu'il n'y avait personne, il est parti... Mais, pour dire la vérité, nous aurions pu cacher pas mal de monde, ils n'auraient rien trouvé... Mais peu importe : Même si cette *Szpera* est moins épouvantable que l'autre (ce qui ne veut pas dire qu'elle n'est pas épouvantable), c'est vrai, elle ne nous concerne pas directement... et alors ? Il suffit de dire le mot *Szpera* et... ça suffit ! Oh, mon Dieu ! Ce mot seul me remplit d'horreur, rien que ce mot, sans parler de... ah, car la réalité. Je préférerais ne pas l'écrire... car, ah, car... non, je ne peux pas !

Hier, samedi, je devais être à l'atelier... C'était la première (et j'espère l'unique fois !), Chanusia et Estusia y étaient aussi, Minia est restée au lit (avant 17 heures, un fonctionnaire de la banque lui a apporté sa *Stammkarte* pour les deux soupes (celles du samedi et du dimanche) parce que tout le monde a reçu hier les soupes d'aujourd'hui, mais ce n'est pas de ça dont je voulais parler... Ah, mon Dieu, c'était si horrible de se lever si tôt, un samedi ! Je l'ai fait la gorge serrée... Quand je passais à l'angle des rues Jerozolimska et Franciszkańska, près des barbelés, un soldat observait le ghetto[1] et j'avais l'impression qu'il ne regardait que moi et qu'il était satisfait de constater que je marchais avec les autres... Oh, mon Dieu, je n'oublierai jamais ce sentiment, j'étais si mal, si à l'étroit, j'avais envie de pleurer !... pleurer... pleurer... Je voyais tous ces gens se rendre aux ateliers, comme d'habitude, en ce jour, en cette sainte journée, et cette journée divine[2] était pour eux une journée ordinaire... Mon Dieu, et moi aussi, j'étais parmi eux ? On pouvait aussi me prendre pour l'une des leurs ? (D'un autre côté, peut-être que personne n'y a songé.) Mais pour moi, aller à l'atelier un samedi était un supplice épouvantable... Malgré moi, j'ai pensé : *Et si jamais (pourvu que je ne sois pas obligée d'y retourner encore), mais si jamais j'y suis obligée, est-ce que ça ne deviendra pas pour moi une chose normale, est-ce que je ne m'y habituerai pas ?* Ah, mon Dieu, fais en sorte que je ne sois plus forcée de me rendre à l'atelier un samedi ! Je me sentais si mal ! J'avais envie de pleurer ! J'avais l'impression que tout le monde se moquait de moi... Qu'ils riaient parce que j'étais venue, mon Dieu, je n'oublierai jamais cette impression. Ah, c'était si désagréable. Notre classe est exceptionnellement supportable de ce côté-là, il y a beaucoup de filles qui ne travaillent pas le samedi... mais bon ? Qu'est-ce que ça m'apporte ? Et en plus, la Kaufman a montré comment on faisait une doublure avec des pans de veste... il ne manquait plus que ça ! Je me

---

1. Il s'agit probablement d'un fonctionnaire de la police d'ordre allemande (*Schutzpolizei*) dont les postes étaient disposés le long de la frontière du ghetto tous les 50 à 100 mètres.
2. Samedi, jour de shabbat.

chuchotais sans cesse tout bas : « Samedi, samedi » pour que je n'oublie pas, Dieu m'en garde !... Et encore une chose : c'était le samedi lors duquel *Men hot gebentsht rosh khoydesh*[1], et j'étais si pressée de rentrer à la maison, je me remémorais sans cesse « n'oublie surtout pas ! »... Ah, comme c'est dur...

À part ça, le vendredi soir, je suis allée chez Surcia, comme d'habitude, j'ai dû l'attendre un peu... Je l'attendais, et (j'ai du mal à écrire ça) ses frères ne se comportaient pas exactement comme ils auraient dû... Je me suis dit : *pauvre Surcia ! Comme c'est dur pour elle... quels combats elle doit mener !...* Je la plains et en même temps je l'admire : *Dos iz a shtiler held*[2]. (Ça serait un bon sujet de cours.) Je voudrais tellement l'aider ! Je voudrais tellement la soulager !... Elle m'a donné à lire plusieurs de ses articles. L'un d'entre eux (date encore d'avant la guerre) : « Au bord du précipice ». Ah, comme il est vrai !... Et chaque fois que j'y repense, je n'arrive pas à admettre que je le lisais en polonais. Quand je me souviens d'une phrase, c'est toujours en juif, par ex. : « il n'y a plus de père juif »... toujours en juif : *Nishtdo keyn yidishn tatn* ! Ça résonne différemment... Quand nous sommes sorties, Surcia était pratiquement en train de s'excuser devant moi, que c'est de ça que ça avait l'air chez eux, mais qu'il ne fallait pas que je les prenne en exemple. Ce frère aîné, un meneur, et tous derrière lui. J'ai pensé : *ah, cette Surcia, elle souffre tant, c'est si dur pour elle, et non seulement elle ne se plaint pas, mais*

---

1. « On a béni le nouveau mois juif », en yiddish.
2. « Voici une héroïne silencieuse », en yiddish.

en plus, elle me met en garde... c'est héroïque !... Prends-en de la graine, Rywka !... Je l'ai aimée encore davantage pour ça !

Hier soir pendant le dîner, j'ai eu une envie soudaine de lire aux cousines ce poème composé après le discours de Zemel... Estusia a dit que c'est Surcia qui l'avait écrit... ah, il leur a plu... et moi, ça m'a suffit qu'elle m'ait dit que c'était un poème de Surcia... Bon, il faut que je termine pour le moment, je reprendrai peut-être plus tard !

Ghetto de Litzmannstadt, 22 février 1944

Merci mon Dieu ! Le père de Maria Bardes a été relâché !

Il se peut que nous ayons une réunion dès ce samedi... Oh, ça serait si bien... Cela fait si longtemps que nous n'avons pas eu une vraie réunion... Franka Wajskol revient à l'atelier depuis hier, mais je ne sais pas encore ce qui se passe chez elle... Je sais seulement que nous continuons à assembler des soupes pour elle chaque jour[1]... Mais assez avec ça !... Nous ne dépendons plus de la rue Żydowska et nous sommes devenus un *resort*, donc ce n'est plus Zemel qui est notre directeur, mais Szuster... Il paraît que c'est préférable... Et ainsi, nous commençons à coudre une production de *resort*... des sortes de « flotteurs »... pour le moment, je ne fais encore

---

1. Aspect de solidarité assez répandu dans le ghetto. L'impossibilité d'obtenir sa soupe équivalait à un arrêt de mort, c'est pourquoi les travailleurs destinaient souvent quelques cuillérées de leurs portions aux collègues malades ou absents.

rien... Je reste assise tête baissée et je lis. Chaque instant est précieux... J'ai décidé de lire un peu plus... Mais j'ai aussi un souci... Puisque, en dehors du journal, je n'écris rien de concret, un poème peut-être, parfois, mais de la prose ?... Ah, je ne sais absolument pas écrire en prose... Je deviens inapte en quelque sorte ?... Ah, j'avais l'impression de n'avoir rien à écrire, et finalement, dans le flot de l'écriture... tout est dans le flot de l'écriture... J'ai déjà rédigé une rédaction pour le cours et c'est grâce à Surcia que j'ai quelque chose de vrai... même si je l'ai écrit maladroitement, mais c'est si vrai !... En ce moment, nous créons une petite bibliothèque (on a fermé la bibliothèque de Zonenberg[1]), chaque fillette donne un livre et nous réussirons à rassembler un fonds tant bien que mal... Je m'y suis inscrite aussi, je donne *Guerre et Paix*, tomes III et IV... Il devrait y avoir de très bons livres... En ce moment, j'ai *Hier et aujourd'hui* de Żeromski[2] (je l'ai emprunté à Surcia)... Je voudrais lire quelque chose de bon...

Ghetto de Litzmannstadt, 23 février 1944

Je suis très gênée !... Je ne sais pas... C'est probablement parce que, n'ayant rien à faire à l'origine, je lisais, et

---

1. Plusieurs bibliothèques fonctionnaient au ghetto, même si l'Ensemble de location des livres de Jakub Wolf Zonenberg, situé au 19, rue Zagierska, était la seule ouverte dans les quartiers avant la guerre.
2. Stefan Żeromski (1864-1925), écrivain polonais, surnommé « La Conscience de la littérature polonaise », premier président de la branche polonaise du PEN Club.

la Pilcewiczowa s'est approchée de moi (je ne l'ai pas vue arriver) et m'a confisqué le livre...

Ah, qu'elle aille au diable !... Je n'ai rien à faire, mais il faut que je reste assise et désœuvrée... Maintenant, j'ai un peu de travail parce qu'ils m'en ont donné, je dois coudre une sorte de marque-pages... Je n'ai pas fait attention et j'ai coupé de travers, et maintenant, tout se gondole... Ah, de futiles histoires d'atelier !... Je me sens confuse, je n'ai envie de rien... Mais hier, j'ai pu passer une heure et demie ou deux très agréables en compagnie de Cipka... Il n'y avait encore personne à la maison... nous étions seules, nous avons discuté, je lui ai même lu des extraits de mon journal...

Peut-être que ça sera pareil aujourd'hui ? Chanusia rentre tard à la maison ce soir, nous serons donc seules plus long-temps... j'aime tellement ça ! Ah, mais j'ai tant à faire... et il faut que je rende plusieurs visites. Je voulais aller chez Balcia Zelwer, ma cousine, cela fait si longtemps que nous ne nous sommes pas vues... je dois aller chez Zemlówna, il faudrait aussi passer chez Mania... Vraiment, je sens que nous sommes très liées, extrêmement liées, je sens que je l'aime elle et toutes les autres... Ah, quand est-ce que ça ira mieux ?! Il fait tellement sombre qu'il est facile, très facile de trébucher et de tomber, on ne voit plus rien, pas même une lueur qui scintillerait au loin. Et ce n'est pas seulement qu'elles ne donnent plus de lumière, mais elles s'éteignent... et comment les rallumer ?

Je suis impuissante ! complètement impuissante !... Qu'est-ce que je pourrais écrire d'autre ? Tout ce que j'écris se ressemble tellement !... Malgré tout, je sens que je devrais écrire justement aujourd'hui, je le ressens... ah, si je pouvais tout déverser sur le papier, je me sentirais peut-être mieux ? Mais comment faire ça ?

J'ai lu de bons passages dans le livre de Żeromski... En l'occurrence : un tel sentiment de manque s'est accumulé dans le cœur, de tels faisceaux de manque... mais grâce à l'arrivée d'un fils, grâce au seul fait d'être pris dans ses bras, grâce à son retour, tous ces faisceaux de manque ont fondu comme de la glace et cette arrivée du fils les a expulsés du cœur et ils ont traversé les yeux sous forme de larmes de bonheur... Comme nous en aurions besoin !

Durant toutes ces années, des lambeaux de manque se sont accumulés dans mon cœur, mais si seulement mon frère et ma sœur revenaient, si je pouvais les serrer dans mes bras, ces lambeaux pourraient disparaître sous un tel regard et se transformer en larmes de bonheur... Mais pour l'heure, il n'y a même pas de larmes... même si je pleure, je hurle, mais sourdement... en plein malheur... est-ce encore loin ?

Le manque croît et progresse... il en arrive tant... et ce qui pourrait l'abattre semble si lointain... s'éloigne de plus en plus. Et qu'est-ce qui me reste à faire ? Me déchirer en morceaux ? Non ! Je ne peux pas faire ça !... Attendre patiemment ? Non, cela serait de trop !... Cela affecte trop mes nerfs... ah, j'ai peur de ne pas tenir le coup !... je crie de toutes mes forces : « tiens le coup ! » C'est le plus important !... Et le plus difficile !... Mon Dieu ! Quels combats ! Quels épouvantables combats !

Un épuisement croissant s'empare de moi ! Rien d'étonnant !... Mais ça n'est pas possible ! C'est interdit ! Interdit... Il est interdit de se laisser aller ! Mais qui songe à se soumettre ? Peu importe... tout est si difficile ! Et que dois-je encore écrire ? Peut-être une fois de plus : « C'est difficile. » Ah, je sens que je m'enfonce de plus en plus dans un marécage de boue... et... et je ne peux m'en extraire d'aucune façon... et peut-être que quelqu'un m'y pousse ?... Donc, ce quelqu'un serait plus puissant que moi ? Non ! Je ne le permettrai pas ! J'y veillerai ! Mais cette difficulté m'envahit encore ! Ah, comment y remédier ? Où trouver la solution ? Ce ghetto est notre enfer...

Ah, c'est déjà la sonnerie, je dois terminer là, alors que je voudrais tellement écrire encore...

Ghetto de Litzmannstadt, 24 février 1944

L'inquiétude s'empare du ghetto... On dit que les femmes seront déportées aussi... et ils n'ont pas encore réuni tous les hommes de la liste... Demain, nous sommes censées apporter nos cartes pour le pain et encore un autre document... Pour ne pas oublier, nous nous sommes écrit des mots sur des bouts de feuille : « N'oublie pas ta carte à pain et un autre document ! » Ah, c'est une tragi-comédie... J'ai la vague impression que le ghetto se vide, tout devient vide partout (rien que dans ma tête pour le moment), que Dieu nous protège et qu'il n'arrive rien de mal... Mais les apparences sont loin d'être bonnes, malheureusement...

Une mauvaise atmosphère règne. Ah, je ne songe plus à m'amuser maintenant, comme au début de la guerre... Oh, je suis si mature aujourd'hui...

Chawka Grunwald vient d'arriver à l'instant et elle dit qu'elle a vu une partie de ces femmes... Dieu tout-puissant ! C'est si horrible !

Et dimanche, il doit y avoir une sorte de *Folkszeilung*[1] et nous n'aurons encore une fois pas le droit de sortir... C'est atroce !

Si au moins j'étais certaine que nous serons tous ensemble... ça ne serait qu'une demi-mouise... mais ces séparations... Qui sait si les cousines ? Ah, vraiment... Et Balcia Zelwer ? Et tout ! C'est si dur ! C'est extrêmement dur ! Nous sommes dans l'obscurité... quelqu'un nous pousse... et nous pousse... nous ne pouvons pas résister... et nous nous noyons, de plus en plus loin... et nous nous enfonçons... Mon Dieu, aide-nous à nous hisser ! Mais l'aide ne vient malheureusement pas... Qui sait si elle arrivera à temps ? Ah, tout réside dans la grâce de Dieu ! Qu'est-ce que nous pourrions imaginer ? Tout est vide et sombre autour de nous ! Tout est si horriblement sombre, recouvert d'une brume ! Ô brume, tu pèses tant sur mon cœur... j'ai du mal à respirer... ah, c'est impossible... nous étouffons... Ah, un peu d'air frais... ah, comme cela nous manque ?... Dieu ! Dieu ! tout est si tragique, si dénué d'espoir... si mauvais...

---

1. Rywka orthographie mal *Volkszählung*, soit « décompte de la population » en allemand.

Tout est même tragi-comique... Car il se passe des choses inouïes... Ça nous paraît presque normal, mais si on y réfléchit un peu, on voit alors jusqu'où va ce côté comique... Mon Dieu ? Par ex., tous ces plats faits à base de café (ça rime), ces *lofiks*[1] (la sœur de Prywa les appelle des « gave-gueules » parce qu'on peut s'en gaver la gueule...). Ah, et si seulement c'était le pire ?

Ah, tout est si tragique... tragique... tragique...

Ghetto de Litzmannstadt, 25 février 1944

J'ai beaucoup à écrire... Mais dans l'ordre ! Donc, à propos de cette déportation de femmes... Marysia Glikson est enregistrée à son adresse comme née en 1925, mais puisqu'elle est adoptée et ne peut y rester que jusqu'au 1ᵉʳ mars, elle n'aura plus de toit après ça...

Comme je devais moi aussi passer à la « Protection des mineurs » hier (je n'ai rien réussi à obtenir), alors j'y suis allée avec elle... Elle se trouve aujourd'hui dans une situation très pénible. Si cet orage se calmait, elle pourrait peut-être entrer dans le cadre de la bourse du président[2], mais pour l'heure, c'est impossible... Sur le chemin, elle m'a dit qu'elle vient d'une

---

1. *Lofiks* : au ghetto, on appelait ainsi de petits biscuits noirs cuits sur une poêle à partir d'un ersatz de café, parce qu'ils ressemblaient à des allume-feu (des briquettes de miettes de charbon pressées de marque Lofix).

2. Bourse du président : maison pour adolescents, le plus souvent orphelins, organisée par Chaim Rumkowski.

maison très pieuse, mais puisqu'elle a été élevée chez son frère (son frère était officier, il a fait des études en France) où elle avait un environnement essentiellement polonais, et comme elle a été très déçue par les Juifs du ghetto, voilà pourquoi elle déclare ces choses-là... Je voulais l'aider (au moins pour qu'elle sache que des gens de notre milieu sont capables d'entraide), je l'ai conduite chez Chajusia (elle en parlera avec Mlle Zelicka en secret), je suis aussi allée chez Balcia Zelwer en me disant que Marysia pourrait peut-être emménager chez elle pour cette période, mais ça n'a rien donné, car Balcia a déménagé chez ses voisins à cause de l'hiver... Marysia s'attend au pire...

Pour le moment, je ne peux pas considérer que ce n'est pas l'une des nôtres, mais je dois l'aider autant que possible rien qu'en tant qu'être humain. Elle cherche aussi à se faire protéger par le président... Je lui ai dit que, si elle avait besoin du soutien de mes cousines (elles ont un vague contact avec Rozenmutter), alors elle pouvait venir nous voir... Je doute que ça aboutisse à quoi que ce soit de concret, mais que peuvent-elles faire ?

Mais assez avec ça !

À part ça (un secret), Lola et Majer ont dormi chez nous cette nuit... Je voudrais tant que tout se passe bien maintenant ! Je sens quelque part que j'ai tant à écrire et... je ne fais que le sentir ! Tout est si incommensurable et dur... J'ai une impression tellement étrange... Et puis, il se passera beaucoup de temps avant que je puisse lire le journal de Surcia... Il se peut qu'elle veuille d'abord entendre quelque chose de ma bouche et ce n'est qu'après, petit à petit (à condition que ce soit en accord avec ses...), qu'elle me laissera le lire. Ah, qu'elle me dise au plus vite ce qu'elle attend de moi... Non, je dois être patiente... On ne peut pas tout avoir d'emblée... Au diable ! C'est déjà le matin...

Ghetto de Litzmannstadt, 26 février 1944

C'est déjà samedi soir... Je me trouve terriblement fatiguée, et alors ? Je ne dirais pas que je suis ravie, bah, j'en suis très loin, mais mon humeur d'hier est partie, grâce à Dieu... Ah, parce que hier soir, j'étais d'humeur horrible... J'ai appris de la bouche de Surcia que quelques filles (du *Bnos*[1]) se trouvent prises rue Czarnieckiego, d'autres se cachent... Ah, c'est si abominable ! Surcia dit que nous ne nous rendons pas compte à quel point c'est affreux... Elle a raison ! Mais il apparaît que si nous nous en rendions compte, ça serait plus tragique pour nous... Plusieurs filles (dont moi) se sont réunies hier soir chez Mme Milioner et nous récitions. À un moment, je me suis posée la question : *Elles récitent toutes les* Tehilim, *elles se plongent dedans... je suis la seule à faire attention* (je n'arrivais pas à suivre) *et quelqu'un qui observerait le cercle de l'extérieur verra qu'elles parlent toutes honnêtement... et moi ?... et moi ?... Je gâche tout...* Ça a duré une fraction de seconde... Et après ça, je ne voulais plus penser à rien et... je voulais plonger pleinement

---

1. *Bnos* : l'équivalent des écoles Bais Yaakov, mais pour filles.

dans ce que j'entendais, même si je ne le comprenais pas, mais je pouvais ressentir à souhait et me plonger ainsi dans ces *Tehilim*. Ah, *Tehilim* ! C'est un délice !... Mais hier, il ne s'agissait pas du tout d'un délice !... Nous priions simplement Dieu pour qu'Il ait pitié de nous et pour qu'Il nous aide... (Ah, je n'arrive pas du tout à m'exprimer en polonais.) En plus de ça, ils recueillent du pain et des aliments pour ceux dont les cartes de nourriture ont été bloquées[1]... Oh, il fait si sombre ! À chaque fois que j'y songe, je me rappelle d'*Ayelet ha-shahar*[2] des Psaumes.

À part ça, je ne suis pas allée à l'atelier aujourd'hui : plutôt que de répéter la sensation de la semaine dernière ou de m'habituer progressivement, j'ai préféré ne pas y aller du tout, j'ai même renoncé à la soupe. Prywa a été absente aussi, car elle a eu un peu de fièvre hier... Au final, j'ai eu droit à mes soupes, mais aux parts des convalescents. Mais peu importe ! En dépit de tout, je ne pouvais pas rester plus longtemps au lit, j'ai dû aller à l'atelier de Chanusia pour remettre son arrêt maladie : elle s'est fait arracher une dent et, juste après, une autre lui a enflé, elle a eu 38,5 de fièvre hier, aujourd'hui, ça va mieux, mais ça a déjà perturbé le calme de mon samedi, car j'ai dû me rendre deux fois aux ateliers. Je suis passée chez Chajusia après, elle m'a

---

1. On bloquait les cartes de nourriture des personnes qui ne s'étaient pas présentées à la déportation.
2. *Ayelet ha-shahar* : « La biche de l'aurore » en hébreu biblique. Cette formulation est associée à la reine Esther, qui aurait récité le psaume 22, dont cette phrase est le titre, au moment de se présenter devant le roi Ahashueras pour plaider la cause des Juifs persécutés par Haman.

lu quelque chose à propos du Dr Birnbaum et, ainsi, j'ai appris quelque chose... c'est très précieux !

Cette nuit, tout a été calme... ils n'ont embarqué personne, mais il faut rester prudent... et si c'est un piège ? Qui sait ? La prudence ne déçoit jamais[1]...

Nous devons aussi changer la déclaration [du nombre] de nos lits, mais bon ? Ça ne vaut pas la peine d'en parler...

Ah, j'ai encore tant à écrire !... Donc, avant la fin du samedi, je suis passée chez notre oncle pour récupérer le manteau de Cipka... Je n'ai pas vu Tusia... Oh, comme elle me manque ! Ah, ces temps-ci, je ne pense plus du tout à elle, je ne lui écris rien... Bon d'accord, j'y pense, cela fait plusieurs fois que j'ai envie de la voir, mais la période actuelle ne me le permet pas... Après le *Havdalah*[2], nous sommes allées (Minia, Cipka et moi) chercher 20 kg de briquettes (deux rations), le temps est adéquat pour une luge, donc nous y sommes allées justement avec la nôtre... C'était merveilleux ! Nous nous baladions et nous tirions sur la corde comme si de rien n'était... Il est vrai que nous étions censées y retourner une seconde fois, mais c'était l'heure du dîner et nous n'en avions plus du tout envie, donc nous n'y sommes pas

---

1. Rywka fait une erreur involontaire dans un dicton populaire : elle écrit *Ostrożność nigdy nie zawodzi* (« La prudence ne déçoit jamais ») au lieu de *Ostrożność nigdy nie zaszkodzi* (« On n'est jamais trop prudent »).

2. *Havdalah* : prière juive prononcée le soir du shabbat qui souligne la séparation entre cette journée sainte et les journées ordinaires. Le rituel inclut une bénédiction autour d'un verre de vin, d'épices et d'une bougie.

allées... Mais ce n'est pas si important... Le plus important, c'est que, chaque fois que j'écris à Surcia, ou à son propos, elle répond toujours que j'exagère... la modeste... Mais personne ne pourrait nier (à part elle, peut-être) qu'elle est une véritable héroïne...

Je reste assise en ce moment et je viens de recevoir « la gracieuse autorisation » d'écrire, presque tout le monde dort, j'attends seulement Lola et Majer... Ils viendront plus tard aujourd'hui car ils doivent retirer des rations... Mais j'ai affreusement sommeil... ma jambe droite se frigorifie... il fait très humide... mes chaussures fuient... et j'ai froid... Ah oui, Surcia a écrit un poème merveilleux jeudi, fait de pensées bien exprimées. J'ai très sommeil maintenant (même si j'ai très envie d'écrire, mais ça ne marche pas fort, je gribouille seulement), je voudrais, oh, comme je voudrais qu'au réveil ça soit déjà une autre époque, que tout aille déjà bien ! Oh, comme j'en ai envie ! Je voudrais quelque chose de concret ! Quelque chose d'abondant en bonté ! Quelque chose de réconfortant ! Quelque chose d'apaisant !

Oh, je le voudrais tant... Je voudrais connaître un peu des *Tehilim*, c'est si réconfortant ! Si généreux en consolation ! si merveilleux !... Peut-être que demain chez Mme Milioner il y aura un peu des *Tehilim*, j'y vais aussi...

Pas seulement les *Tehilim*, mais aussi notre chère Torah. Ah, comme c'est bien d'avoir les yeux grands ouverts, d'être juif... comme c'est bien d'être capable et de savoir (c'est difficile), ah, comme c'est bien ! Les Rosett viennent d'arriver, je vais derrière le rideau...

Ghetto de Litzmannstadt, 27 février 1944

Plus tôt, dans la rue, je me demandais pourquoi l'homme est éternellement insatisfait et veut toujours plus... Il exige sans cesse... Par ex., il se trouve sur un niveau bas, il souhaite être en haut... quand il se trouve plus haut, il veut être encore plus haut, etc. Cela a, comme tout le reste, ses bons et ses mauvais côtés... Quand un homme grimpe de plus en plus haut et veut toujours apprendre quelque chose de plus, il veut se retrouver sur un niveau au-dessus, etc., alors c'est positif... mais... des limites ! (Je ne sais pas si cela convient à mon journal.) Mais, par ex., en comparaison, on montre un doigt à un chien, il veut déjà toute la main... Il y a des personnes qui, si on leur permet d'arriver quelque part, veulent tout de suite encore et encore... (Ah, je ne sais plus si c'est ça que j'avais à l'esprit)... Un homme, dans la pleine mesure de ce mot, devrait se souvenir de tout toujours et partout... alors qu'il est si limité ! Ce dont il devrait se souvenir, mais qu'il oublie comme par malice. Eh, je n'arrive pas à l'exprimer, car des idées fraîches me viennent encore et encore à l'esprit et tout cela devient chaotique... Ah, si seulement je pouvais formuler tout ça d'une certaine façon !

Je me sens si incroyablement mal... j'ai tellement envie de pleurer !... Oh, si les pleurs pouvaient me soulager ? Ah, des larmes ! Je n'en ai pas à la demande, mais je n'en ai même pas quand j'en ai grandement besoin... Mon Dieu, qu'adviendra-t-il de moi ? Je me sens à l'étroit ! Je n'arrive pas à trouver ma place... Je ne sais pas ce qui arrivera !

D'abord, je suis allée chez Mania... Elle nous a raconté (j'y suis allée avec Ewa) tout ce qui lui était arrivé... Oh, une telle expérience ! Je lui ai dit qu'elle devrait absolument tenir un journal... c'est vraiment dommage que ça ne soit pas retranscrit... (Estusia n'est vraiment pas satisfaite de me voir écrire en ce moment... ah, si elle savait ce qu'écrire représente pour moi !) Mon Dieu ! J'ai du mal à respirer ! Comme tout est difficile !... Quelque chose d'extrêmement lourd se couche sur mon cœur... et l'étouffe... Oh, ah, comme ça fait mal... ah, comme ça serre ! Nous n'avons pas eu de cours chez Bala aujourd'hui, car avec qui ? Seules Ewa et moi sommes venues, même Fela devait partir... Ah, tout cela mis bout à bout... Et qu'est-ce que je peux faire en tant que petite poussière, l'une des plus petites sur la terre ? Quelle est mon importance ? Qu'est-ce que je signifie (je ne dis pas au regard de Dieu), mais au regard des vivants sur cette terre... Quelle est mon importance ? Et quelle importance a ma vie ? Ah, ces questions !... Je sais, après tout, que je ne peux pas beaucoup, que je ne peux pas influencer les hommes au loin, mais je peux influencer un peu mes proches... j'en ai le devoir... on n'a pas le droit de se croiser les bras et de ne rien faire... Ah, si seulement je pouvais faire autant que je voulais !... Mon Dieu ! Comme je suis triste, si désolée... tellement en manque ! tellement à l'étroit ! Ah, mon Dieu, Tu pourrais m'aider ! Aide-moi ! J'ai sommeil... Une telle torpeur s'empare de moi... Ah, je ne sais plus... je ne sais vraiment plus rien... Je voudrais tellement, mais je ne peux rien... c'est si horrible... Oh, si seulement je pouvais verser quelques larmes... Mais non... rien... Oh, rien que des soupirs... si lourds... si profonds... Ah...

En plus de ça, le fait que je sois toute trempée a aussi une mauvaise influence sur moi, mes chaussures fuient, oh, je baigne véritablement... des frissons me parcourent... le froid m'envahit... c'est une sensation horrible d'avoir les chaussures si mouillées... Mais ce n'est pas le pire... c'est tout cela ensemble... Ah, des torchons et des serviettes... un tel mélange !... Ça tourne, ça virevolte dans ma tête à cause de tout ça... Oh, un tel chaos !... Aïe, c'est insupportable... Qu'est-ce que je dis ? Insupportable ? Ha, ha, je le supporterai... Mais à quoi bon ? Je ne vois rien à part des abysses envoûtants et une nuit égyptienne...

Tout est si sombre devant mes yeux !... Oh, mon Dieu ! Quand est-ce que je verrai enfin ? ! Quand est-ce que je verrai ? !

Ghetto de Litzmannstadt, 28 février 1944

J'ai cru que je n'écrirai plus aujourd'hui, mais apparemment, j'ai changé d'avis... Je n'ai pas pu écrire à l'atelier, je suis en effet si affairée autour de la robe de Cipka et j'avais aussi un petit souci avec la soupe, au point que je suis devenue triste (à cause de cette soupe) et la pause a filé... Mais venons-en aux faits !... Je tire une grande satisfaction de ma capacité à coudre quelque chose – quand je l'aurais cousu, je saurai que je marche plus solidement... Je saurai que peu importent les conditions de vie, je pourrai les repousser tant bien que mal...

j'aurai un métier en main... je ne serais plus dépendante du destin, mais le destin le sera de moi... Je me sens plus forte... Il y a quelques années... dans mes rêves, quand j'imaginais mon avenir, je voyais parfois : le soir, un cabinet, un bureau, une femme assise à ce bureau (déjà plus vieille), elle écrit... et écrit, et écrit... sans arrêt... elle oublie tout et écrit... Je me vois dans la peau de cette femme... d'autres fois, je vois un appartement modeste où j'habite avec ma sœur... jusque-là, j'ai toujours cru que ça serait avec Tamara, mais aujourd'hui, il est plus probable que ce sera avec Cipka... Et d'autres fois encore, j'imagine : le soir, une modeste chambre éclairée, ma petite famille autour de ma table... c'est agréable... il fait chaud, accueillant... ah, c'est si bon !... Plus tard, quand tout le monde se couche, je m'assois devant la machine et je couds... je couds... et tout m'est si doux, si bon... si délicieux ! Parce que ce qui sort d'en dessous de mes mains, c'est notre modeste subsistance. J'en puise le pain, j'en puise le savoir, j'en puise les vêtements... et presque tout vient de ça, du travail de mes propres mains. J'en suis très reconnaissante à Mme Kaufman... et à ce moment-là (il va de soi que je parle du moment où j'y songe, puisque tout cela n'est pas encore la réalité), je sens que... qu'au bout du compte je peux encore servir à quelque chose, et que non seulement je peux, mais je dois, je dois ! (Il me faut m'interrompre maintenant et descendre chercher de l'eau...)

Est-ce que je pourrais encore écrire comme plus tôt ?... Je dois m'y efforcer... (Ah, allez au diable, Cipka m'a pris ma trousse et ma plume, il a fallu que j'essaye trois pointes et aucune d'elles n'est correcte, ce qui me gêne dans l'écriture...)... Oui, je sais déjà, parce que je me le suis dit plus d'une fois, que le travail est nécessaire dans la vie d'un homme, ou du moins dans la mienne... Mais je voudrais rêver à un travail comme cela, un travail difficile, certes, mais gratifiant... afin que je sache que je le fais pour quelqu'un, que j'ai pour qui le faire... C'est le plus important... Je voudrais donner tellement de moi... ah, mais aussi prendre tellement... Mais tant l'un que l'autre me vient avec un si grand effort...

Ah, ce n'est pas bien d'interrompre un écrit, j'écris différemment à présent...

(M. Dajcz nous a d'abord apporté des brouillons et des cahiers provenant du Papiererzeugnize[1], Sala va aussi écrire un journal.)

Comme je voudrais avoir déjà terminé la robe de Cipka... Ça me ferait grandement plaisir... Oui, pourtant, que vaut ma satisfaction minable contre tous ces soucis et ces échecs qui règnent à présent ? Ah, ça résulte partiellement du fait que les gens n'essayent pas de pénétrer les autres et ils ne se comprennent pas entre eux... Mais que faire ? Le monde a été créé ainsi... à ceci près que le mal croît à un tempo anormal. Tout le monde est énervé... Ça m'atteint aussi maintenant... cet arrière-goût... ah, je suis sensible comme ce n'est pas possible... Et quel sens ça a ?

Au commencement, j'étais encore assez satisfaite, mais maintenant ?... Peut-être parce que les cousines sont à la

---

1. « Atelier de papeterie ».

maison (au début, il y avait Chanusia, c'est vrai... mais nous n'avons presque pas parlé, ça a été à peu près, mais maintenant?) Leur humeur fréquemment irritée et leur façon de jouer sur mes nerfs ont une influence terrible sur moi... Mais assez avec ça! Trop, c'est trop... Quand je le répète, ma maman me vient toujours à l'esprit... Ah, je suis ravie de lui ressembler au moins un peu... Je m'en souviens toujours... Ma Maman chérie! Ah, tant de souvenirs se bousculent en même temps... Je ne peux pas écrire tout ça sur-le-champ, pas tellement parce que je serais gênée (ce qui n'aurait aucun sens), mais parce que c'est au-dessus de mes forces... Ça m'épuise d'avance!... Mais pour certaines choses, il est grand temps... Je le dois, maintenant...

Une fois, je devais alors avoir à peine quelques années, peut-être cinq, peut-être six et peut-être même pas autant... C'était le soir... ma petite maman était assise à table, moi, je ne sais plus pourquoi, mais j'ai l'impression que j'étais un peu fâchée et, sous le coup de la fantaisie, je disais des choses stupides, infantiles, qui ont beaucoup chagriné maman... Je disais : « Je n'ai pas besoin d'une maman comme toi, d'ailleurs ce n'est pas du tout ma maman, la mienne était bien mieux, là-bas, à l'autre appartement, il y avait de si jolis bonshommes, des poupées et des fleurs peintes sur le mur, alors qu'ici!... Je n'ai pas envie d'habiter là... » Mais quand j'ai regardé ma petite maman, j'ai vu une chose que je n'oublierai jamais... Je n'oublierai jamais cette expression sur son visage... À ce moment-là, j'ai tout de suite senti comme une aiguille dans le cœur. À l'époque, malgré tout, je comprenais si peu. Oh, encore aujourd'hui je regrette les mots d'alors, même si je n'étais qu'une enfant et que je comprenais si peu, presque rien... Ah, mon Dieu ! J'ai renié ma maman ? ! Ah, si j'avais compris ce que je disais, je ne l'aurais certainement pas dit... Qu'est-ce qui m'a poussée à retranscrire ce souvenir ? Une chose en entraîne une autre... Ah, ma maman serait si fière de moi à présent... comme elle serait contente ! Ça ne lui a pas été accordé... Elle ne connaissait que la douleur, la souffrance, l'indigence, en un mot : elle ne connaissait que l'horrible, l'horrible combat avec la vie... malheureusement... elle a été vaincue...

Ah, des soupirs s'échappent de ma gorge... Et je me rappelle une chanson : « Seul le cœur d'une mère... » Ah, celui qui ne sait pas ce qu'est une mère peut aisément venir me voir pour l'apprendre... je le sais... Je connais celle que j'avais et celle que j'ai perdue... Ah, et moi aussi, serai-je mère un jour ? Et... et... Et encore la même rengaine, encore la même rengaine... en boucle... le monde a été ainsi fait... Mais tous deviennent sages après coup... après coup, malheureusement...

(Est-ce que je fais l'idiote maintenant ?) Mais je voulais écrire sur le sujet, au moins un peu... La Mère ? ! Qu'est-ce que ça veut dire, la mère ? Que signifie ce nom porté par tant, tant d'êtres qui endurent de gaieté de cœur les pires souffrances et mettent au monde une nouvelle vie... nouvelle... et dans ce nouveau, il y a quelque chose d'elles, quelque chose y réside déjà... ah, une telle mère n'est-elle pas une puissance ? n'est-elle pas immense, imposante ? Oui, sans nul doute ! Personne ne peut autant qu'elle... personne... Même la douleur et la souffrance lui procurent de la joie, il y a des preuves de ça...

Premièrement : à quel point souffre-t-elle pendant et après avoir mis au monde un petit être avec l'espoir que, après des années, cet être minuscule sera sa fierté ? Ou lorsque ce petit être tombe malade ? Elle va combattre cette maladie sans répit durant des jours et des nuits jusqu'à la vaincre ou jusqu'à ce que... elle succombe elle-même... Ah, il n'y a qu'une *Mère* capable de ça ! Elle sait comprendre, pressentir... tout... Cette femme fragile en apparence... mais en fait si puissante, une *Mère* ! Et je serai mère un jour ? Je serai un jour cette puissance ?... Je ne sais pas pourquoi j'ai écrit ça ici, au fond, cela fait très longtemps que je sais tout ça et que j'y réfléchis... mais l'écrire ? Peut-être que je l'ai écrit parce que ma petite maman adorée revient dans mes pensées avec une telle précision ! Et une chose en entraînant une autre...

Il y a encore beaucoup, vraiment beaucoup à écrire et à réfléchir... Moi, vis-à-vis de mes frères et sœurs, je me sens comme si j'étais leur mère, il y a peut-être encore une autre différence à cet état, mais surtout celle-ci, factuelle, palpable... je ne les (mes frères et sœurs) ai pas créés... Les a créés celle qui m'a créée moi, elle nous a donné la vie... (pourquoi je l'écris, au juste ?).

Ghetto de Litzmannstadt, 1ᵉʳ mars 1944

L'affaire avec Marysia ne prend pas une mauvaise tournure pour le moment... Elle est venue chez nous hier (après tout, elle n'avait rien d'autre à faire), on parlait (avec les cousines) de différentes choses. Marysia a dit complètement par hasard qu'elle voudrait réussir à rencontrer Rozenmutter pour qu'il discute avec le président au sujet de la bourse... Minia lui a juré que si les choses se calment elle l'accompagnera chez lui. Je suis ravie de voir que Marysia va mieux, elle est plus sûre d'elle. Estusia lui a dit que si elle avait besoin de quoi que ce soit (par ex. d'une chaise, d'une bassine, etc.) elle pouvait venir chez nous et nous l'aiderons dans la mesure du possible... Marysia apprécie beaucoup mes cousines... (elle s'étonne que ce soient les filles d'un rabbin...). La discussion a aussi basculé sur le sujet des cercles littéraires... Marysia fréquente celui de l'atelier... On parlait littérature (elle s'y connaît beaucoup mieux, cela va de soi), et quand je lui ai dit ce que nous étudions, elle m'a fait la remarque que nous ne devrions pas faire comme ça, etc. Hier, justement, nous avons eu une réunion... Nous étions censées travailler sur Skarga[1], mais personne ne faisait attention et ce n'était pas une vraie réunion !... Ainsi, quand je discutais avec Marysia, je me suis dit : *Comment faire quand notre objectif principal, ce n'est pas la littérature, mais le dimanche...*

J'ai décidé que, tant que je n'aurais pas la certitude que nous étudierons un texte, je n'irai pas, et dimanche je n'irai pas non plus... (Je voudrais tant être avec Surcia à ce moment-là ! Car après tout, je pourrais trouver le temps...)

---

1. Il n'est pas clair ce que Rywka entend par là. Piotr Skarga (1536-1612) était un grand écrivain et orateur polonais, prédicateur à la cour, mais c'était un jésuite, donc un auteur éminemment catholique. Il est étonnant qu'on l'étudie au ghetto. Il pourrait aussi s'agir d'un titre de roman ou de nouvelle, car *Skarga* veut dire « La Plainte ».

J'écris à présent debout contre le grand poêle, mais le poêle est froid, simplement, je n'ai pas la patience de m'asseoir et je dois vérifier la casserole à tout instant...

Aujourd'hui, à l'atelier, j'étais très énervée parce que je n'avais pas le droit de coudre tant que la Pilcewicz n'avait pas vérifié que je coupais le tissu correctement... et après, j'ai à peine eu le temps de récupérer une machine...

Je tournais comme assommée, ma tête tournait, et aussi parce que j'ai laissé une des filles coudre avec mes fils, alors après, d'autres aussi ont cousu avec, et donc entre hier et aujourd'hui, j'ai utilisé deux bobines de fils... maintenant, je n'en ai plus et je ne sais pas ce que ça va donner...

Et encore ces yeux... Je cligne tellement... Même si je voulais perdre cette habitude, je n'y arrive pas et je sais quand je le fais, donc : quand j'ai sommeil et quand je suis énervée... c'était justement le cas ce matin à l'atelier... j'étais éreintée et ces yeux, en plus... Et à part ça, quand j'ai manqué de fil et que j'ai demandé à mes camarades de m'en prêter un peu jusqu'à demain, elles avaient un millier d'excuses... c'est comme ça... voici la gratitude humaine, quand elles en avaient besoin, je leur ai immédiatement donné, mais l'inverse ? C'est enrageant... j'avais enfin une machine, personne ne me pressait, je pouvais coudre et... je n'avais pas de fils... Mais qu'est-ce que j'écris ? C'est si chaotique ! Je suis chaotique dans l'ensemble aujourd'hui...

Un soupir... Vers qui je soupire ainsi ? Ou vers quoi ? Qu'est-ce que je regrette tant ? Qu'est-ce qui me serre la gorge ? Mon Dieu, qu'est-ce qui m'arrive ? Ah, je me sens bizarre... Les pensées, les sentiments, les actes... tout s'emmêle... tout s'enroule... et qu'en découlera-t-il ?... Ah, espèce d'être humain misérable, idiot, limité... tu ne sais rien, tu ne connais la réponse aux questions les plus stupides !... Un homme limité !... Oui, quand un homme sait une chose, alors il ne connaît pas cet autre, soit totalement, soit très peu... Il peut savoir plus ou moins, mais même ce maximum chez l'homme n'est qu'un savoir pitoyable en comparaison (c'est absurde : « en comparaison ») de la plus infime partie du Tout-Puissant... Bon, qui pourrait songer à une comparaison... Mais ça ne veut pas du tout dire que nous, misérables humains, ne devrions pas nous efforcer de connaître, de maîtriser et de faire le plus de bien possible... l'un dans cette direction, l'autre dans une différente et, en le regardant objectivement, nous formerons (ou plutôt, nous formons) un tout... Chaque homme est un rouage minuscule dans cette immensité qui est notre Dieu le plus cher et le plus sage ! Chaque vis tire dans un sens différent, chacune a une forme diverse, l'une est convexe, l'autre est concave, etc. Un tel est meilleur, un autre est pire... mais ensemble... ensemble, nous formons une seule, grande et merveilleuse entité... C'est pourquoi il ne faut pas réprouver même les hommes mauvais (ça sonne comme un cliché) parce que eux aussi sont nécessaires et indispensables pour le tout... Ce monde est ainsi. Il a été créé ainsi... Il est évident que la vie est difficile et qu'il faut savoir vivre... Je le comprends, je l'intègre... Et j'ai du mal... oh, comme j'ai du mal !

Plus je rencontre de gens, et plus j'ai pitié d'eux. Ah, comme je voudrais les aider ! Mais j'ai moi-même besoin d'aide... Je semble complètement folle aujourd'hui... J'écris des inepties... Dans la lettre à Surcia, je viens de demander si je devrais écrire à ce sujet...

Ah, préparer à manger à la maison est devenu... Chanusia dit : « ne rajoute pas de l'eau, c'est déjà dilué », ou encore « verse plus de café », mais ça ne se peut pas... Ah, comme elle est encore peu familière avec les « ménages du ghetto » !... Quoi ? Le dilué n'est pas à ton goût ? Le condensé, c'est mieux...

Hé, hé ! « ghetto ! », « ghetto ! » Qu'as-tu fait de nous ? Ah !

Ghetto de Litzmannstadt, 2 mars 1944

L'inquiétude règne... Il paraît qu'une commission allemande serait rue Czarnieckiego[1]... Il y aura des déportés d'un jour à l'autre... Cette nuit, il y aura une « vigilance intensive »... Ah, nous ne nous rendons pas du tout compte à quel point c'est tragique... Tragique... Tragique... Moi, j'ai froid... Quelque chose me refroidit tellement... je manque

---

1. Selon les informations contenues dans *The Chronicle*, la prison centrale de la rue Czarnieckiego recevait ce jour-là la visite du commissaire Müller de la Gestapo qui vérifiait l'état de santé des personnes destinées à la déportation. On en déduisait que la date du transport était proche et on supposait que le jour de l'envoi serait le 3 mars 1944. On supposait aussi qu'un groupe de 750 personnes serait le premier à partir. Plus loin, on mentionne l'état de vigilance des Services de sûreté planifié pour le soir et la nuit. « On suppose que, dans la nuit du jeudi au vendredi, une autre rafle sera conduite. » Dans son journal, Rywka parle de « vigilance intensive ».

de chaleur... Oh, de la chaleur ! Comme c'est délicieux ! Comme j'ai envie de pleurer... quelque chose me déchire à l'intérieur... des sanglots sourds... Oh, mon Dieu ! C'est épouvantable... Et les gens sont si ingrats, sans même y réfléchir, rien que par la force de l'habitude... Et celui qui le sait se sent si mal, il voudrait aider, donner une part de ce qui est à lui, oh, il le voudrait, il le voudrait... mais, il est si impuissant ! Oh, comme c'est dur de vivre ! En des moments pareils, je n'ai plus envie de me trouver au milieu des gens... je voudrais me trouver dans une région isolée... Mais il reste quelque chose d'attirant dans les gens... comme il y a aussi quelque chose de repoussant en eux... C'est pourquoi des guerres et des marchandages règnent toujours à l'intérieur...

Et encore, si c'était une période normale ! Mais ce n'est même pas le cas... Et encore une chose... je suis encore sous le coup de la nuit dernière, et plus précisément de mon rêve. Ah, de quoi ai-je rêvé ? ! Il faisait sombre... Chajusia est venue et nous a dit que, par honnêteté, elle ne s'est pas seulement présentée, mais s'est même portée volontaire pour la déportation... Et pas seulement elle... D'autres ont fait pareil... Je me souviens seulement de Mlle Zelicka et de Surcia... Oh, je n'arrive pas à exprimer l'émotion qui s'est emparée de moi. Mais je sais qu'une ombre m'a recouvert les yeux... Quelque chose m'étouffait. J'étais incapable de dire un mot... Une sorte de lutte interne se déroulait en moi pour savoir si je devais me porter volontaire moi aussi, ou bien rester... D'une part, je devais rester avec Cipka et, de l'autre, je ne pouvais pas me séparer de Surcia... Oh, quelle impression horrible ! Je ne me souvenais plus très bien du rêve au cours de la journée, mais tout me le rappelait... je suis toujours sous son emprise... et c'est si épouvantable... Oh, mon Dieu, il fait si noir devant mes yeux... Oh, comme la clarté me manque... elle me manque tellement... Oh, oh, tout est si chaotique, oh, c'est dur de rassembler ses pensées... Et tout s'étire de manière si ensommeillée, tortuesque[1], flegmatique... Ah, mes nerfs sont déjà tellement épuisés... Les forces me manquent... Ah, je découvre encore et toujours de nouvelles déficiences... malheureusement... je ne sais pas ce que je dois faire... Mais j'écris sans cesse à ce propos, peut-être parce que c'est un événement trop fréquent chez moi. Oh, les nerfs... les nerfs... un tel épuisement s'empare de moi... C'est monstrueux...

D'abord, Cipka a apporté (elle l'a emprunté) un livre de sixième section *Une fenêtre sur le monde*[2]. Malgré moi, j'ai lu un extrait du récit intitulé « Le Combat contre la tuberculose ». Ha ! comment cette Krystyna songeait à la vie !... Quand elle était d'humeur joyeuse, elle s'efforçait de la teinter de toutes ses tristesses, de ses préoccupations, de ses malheurs, etc., mais en vain... elle restait gaie... C'est tout l'inverse avec nous aujourd'hui ! Quand je suis triste, je m'efforce de me rappeler des aspects positifs de l'existence... mais très souvent, malheureusement, sans l'effet escompté... Et puis,

---

1. Néologisme de Rywka. Le terme *żółwiowo* est impropre en polonais. Rywka l'utilise probablement à la place de l'expression populaire *żółwie tempo*, voulant dire « au rythme d'une tortue ».
2. Il s'agit probablement d'un manuel scolaire pour la sixième année d'école primaire (équivalent de la sixième au collège français).

tant de souvenirs resurgissent rien qu'à la vue de ce livre...
À l'époque, il n'y avait plus d'écoles... ma petite maman
était malade... mais j'étais encore capable de rêver et je me
sentais si bien avec ça ! Oh, comme c'est loin maintenant !
Aujourd'hui, il ne m'en reste qu'un vague souvenir ! Rien
qu'un souvenir douloureux... Oh, mes jambes deviennent
raides de froid, j'ai si affreusement froid... tout ça dans son
ensemble... Mais je sais qu'il faut que je tienne bon et, au
moins en apparence, (j'ai l'impression que) je tiens bon.

C'est le dîner... Il y a déjà un truc qui ne leur plaît pas...
J'aurais versé une mauvaise poudre[1]... Ah, ces histoires...

Je suis impatiente (même si je l'extériorise peu), mais surtout, je suis complètement épuisée... Je voudrais tellement
écrire tout ce que je pense et tout ce que je ressens, mais ça
ne vient pas... Ma gorge se serre... des sanglots... oh, oh...
Peut-être que je ne devrais pas écrire davantage ?

Il est naturel que l'homme veuille ce qu'il n'a pas, et c'est
peut-être pour ça que j'ai tellement envie de pleurer, mais
je n'y arrive en aucune façon, et je n'ai même pas un instant pour ça... Ah, laissez-moi !

Ghetto de Litzmannstadt, 4 mars 1944

Je pensais que je n'écrirai pas aujourd'hui, car j'ai un
bon livre intitulé *Les Misérables* que nous lisons ensemble

---

1. *Pulwer* : de la poudre. En 1944, on acheminait au ghetto des
soupes et des épices en poudre.

avec Chanusia, ce livre est en morceaux, mais à certains endroits il y a plus de pages qu'à d'autres, et l'une d'entre nous doit attendre l'autre. Et il faut justement que j'attende Chanusia... Voici la manière pratique de lire au ghetto... (même s'il est déjà très tard, c'est la nuit... tout le monde dort...). Et puis, ce n'est pas du tout bien quand on a quelque chose à écrire et on n'en a pas l'occasion à ce moment-là. C'est mon cas chaque vendredi soir... Quand je reviens de chez Surcia, j'ai toujours beaucoup à écrire... mais c'est samedi... Grâce à Dieu, je ne vais plus à l'atelier le samedi, je n'y suis allée que cette unique fois et... c'est assez... absolument assez... À part ça, il y a des affiches[1] maintenant pour que ces gens dont les cartes sont bloquées et qui se cachent viennent se présenter le plus vite possible... qu'ils ne croient pas que ça restera impuni, etc. C'est horrible... Et tout se trouve sous la menace... Ah... quand je suis passée hier chez Mme Milioner (je suis venue chercher Chanusia), j'ai remarqué sur les visages de plusieurs personnes réunies des expressions qui n'auguraient rien de bon... Oh... comme c'est dur !... Et à part ça, une chose

---

1. Il s'agit de l'annonce n° 414, affichée le 3 mars au soir et rédigée par le président Chaim Rumkowski. Il y demande aux personnes qui se cachent de se présenter immédiatement à la prison. Il prévient que le blocage des cartes de nourriture ne sera pas levé après le départ des premiers convois des ouvriers. Enfin, il annonce que les personnes qui se présenteront volontairement après la publication de l'annonce n'auront pas à fournir d'explications quant à leur cache et aux personnes qui les ont aidées, tandis les autres verront le blocage maintenu pour eux et pour leurs familles tant que ces explications ne seront pas exhaustives. Lucjan DOBROSZYCKI, *The Chronicle, op. cit.*

dont je suis satisfaite, c'est que demain je n'irai pas chez Marysia (dimanche), mais chez Surcia, et nous allons nous « promener » ensemble, c.-à-d. nous serons complètement seules...

Oh, mon âme est remplie à ras bord de quelque chose... d'insaisissable... d'inexprimé... je ne sais pas...

Hier, Surcia m'a donné à lire un extrait de son journal... j'avais l'impression de lire quelque chose du mien... Il n'y a pas si longtemps, je traversais une phase semblable... je la traverse encore... (Comme je gribouille !) Je suis si heureuse... je suis reconnaissante à Dieu (ah, quoi ? C'est peu de le dire) d'être née dans une telle maison et pas dans une autre... que je fais partie de ces êtres qui ont l'attentionalité[1] de marcher sur un chemin vers la lumière... Oh, combien de personnes ne la voient pas ? (Chanusia me presse de me coucher, elle me dit que je finirai demain, ah, ne sait-elle pas que l'écriture ne fonctionne pas ainsi ? Elle ne doit pas en avoir conscience... Est-ce l'heure ?... Les histoires avec la « Lang[2] » se sont répétées une fois de plus, mais cette fois-ci « pour de vrai ». Estusia a reçu un coupon et m'a chargée de le retirer demain... et d'apporter le linge à la laverie... l'un et l'autre... et cette Chanusia magnanime m'ordonne de me coucher et soutient que je finirai demain...) Mais j'écris des bêtises... Allez, bonne nuit !

---

1. Néologisme de Rywka : le terme qu'elle emploie, *uważność*, n'existe pas. Il proviendrait de *uwaga*, « l'attention », mais vu le contexte, il doit exprimer « la conscience ».

2. Allocation pour les ouvriers travaillant longuement (*Langsarbeiter*).

Ghetto de Litzmannstadt, 5 mars 1944

Je ne peux écrire rien de plus que le fait que je me sens très mal et que je suis abattue moralement... Je suis si triste... au lieu de me rendre chez Marysia Łucka, je suis allée chez Surcia... Je lui ai parlé de ma maman adorée... Dans la lettre qu'elle m'a écrite, il est fait mention de son ami... ah, elle m'a tellement émue avec ça !... Oh, je pleure ! Je pleure vraiment... Un voile recouvre mon écriture... Ah, j'étouffe, je m'étrangle ! Mon Dieu le plus cher... qu'adviendra-t-il de moi ? Une telle impotence... Surcia m'a écrit que maintenant la première priorité est de nous apaiser intérieurement... Je lui ai demandé de l'aide... Aïe, aïe, comme je me sens mal ! une telle impuissance !

Allez, ça suffit parce que c'est toujours la même chose, je dois faire un examen de conscience... Supporter... Les Rosset ne viennent pas, ils ne viendront probablement plus aujourd'hui... Des troubles dans les rues...

Ghetto de Litzmannstadt, 6 mars 1944

Ça va très mal... Ils enlèvent des femmes et des jeunes filles, même celles des ateliers[1]... Chanusia vient de rentrer

---

1. Dans la nuit du 6 mars, 350 femmes furent emmenées à la prison centrale, essentiellement des célibataires. Lucjan DOBROSZYCKI, *The Chronicle*, *op. cit.*

de son atelier et annonce que beaucoup de ses camarades de travail ont été embarquées dans la nuit... Et elle s'y attend aussi... elle le disait avec le sourire... C'est étrange, mais c'est ainsi... Ah, comme c'est horrible... Un groupe d'hommes sort du bâtiment des bains... Je me pousse sur le côté...

Ghetto de Litzmannstadt, 7 mars 1944

J'ai terriblement sommeil... alors qu'il fait jour... Dans sa dernière lettre, Surcia a utilisé une citation de *Jean-Christophe*[1] à propos d'un ami. Elle écrit que je devrais me coucher et qu'elle veillera sur moi... Je ne sais même plus comment faire ça... Hier, j'ai eu une très mauvaise journée, j'étais tellement distraite que j'ai complètement oublié d'envoyer ma lettre à Surcia...

Aujourd'hui, j'écris une lettre à ma maman... Oui, il le faut, un sentiment étrange m'envahit... un sentiment sans nom...

J'ai déjà terminé la robe de Cipka, elle va l'essayer dans un instant, et Mme Kaufman va la vérifier... Pourvu qu'il n'y ait aucune faute, avec l'aide de Dieu ! Qui sait... Oh, tout me virevolte devant les yeux, je crois bien que j'ai pris froid, j'ai un rhume...

Mais peu importe pour le moment... Quelle importance a ce qui m'arrive ?... Aucune... Je dois me remettre au travail,

---

1. *Jean-Christophe* : cycle de trois romans de Romain Rolland pour lequel il reçut le Prix Nobel de littérature en 1915.

qui est très difficile, en l'occurrence : je suis tombée, ou plus précisément, je tombe, et je dois me remettre sur pied... C'est ce qui importe pour le moment...

Ghetto de Litzmannstadt, 8 mars 1944

Demain, c'est Pourim[1] ! Pourim !... Quelle est cette fête ?... Ah, et quelle est cette période ? Oh, si seulement demain avait lieu un autre miracle comme à cette époque ?!... ?! ... *Ven s'volt geshen aza neys vi demolt*[2] ?!

Mais... Est-ce que nous en sommes dignes ? Même si nous souffrons tant... Bon, pourquoi tourner autour du pot ? Je voudrais simplement qu'un miracle arrive... Hier, j'ai vu Surcia et Chajusia... En bref, rien de bon... Ils embarquent à nouveau la nuit, et même les employés des ateliers... De plus, Berka, la sœur de Kon, a été relâchée hier... Plus personne n'y croyait... Parfois, ce qui vous est écrit... À l'atelier (chez nous), nous ne pourrons coudre que jusqu'à samedi... nous avions deux semaines... Merci mon Dieu pour ça !

J'ai confectionné une robe pour Cipka, et maintenant, j'en prépare une pour moi... Assez avec ça... J'en reviens à la

---

1. *Pourim* : fête qui commémore la délivrance des Juifs perses persécutés par Haman. Elle a lieu le quatorzième et le quinzième jour du mois d'adar et prend la forme d'un carnaval joyeux.
2. « Si seulement un autre miracle avait lieu demain comme à l'époque », en yiddish.

Pourim… Seule Cipka s'est souvenue des *mishloyekh mones*[1] pour chaque membre de la famille Dajcz, pour les cousines et pour Mme Markus, à qui elle a envoyé des miniatures adéquates, par ex. des poudres pour Róża, des bigoudis pour Nadzia, un petit livre pour Pola, etc. Et des mots sous le pseudonyme « Bibelots ». Je dois avouer que c'était en partie mon idée… Mais ce n'est rien…

Chanusia vient de rentrer… Ce matin, elle est passée rue Czarnieckiego pour voir Rysia (une camarade de son atelier)… Elle raconte que, si quelqu'un veut perdre la santé, il devrait y faire un tour… Je n'ai pas la force d'écrire à ce sujet… Si j'y avais été moi-même, j'aurais été obligée de le décrire, mais comme ça, je ne peux pas…

Et à part ça, une chose importante et futile à la fois, à savoir que je me sens très mal… et physiquement aussi…

Ghetto de Litzmannstadt, 9 mars 1944

D'abord, je suis allée chez Surcia… J'ai lu un peu de son journal, mais après, j'ai dû me forcer à m'interrompre moi-même, parce que c'est Pourim et Estusia ne m'a pas laissée sortir (je devais passer chez Mlle Zelicka) avec l'intention de nous faire dîner toutes ensemble, ce qui n'a pas eu lieu parce qu'au moment où j'étais déjà rentrée Cipka n'était pas encore là (et elle n'est toujours pas là)… Mais ce n'est pas

---

1. Cadeaux traditionnels, essentiellement des friandises envoyées à la famille, aux voisins et aux amis pour Pourim.

de ça dont je voulais parler... Donc, j'ai lu quelque chose de la vie de Surcia... Semblable à la mienne... Ah, cette vie !... Oh, si nous avions su à l'époque (en 1940) que ce n'était pas le pire, que bien pire nous attendait encore, alors... qui sait, peut-être que nous ne l'aurions pas supporté... Et quand, par ex., une expérience épouvantable passe et qu'un an plus tard, ou davantage, on traverse une autre expérience épouvantable et on se rappelle la première alors, premièrement, on peut distinguer le bon côté, l'inconscience, l'afflux des forces et (si on peut l'appeler ainsi) du réconfort, car, si on a traversé quelque chose de grand, alors on ressent une sorte de satisfaction douloureuse... Mais, d'un côté, on peut se fier à ses forces (si dérisoires) et de l'autre côté, de l'autre côté... étant assez expérimenté dans le domaine, on en a marre de tout... Cela dépend de la catégorie de la personne... À laquelle j'appartiens ? Je ne sais pas encore...

À part ça, je me sens très mal, ma gorge me gratte, ma voix est éraillée et... Non, mais est-ce qu'il y a une place pour ça en ce moment ? Non ! Il arrive des accidents bien plus importants ces jours-ci, et je dois me pousser sur le côté...

À propos de ma robe, je n'ai pas cousu aujourd'hui une seule couture honnête, tout simplement parce que la majorité des machines est en panne, dans d'autres il n'y a plus d'aiguilles et c'est impossible d'avoir accès à celles qui fonctionnent... Oui, c'est précisément lors de ce travail privé que j'ai découvert parfaitement l'individualisme, l'égoïsme et la mesquinerie des filles... Si jeunes et déjà... ah, comme c'est horrible... À force de les côtoyer, on peut perdre l'envie de quoi que ce soit... Et devant une telle dose de mal, aperçoit-on ne serait-ce qu'un peu ce bien ? (Oh, peut-on seulement appeler ça le « bien » ?) Il est si dur de savoir vivre !... Il est si dur d'être un vrai Juif !... Si dur... si dur !

(J'ai un chat dans la gorge...) Mais nous sommes déjà un peu habitués à cette difficulté, parce que c'est notre lot ! Ça intègre notre vie, ça le devient...

Oh, mon Dieu ! Aide-nous à marcher sur le bon chemin, sur le vrai chemin et... soulage-nous dès maintenant ! Il est plus que temps !

S'iz shoyn purim... un... vi iz di neys tsu velkhe mir bengin azoy[1] *?*

En fait, je ne m'attendais à rien, mais... je voudrais que tout cela prenne la meilleure fin possible ! Oh, je le voudrais tant !

Ghetto de Litzmannstadt, 13 mars 1944

Soleil ! Comme tu me manques !... mais tu te caches... Il fait un temps de chien... Du vent, de la neige humide, de la boue... et bien sûr, s'il y a de la boue, alors les chaussures sont trempées. Je ne sais pas s'il y a déjà eu un hiver dans ma vie où mes chaussures avaient été tellement trempées... Ce sont celles de la « Protection des mineurs »... Aujourd'hui, quand je suis revenue de l'atelier,

---

1. « C'est déjà Pourim et où est le miracle que nous attendons tant ? », en yiddish.

je n'en pouvais plus et j'ai dû enlever mes chaussures, mes bas et me déshabiller en général...

À part ça, rien ne va dans le ghetto... Dans le bureau de la coopération, ils inscrivent à nouveau pour les travaux au Marysin[1], une liste de la banque est déjà partie vers le marché Bałucki, et Minia se trouve dessus... Minia est (je l'ai remarqué) une très grande cynique... elle n'arrête pas de rire... Ah...

C'est pourquoi, mon premier mot aujourd'hui a été « Soleil »... Ah, fais que tes rayons nous réchauffent de toute part ! Oh, comme nous en rêvons !... Mon petit soleil ! Réconforte-nous ! Et tu te caches encore ! Il est temps, il est plus que temps... *Brrr*... il fait si froid !... Hier, je me suis sentie mal la plus grosse partie de la journée, j'avais affreusement mal au crâne... et... mon oreille est humide ces temps-ci, ce qui m'inquiète beaucoup... mais on ne trouve plus de coton, même en pharmacie. Ah, ce ghetto !

Je me suis rappelé qu'une fois, un vendredi soir, Surcia m'a confié des mots de *Shloyme hamelekh*[2], que la souffrance physique est pire que la souffrance morale, parce que la souffrance physique impacte aussi le moral. (Est-ce que je l'ai bien exprimé ?) C'est précisément ainsi. Je l'éprouve aujourd'hui. Cela m'entrave énormément dans tout le concret...

---

1. À cette période, un chantier de logements temporaires destinés aux victimes des bombardements en Allemagne a été initié près de la station de Radegast à Marysin. C'était une initiative supervisée personnellement par Hans Biebow, le dirigeant allemand du ghetto. On s'efforçait d'envoyer aux travaux essentiellement des travailleurs de l'administration, jugés plus résistants (les mieux nourris).

2. « Roi Salomon ».

Oh, si au moins les réunions pouvaient reprendre ! C'est au moins une chose dans laquelle on peut fuir en toute confiance... Dernièrement, il n'y a rien, rien... Nous sommes sans cesse occupés à analyser notre estomac (ce que je déteste), nous nous animalisons... nous sommes devenus plus semblables aux animaux qu'aux humains... C'est épouvantable...

Oui, en ces temps difficiles, nous découvrons les gens et, malheureusement, nous sommes amèrement déçus... Ce n'est pas en vain que le proverbe dit que les véritables amis, nous les reconnaissons dans la misère... Mais le fait de connaître les gens nous aidera beaucoup dans notre vie future, tout simplement, nous serons moins déçus. Mais aujourd'hui ? Est-ce que ça peut nous réconforter ? Oh, loin de là ! Oh, c'est si horrible, si horriblement impossible... Une seule chose nous reste : une requête à Dieu ! Ô, Toi, Dieu, aide-nous !

Ghetto de Litzmannstadt, 15 mars 1944

C'est très dommage que je n'aie rien écrit dans la nuit d'hier, parce que j'ai vraiment beaucoup à écrire à présent et je ne veux pas m'interrompre et je vais écrire tout à la file...

Donc, hier soir, nous avons convenu d'aller toutes les trois (Chanusia est un peu malade, elle avait une forte fièvre hier, aujourd'hui, elle va mieux) [...] chercher du charbon[1]. Nous

---

1. Les habitants du ghetto furent poussés à retirer l'ensemble de leurs rations de charbon, soit 20 kilos par personne, entre le 11 et le 17 mars, compte tenu de la nécessité de libérer la Place du Charbon

avions 100 kilos à retirer, et tout le ghetto a jusqu'au samedi pour cela. J'y suis allée de mon côté, car je voulais passer chez Chajusia... Bref, il suffit de dire que je me suis placée dans la queue à 21 h 40...

Et quelle file d'attente immense ! Vraiment immense ! Par le plus grand des hasards, je me suis retrouvée au milieu de femmes très bavardes. Elles parlaient de ce qui concerne aussi le retrait du charbon, mais elles parlaient par métaphores. Je vais décrire ce qui m'a le plus heurtée :

L'une a dit : « Il s'avère que vers 19 heures, 19 h 30, la file est moindre parce que les gens sont occupés avec le souper – Oui, a repris vivement une seconde – Et c'est ainsi que, vers 21 heures, 21 h 30, ils sortent, c.-à-d. ils se mettent en chasse après leur repas, ah, nous vivons vraiment comme les hommes primitifs, nous revenons après une journée de labeur, nous consommons un "souper" à la hâte et nous nous mettons en chasse... » Quelque chose a chuchoté au fond de moi, quelque chose a sangloté, a fait mal... Oui, nous sommes des hommes primitifs, des sauvages et... nous nous mettons en chasse... Oh, comme l'humiliation est grande !... Nous, les hommes du xxᵉ siècle, nous qui nous tenions il y a quelques années à un niveau assez élevé, si

près de la rue Łagiewnicka dans le but d'y construire des bâtiments pour les usines métallurgiques. Il a été également annoncé que, à partir du 31 mai, il n'y aurait plus de distributions supplémentaires de charbon. Un délai si court pour le retrait provoqua d'immenses files d'attente en dépit du fait que le dépôt était ouvert jusqu'à 3 heures du matin. Lucjan DOBROSZYCKI, *The Chronicle, op. cit.*

on peut dire, nous sommes comparés à des hommes primitifs !... Oh, mon Dieu !

Et c'est pour ça que nous avons survécu, c'est pour ça que nous avons travaillé, etc., pour entendre, quelques années plus tard, une telle comparaison... Oh, c'est si tragique... Je suis restée dans la queue pendant si longtemps, la boue était horrible... je ne porte presque plus ces chaussures qui fuient, dorénavant je choisis celles qui sont étroites où je ne peux pas glisser plus d'une paire de bas, ainsi, ce n'est pas étonnant que mes pieds soient glacés, des frissons me secouent de temps en temps... *Brrr*... Enfin... enfin (je ne vais pas m'étendre sur le sujet) je suis entrée sur la place, il était minuit moins vingt et, près de l'un des premiers monticules de charbon, j'ai retrouvé Estusia, Minia et Cipka. (Oh, il a fallu qu'elles emmènent Cipka aussi !) Nous sommes revenues à la maison après 1 heure du matin. Il m'est arrivé une petite mésaventure dans la rue : au niveau du vieux marché, mon sac (20 kilos) est tombé par terre (je n'ai pas réussi à porter davantage), il s'est troué et des morceaux de charbon ont commencé à retrouver la liberté. Je marchais seule et, n'ayant pas d'autres possibilités, je voulais attendre Estusia... Estusia n'arrivait pas. Que faire ? N'ayant pas d'autres possibilités, j'ai sorti une aiguille et du fil et j'ai commencé à coudre tant bien que mal, mais je ne pouvais plus prendre le sac sur le dos et, comme par malice, soit personne ne passait, soit aussi avec du charbon... J'aurais eu besoin d'un traîneau... Cependant, attendre Estusia était trop long, donc j'ai commencé à tirer le sac... J'ai parcouru à peine un bout de la route et... stop... une grande flaque m'a arrêtée. J'ai donc voulu soulever le sac (ce que je n'ai pas vraiment réussi à faire), quand soudain j'ai entendu Estusia m'appeler. Elle me cherchait partout et ne savait pas où j'étais. Elle est retournée à la maison et a ramené le traîneau... Nous nous sommes couchées à 1 heure et demie... Maintenant, je me sens très mal... Allez, assez avec ça... J'ai encore 40 kilos à retirer... Oui, je vois toujours à quel point nous sommes humiliés, à quel point nous nous sommes éloignés de l'humanité... Oh, mon Dieu, notre vie est si stupide, si désespérée, si (je ne trouve pas d'autres termes) misérable... Oh, mon Dieu, comme il fait noir ! Envoie-nous un rayon de clarté !... Aide-nous enfin !... Nous allons si mal !

Je passe à la journée d'aujourd'hui. Dimanche, il y aura un examen à l'école. La Kaufman a choisi Kornela Kopel, Estusia Boresztajn, Henia Wajsbaum (groupe II) et moi pour le programme et la décoration, pour toute la composition en général... Ah, je dois maintenant y écrire... J'ai tant de travail. Demain, c'est déjà jeudi. Pour le moment, nous avons interrompu la couture privée, mais après les examens, nous reprendrons. Bon, il faut que j'y écrive quelque chose...

Ghetto de Litzmannstadt, 17 mars 1944

Je suis si affairée par cet examen que je n'ai tout simplement plus le temps pour le journal. Hier, j'ai composé un poème juif pour le spectacle, mais c'est probablement

Juta Alperin qui va le déclamer. Je me demande comment ça se passera (parce que c'est presque certain qu'il y aura des applaudissements), donc qui va être applaudi ? Madame Kaufman m'a dit que, avant la récitation du poème, elle soulignera que c'est moi qui l'ai composé, mais ça n'aura pas du tout la même saveur...

D'ailleurs, comment ça se déroulera exactement, je l'écrirai dimanche... Je dois avouer que je suis assez préoccupée par tout cela, ce que je trouve bien naturel. D'ailleurs, Juta le déclame très mal, elle a dû recommencer tant de fois déjà... bon, mais que faire ? C'est comme ça dans le monde et je dois l'accepter. On m'a ordonné de composer, de fournir des efforts, etc., et quand on arrive à quelque chose de concret, je deviens superflue ? Si je parlais vraiment si mal et Juta au moins assez bien, alors on aurait pu le comprendre, mais comme ce n'est même pas le cas... d'ailleurs, à quoi bon écrire à ce sujet ? Va-t'en, pensée, ne sois pas aussi égoïste !

Mais, d'un autre côté... je ne sais pas si quelqu'un a déjà fourni autant d'efforts, si quelqu'un a autant écrit et tout, même à la maison, et là ? Et Kornelia, en plus de cette « scène », lit aussi un reportage, malgré le fait que c'est moi qui devais l'apprendre pour aujourd'hui, et alors ? Je n'ai pas eu la possibilité de le lire au moins une fois... Oh, je ne mentirais pas en écrivant que c'est « i n j u s t e »... Malheureusement... l'injustice est une invitée bien trop fréquente en ce bas monde. Je vais m'y habituer et je cesserai enfin d'être si souvent déçue... Les cartes des Wojskol

viennent d'être débloquées[1]… Enfin… après cinq semaines…
Leur père doit être dans un piètre état…

Ghetto de Litzmannstadt, 19 mars 1944

L'examen est passé… Mais je voudrais tant rester lors
du cursus suivant. Je ne sais pas pourquoi, mais c'est toujours le cas avec moi, peu importe où je me trouve, au
début, presque personne ne me connaît, ce n'est que plus
tard ou à la toute fin qu'on se lie avec tout le monde. (À
l'exception de mon groupe. Car je me suis liée ici dès le
départ.) Et c'est pareil à l'atelier. J'ai demandé à mon oncle
de parler demain avec M. Szuster et, de mon côté, j'irai
aujourd'hui avec Prywa chez Zemlówna, vraiment, je tiens
beaucoup à rester à l'atelier. Je voudrais maintenant écrire
un peu à propos de cet examen. L'exposition était superbe,
tout, en général, l'était, il y avait des discours (des invités),
tout comme le spectacle aussi. Et quand Juta lisait mon
poème, à la fin, Mme Kaufman a demandé (en faisant semblant) : « Et qui l'a composé ? – Rywka Lipszyc », a répliqué Juta. Il a fallu que je vienne au milieu et que je me

---

1. Ces cartes alimentaires avaient probablement été bloquées après
qu'un membre de la famille ne s'est pas présenté en vue de la déportation. On interdisait ainsi pratiquement toute possibilité d'acheter (de
retirer) une quelconque nourriture des distributions officielles. On ne
pouvait compter que sur l'aide des autres habitants du ghetto qui ne
devait pas être bien grande, compte tenu des portions alimentaires très
maigres et de la menace de punition dans le cas de la découverte de
l'aide.

montre… Je n'ai pas la patience d'écrire davantage à ce propos… À part ça, nous avons pris rendez-vous pour une réunion samedi. Demain, plusieurs filles de notre groupe iront à la réunion avec les anciens parce que ça sera la commémoration de Mme S. Schenirer[1]… Et Pessa'h approche… Pessa'h approche. Mais malheureusement, je ne l'attends pas avec autant d'impatience que chaque année avant la guerre (ou même pendant). Le seul fait d'y songer me remplit de terreur parce qu'il n'y a aucun doute : nous serons terriblement affamés… Cette fête qui était si chaleureusement accueillie, si attendue et si espérée, cette fête… bref… ? Mais au fond, je voudrais qu'elle arrive demain. Et si ? Et si ça allait mieux ? Ça doit aller mieux ! Il est temps ! Il est grand temps ! Avec quelle impatience nous attendons ce printemps ! ?… Oh, qu'elle s'éloigne[2] le plus vite possible ! ?

Ghetto de Litzmannstadt, 21 mars 1944

Ces temps-ci au ghetto, lors de cette famine, il arrive que des gens volent la nourriture des autres, pendant que ceux-ci sont au travail ou ne sont pas à la maison. Une histoire semblable se déroule aussi chez nous… Malheureusement… Nous avons cru en être débarrassées la première fois, et

---

1. Sarah Schenirer (1883-1935) : activiste sociale et éducatrice juive, créatrice du réseau d'écoles Beis Jaakow. Elle est née, a vécu et a travaillé à Cracovie.

2. Rywka fait certainement une erreur. Elle voulait probablement écrire *nadeszła* « arrive », mais a écrit *odeszła* « s'éloigne ».

là... Nous supposons que ce sont des complices parce que l'autre personne travaille ce matin. Je suis restée à la maison aujourd'hui parce que quelqu'un aurait pu venir (hier, nous avons remarqué qu'il manquait un peu de tout), je suis restée au lit, le moindre craquement accélérait le rythme de mon cœur, j'imaginais toutes sortes de choses (des sensationnelles aussi, je l'avoue), mais personne n'est venu aujourd'hui... ça ne prouve pas encore qu'il ne viendra pas. Je resterai probablement au lit demain aussi, j'aurai peut-être un certificat médical... mais chut...

Je dois avouer que nous avons des soupçons (contre qui, c'est indifférent pour l'heure). Oh, le soupçon est une chose horrible... Le soupçon... la déception... ah, rien que des monstruosités... En restant couchée aujourd'hui, je devais rester silencieuse, ne pas bouger, je ne pouvais quand même pas lire tout le temps, donc je réfléchissais en alternance. Quand je me suis dit qu'en réalité, c'était un meurtre, ou pire, le fait de priver quelqu'un de la vie petit à petit, une lente agonie, quand j'ai réfléchi à tout ça, j'étais si furieuse contre « celui » ou « celle », que si je les avais eus sous la main, je les aurais déchiquetés... Quels instincts d'animal... Dieu ! Mon Dieu ! Qu'est-ce qui s'est passé ? Et comment peut-on vivre dans un tel marécage, une telle boue, dans une atmosphère remplie de tant de microbes contagieux... Plus d'une fois, je me suis demandé si ça valait la peine de vivre tout court ? Mais par chance, je sais que malgré tout ça vaut le coup... Mais une vie comme la leur est vraiment sans valeur... Ah, comme c'est dur, comme c'est dur, je voudrais que tout cela soit déjà résolu, que je me débarrasse de ce soupçon... Le soupçon est une chose horrible...

Minia dit qu'elle n'a plus du tout envie de vivre... Et que puis-je écrire encore ? Probablement encore une fois, que c'est *horrible*. J'ai encore beaucoup de choses à écrire, mais c'est le plus important aujourd'hui... Chanusia vient de revenir de l'atelier et me dit que de telles choses sont maintenant « à la mode ».

Ghetto de Litzmannstadt, 22 mars 1944

Même chose qu'hier... Je devais recevoir un certificat médical aujourd'hui, mais je ne l'ai pas obtenu. Est-ce que je l'aurai un jour, je ne sais pas. Je ne sais pas non plus si j'irai au travail demain. De toute manière, il faut surveiller et le fait que personne ne soit venu aujourd'hui peut s'expliquer par la fin des rations. Ah, je suis lasse de tout ça...

Au début, j'ai cru que le temps s'était amélioré, mais la neige humide est revenue... Le printemps ne se presse pas, même si nous l'attendons avec une grande impatience... Que va-t-il en découdre ? Est-il possible de tenir le coup si longtemps... je n'en peux plus... vraiment, je n'en peux plus... Les forces me manquent (pas tellement les intérieures), mais il suffit de dire que je suis si affaiblie que, parfois, je ne ressens même plus la faim... c'est épouvantable, la famine a toujours eu un mauvais effet sur moi. La jupe qu'on avait cousue pour moi au début du cursus (il y a quelques mois) pendouille sur moi, sans exagération... que va-t-il arriver ? que va-t-il arriver ? Et maintenant encore Pessa'h... je ne sais vraiment plus... Dieu ! Dieu ! Envoie-nous ton aide ! Quand arrivera-t-elle enfin ?... Mon cœur se déchire... mes pensées tombent en morceaux... impossible de les réunir... un chaos terrible règne... tout m'influence mal, m'affecte mal... je ressens un manque terrible de chaleur, d'amour, de cœur maternel... oh, comme cela me manque ! J'ai horriblement froid... *brrr*... comme il fait froid !... et tout m'oppresse autour de moi, je ne sais pas vers où me tourner, je vais si mal ! Mais toi aussi, mon cher journal, tu ne dois pas aller bien, car tu es obligé d'accueillir un tel flot de chagrins... Sache que je n'ai plus d'égards pour toi !

Mais je m'éloigne du sujet... Vraiment, je sens que je ne peux pas en supporter davantage, c'en est trop, c'est trop ! Ma patience pour attendre un rayon chaleureux, qui percerait de son souffle les glaces et le froid qui m'entourent, s'épuise définitivement... Je voudrais tenir, rester debout, ne pas perdre l'équilibre, mais cela exige une force que, malheureusement, je ne possède plus. Si au moins nous avions des réunions... je pourrais y puiser... mais à présent, je me sens si seule, si impuissante, *Az ikh broykh nisim*[1] !

Dieu ! Aide-moi maintenant ! Aide-nous maintenant !

---

1. « J'ai besoin de miracles », en yiddish.

Ghetto de Litzmannstadt, 23 mars 1944

Je suis à l'atelier. Personne n'est resté à la maison. Minia a pris les clés avec elle, faisant semblant d'avoir oublié de les laisser... Maintenant, Cipka est chez moi, ils ne la laissent pas sortir de la conciergerie, il doit y avoir une commission en ville[1]... Il y a encore des troubles, ah... Hier soir, je me sentais si mal, si faible !... Qu'est-ce qui m'est arrivé ? Changer à ce point, qui l'aurait cru !

J'ai décidé de ne pas donner le journal à Surcia demain, mais la semaine prochaine, sinon elle deviendrait inquiète, mais je ne suis pas encore sûre, je lui donnerai peut-être...

Nous ne pouvons pas quitter l'atelier, cette commission, c'est quelque chose de sérieux...

Ghetto de Litzmannstadt, 24 mars 1944

Nous sommes passées hier avec Prywa chez Zemlówna. Elle a dit qu'elle parlera avec son frère à propos de notre affaire (le fait de rester pour le cursus suivant). À part ça, sa mère est à la maison, elle a été sept semaines à l'hôpital et, de la teneur de la discussion, je déduis qu'elle a été (et

---

1. Une commission de près de 40 hommes des services de la protection antiaérienne est venue au ghetto ce jour-là, commission qui visitait presque toutes les usines d'importance. Lucjan DOBROSZYCKI, *The Chronicle, op. cit.*

est toujours) sérieusement malade. Nous sommes restées très longtemps, jusqu'à 21 h 30, elle nous a beaucoup raconté comment c'était à l'hôpital, etc.

Ghetto de Litzmannstadt, 25 mars 1944

Lettre à Surcia :

Surcia, ma chérie !

... Tu m'écris que c'est de l'amour (*j'ai écrit à Surcia que je ressens comme un sentiment de tendresse*). C'est possible. Est-ce que j'aime ? C'est possible aussi ! Mais je dois aimer très peu, après tout, car qui je pourrais bien aimer ?... Il y a si peu de gens que j'aime vraiment. Quoique... peut-être que je les aime, mais... suis-je aimée en retour ? Il y a certainement moins de gens comme cela ! Oui, à présent, après ta lettre, je le vois mieux et avec plus de précision. C'est à cela que j'aspire, je voudrais créer un coin douillet qui serait rempli d'amour, je voudrais en donner, car je sais à quel point il est nécessaire à chacun, je sais après tout à quel point j'en ai besoin, à quel point je l'espère, c'est pourquoi je peux le ressentir et comprendre à quel point l'amour est indispensable. Je te le dis, ça m'a tellement émue et m'émeut encore quand je le lis que tu ne t'en rends pas du tout compte.

Et maintenant, au sujet des gens. J'y ai longuement réfléchi et j'y ai beaucoup pensé. (*Maintenant, après cette lettre, je le vois clairement.*) J'aime les gens ! Oui, je les aime de tout mon cœur, mais pas chaque homme séparément, plutôt tout le monde dans leur ensemble. À part ça, j'ai de la peine pour eux. J'ai de la peine pour eux parce qu'ils voient si peu, parce qu'ils savent si peu, parce qu'ils sont si limités (je songe à présent aux personnes du ghetto), parce qu'ils ne réfléchissent pas à ce qu'ils font, parce qu'ils sont irresponsables. Cela ne veut pas dire que c'est mon opinion à propos d'eux tous, mais la plupart sont ainsi. (Comme je voudrais les aider !) Mais peut-être que ça ne complique pas leur vie quotidienne, car ils sont limités, donc ils n'exigent rien de plus (pas tous), au contraire, ils s'en sortent bien mieux que les autres, ils prospèrent, mais une telle vie ne me suffirait pas par ex. C'est peut-être pour ça que j'ai de la peine pour eux. En plus de ça, comme tu le sais, j'ai été très déçue par les gens ces temps-ci, et ils me décevront encore, et cela m'emmène l'opportunité de devenir méfiante, de ne pas croire les gens et aussi de devenir plus prudente (ça ne me fera pas de mal). Si je rencontre quelqu'un, je ne me comporte pas tout de suite envers lui comme je suis en réalité, je dois le connaître d'abord, il faut que je sache, après tout, quelle sorte de personne est-ce, au début, je ne suis que polie (si je peux appeler ça ainsi) et après… ça dépend… Je vois (je l'ai remarqué) que l'homme possède des grands manques, et dans bien des cas, il se nuit à lui-même, l'une de ces caractéristiques nocives est l'égoïsme. (Oh, Surcia chérie, je le ressens à présent, je le ressens, je voudrais tellement les aider en voyant que les gens sont aveugles sur bien des points, qu'ils ne les voient pas, et même qu'ils ne se laissent pas guider, ils ne veulent rien entendre, alors que je voudrais tant qu'ils s'entraident.) C'est pourquoi j'ai tant de mal, je ne peux vraiment rien faire à présent, mais je dois garder espoir qu'un jour, peut-être, quand je serai plus grande, alors peut-être que j'aurai de l'influence sur les gens, peut-être que j'arriverai à faire quelque chose. Mais ce n'est pas de cela dont je veux parler.

(Je vois qu'une conversation serait nécessaire, j'ai encore tant à t'écrire et à te dire et je ne m'en sors pas.) Ah, Surcia chérie, cela ne veut pas dire que je pense me tenir au-dessus de ces gens, pas du tout (je suis le même genre d'être humain), mais je m'appuie sur des faits. Je dois t'avoir ennuyée pour de bon. Je sens que j'ai encore quelque chose d'autre, quelque chose du fond du cœur à te dire et... je ne sais pas, ça ne vient pas...

Pour le moment, bonne nuit, je t'embrasse fort et affectueusement.

Ta Rywka qui t'aime tant.

Demain, je rendrai très probablement visite aux deux Dorka malades. Nous reprenons les réunions... Maintenant, je vais au lit. Bonne nuit !

Ghetto de Litzmannstadt, 28 mars 1944

J'ai peu de temps... Hier (première journée après le retrait des rations), Estusia est restée à la maison, mais rien... Le soir, nous avons cuit du pain azyme. Minia et moi, nous étions au rouleau. L'année dernière nous les avions fait cuire au même endroit, mais quelle différence entre ces deux avant-fêtes !... D'abord, l'an dernier, il y avait plus de farine, plus de forces, et le temps était différent ! Il faisait chaud, presque une canicule, et aujourd'hui ?... Ah, ça serait plutôt l'hiver ! Un tel changement en tout ! (Il paraît que l'été sera très chaud, ah, qu'il arrive enfin, plus vite rapidement !) Mais je ne vais pas m'étendre sur le sujet. Il suffit de dire que nous sommes revenues en haut, chez nous, à 3 heures du matin. Ainsi, je ne suis pas allée au travail aujourd'hui pour ces deux raisons. J'ai écrit une lettre à Prywa (je l'ai fait transmettre par Cipka) pour dire que j'étais clouée au lit et que, entre parenthèses, j'étais malade politiquement. Je lui ai demandé de venir me voir après le travail parce que je voulais savoir ce qu'elle avait réussi à obtenir chez Zemlówna, car elle y est allée seule hier, vu que je n'ai pas pu y aller à cause du pain azyme, donc j'ai envoyé un mot à Zemlówna. J'ai cru que, quand Prywa arriverait, Minia serait déjà là et je serais déjà habillée, mais... oui, dans l'ordre !... À 14 h 10, quelqu'un frappe à la porte. Je n'ai pas répondu, d'ailleurs, j'étais enfermée et Minia n'était pas encore revenue. Je me suis doutée que c'était Prywa, mais je n'ai pas eu le choix et je devais me taire. Les coups étaient de plus en plus intempestifs. Enfin, ils ont cessé. L'instant d'après, à travers le mur de chez les Dajcz, j'ai entendu une conversation en polonais. J'ai deviné que Prywa y était et des mots séparés comme : « ouvert », « fermé », etc. C'est ce que j'ai entendu. Soudain, Sala a frappé dans le mur et m'a appelée... plusieurs fois. Naturellement, je n'ai pas répondu, car, toute considération mise à part, de quoi ça aurait eu l'air que je sois à la maison et les clés restées chez eux ? Plus tard, j'ai encore entendu des coups à la porte et du silence. Cipka devait m'apporter une soupe à 15 heures, elle ne l'a pas fait, il était déjà 16 heures et personne n'était revenu. Je ne savais pas qu'en penser. Des pensées diverses me traversaient l'esprit, et il a aussi fallu que j'imagine une histoire, parce qu'il se pourrait que Sala me demande ce qui s'est passé pour que je ne sois ni à l'atelier (elle l'a sans doute appris de la bouche de Prywa) ni à la maison. Finalement, j'ai conçu que la maladie était politique, donc je n'étais pas obligée de rester au lit et je pouvais me trouver en ville avec une réussite similaire. Pourquoi, cela est une autre affaire. Enfin, après 16 heures, Minia est revenue. J'ai appris que Rozenmutter avait parlé la veille avec le président, et il a fallu des gens pour les rouleaux à pâtisserie dans cette boulangerie qui vient d'ouvrir pour le pain azyme, alors Minia aurait dû se trouver parmi eux[1]. Elle devait se présenter à 6 heures à la boulangerie (14, rue Pasterska) avec la carte qu'elle aurait reçue. Mais elle n'avait rien reçu avant 6 heures et elle s'est présentée sans chez Rozenmutter. Plus tard, il s'est avéré que Dwojra avait cette carte. Mais quand Estusia la lui a apportée, il était déjà trop tard et, pour le moment, on lui a ordonné de revenir demain. Et maintenant, Minia s'est couchée dans un lit follement énervée, et Chanusia s'est couchée dans l'autre, tout aussi énervée... Voilà la journée idiote que j'ai eue aujourd'hui. Quant à ces aliments, je ne sais plus moi-même qu'en penser. Est-ce

---

1. Le détachement pour un travail à la boulangerie était un grand privilège au ghetto. On le considérait souvent comme un congé ou une récompense. Dans ce cas, le détachement pour le travail aux rouleaux à pâtisserie devait durer dix jours, soit la durée totale de la production. Lucjan DOBROSZYCKI, *The Chronicle, op. cit.*

que c'était un mirage ?... À part ça, il n'y a pas eu de neige aujourd'hui, et même le soleil brillait, comme je suppliais le Seigneur pour qu'il ne se couche pas... peut-être, peut-être qu'enfin le printemps tant espéré arrivera, notre « Petit Printemps » ! Pourvu que ça soit le cas ! Pourvu ! Des lettres arrivent de la part des derniers déportés. Ils écrivent qu'ils sont bien là-bas, etc., mais j'ai du mal à leur faire confiance. À Dieu ne plaise ! Mais après tout, ils auraient pu être forcés à écrire de telles lettres[1]... À Dieu ne plaise ! Pourvu que ça ne soit pas le cas. Qui sait ?

Ah, hier, je me suis solidement enrhumée, la première fois que je me suis levée, il s'en est fallu de peu pour que je m'écroule... Malgré tout, en dépit de cette famine, j'attends Pessa'h. Je voudrais que ça soit les Fêtes. Ah, j'ai maintenant tant et tant à écrire. Parce que aujourd'hui, c'est la première fois que j'écris cette semaine ! Oui, encore une chose, notre atelier sera transféré au 25, rue Młynarska, je ferai maintenant un sacré bout, elles sont presque toutes ravies de ce déménagement, mais je n'ai point envie de rire. C'est pourquoi pour le moment nous ne faisons rien, ou plutôt, nous faisons comme bon nous semble, ah, pourvu que ça dure le plus longtemps possible... Quoi, je renonce[2] déjà ? Pourtant, j'ai encore tellement, ou du moins je sens que j'ai encore beaucoup à écrire. Estusia voudrait avoir la plume... Les

---

1. Les soupçons de Rywka étaient fondés. Ces lettres étaient écrites sur ordre des Allemands pour calmer les humeurs au ghetto.
2. Rywka fait probablement une erreur ici : elle écrit *upuściłam* (« j'ai fait tomber »), mais veut certainement écrire *odpuściłam* (« j'ai renoncé »).

gens disent en ville que les choses évoluent vers le mieux, ah, j'ai vraiment envie de les croire, je voudrais tant que ça aille mieux, ah, au moins un peu mieux, un brin mieux, un peu de réconfort... Je suis inquiète à cause de ma santé (bien sûr, personne ne le sait à la maison), cela m'affecte beaucoup, j'ai besoin d'un peu de vie, d'un brin de vie vivante, de quelque chose de concret. J'ai l'impression que je suis à présent comme un arbre solitaire au milieu des champs autour duquel se déchaînent la bourrasque et des vents fous, et cet arbre tient debout, mais lentement, très lentement, il perd ses forces, mais résiste plus que d'autres dans de meilleures conditions parce qu'il a un organisme solide. Je dois, je veux au moins croire que tout va comme il faut et que ça va bien ainsi. Ah, ce n'est pas si facile !

Je vais me coucher. Je me sens si affreusement mal !... Que va-t-il arriver ?

Ghetto de Litzmannstadt, 29 mars 1944

Aujourd'hui, il faut que je l'écrive. J'ai déjà mentionné que, dans ma lettre à Surcia, j'ai écrit qu'une émotion s'emparait de moi, je ne savais pas la nommer, je ne savais vraiment rien, ça me pesait. Sans Surcia, je ne l'aurais toujours pas compris. Surcia vient de m'écrire (j'ai oublié de préciser qu'il s'agit de ce sentiment de tendresse) que c'est l'amour qui m'emplit, etc. (je lui avais envoyé cette lettre le samedi soir). Oh, comme j'en suis reconnaissante à Surcia. Oui, maintenant je suis sûre que c'est de l'amour ! Quand ce sentiment s'empare de moi, je voudrais que tout aille si bien, qu'il fasse si chaud, une telle tendresse m'envahit que... que, j'ai envie de pleurer ! (Malheureusement, ça devient étouffé parce que je ne pleure pas, parce que j'étouffe mes pleurs.) Alors, je voudrais envelopper le monde entier, le blottir dans mes bras, le réchauffer. Alors, je n'envie pas du tout ceux qui vont bien, mais j'ai pitié de ceux qui souffrent, ah, alors je m'oublie complètement, c'est comme si je n'existais pas du tout, alors que je voudrais faire tant pour le monde, parce que je vois beaucoup, il y a énormément de manques et j'ai tant de peine pour quelque chose, vraiment, je n'arrive pas à me trouver une place. Et quand je prends conscience du fait que face au monde je n'ai nulle importance, que je suis une poussière misérable, que je ne peux rien faire, vraiment rien, alors je me sens encore plus mal, alors je me sens à l'étroit, si horriblement à l'étroit, que je n'arrive pas à tenir le coup... Seulement à ce moment-là, pour me donner des forces, je me dis : « Après tout, je suis encore jeune, très jeune, et que pourrait-il arriver d'autre ? »... Mais le temps file... C'est déjà la cinquième année de la guerre... Parfois je me demande en quoi tout cela me regarde, pourquoi je m'en préoccupe, de toute façon, je ne peux rien faire, mais il y a toujours une voix qui me chuchote : *mais quand même !* Et elle l'emporte toujours. Et j'y pense encore, donc on pourrait croire que je me fais du souci pour le monde. Ça sonne assez bêtement. Mais c'est vrai. Je n'arrive pas à goûter la paix, parce que je crains toujours ceci ou cela. Quoique ces autres soient bien plus forts que moi et n'y songent pas du tout, je ne sais pas, c'est une curieuse nature qui se trouve en mon sein.

Mais le plus souvent (ce qui est inconscient, maintenant, je le sais, mais quand j'y pense, je ne dois pas le savoir), tout fonctionne comme si je voulais envelopper le monde entier dans mes bras (chacun juge selon soi), lui donner ce qui lui manque (bien qu'il ne ressente pas du tout ce besoin, ça lui est néanmoins nécessaire). Le seul fait qui me donne un peu de forces, c'est (comme je l'ai déjà dit) l'espoir que tout ne se déroulera pas toujours comme aujourd'hui et que je suis encore jeune, et peut-être que moi, un jour, peut-être que je serai encore un jour quelqu'un et alors je pourrai accomplir quelque chose. Je dois garder cet espoir. Je suis juive afin de croire et de garder espoir. J'espère que cet « espoir » est basé sur un fondement solide. Mon Dieu, fais déjà advenir ce futur. (Quel futur ?)

Le temps s'est encore gâté, la bourrasque fait rage même si, hier, le soleil a brillé toute la journée. Si ça n'était pas Pessa'h, je pourrais croire que c'est janvier plutôt. J'ai emprunté un manteau à Prywa parce que j'ai terriblement froid. Ah oui, Lola Rosset a été renvoyée de la cuisine, quel dommage !

Ghetto de Litzmannstadt, 30 mars 1944

Hier, après la soupe, j'avais certainement de la fièvre. J'étais sur le point d'aller chez le médecin, quand Mme Kaufman a soudainement appelé Kornela, Estusia et moi au secrétariat. Que se passe-t-il ? Il doit y avoir un second spectacle d'examen à présenter dimanche, rue Żydowska. Nous (rue Franzstrasse) devons nous joindre à eux et ajouter notre programme. Une dizaine de filles de chez nous devront probablement y aller en délégation. Mais le plus important : nous devions répéter. À 15 heures, nous devions nous rendre rue Żydowska avec un programme prêt. Quand nous avons annoncé ça en classe, une révolte s'est déchaînée : pourquoi seulement dix filles ? Quant au programme, on était mercredi et nous avions très peu de temps, les autres se sont préparés pendant quelques semaines. Nous ne voulions pas nous discréditer. Nous avons donc supplié Mme Kaufman. Les pourparlers avaient commencé, etc., etc. À la fin des fins, nous avons cédé et Mme Kaufman doit se renseigner avec précision pour savoir si toutes les filles doivent s'y rendre ou seulement dix. Je me sentais affreusement mal et je n'avais pas du tout ça en tête. Et en sus, Cipka m'a apporté les clés et je ne savais pas si Minia allait rentrer à 14 heures ou si elle réglait quelque chose, et moi, je devais me rendre à 15 heures rue Żydowska. Après le travail, j'ai décidé de prendre ma température, à moins qu'il n'y en ait eu, alors je serais repartie à la maison sans aucun « mais », et sinon, ça aurait été bien. Mais les clés ! Je suis descendue chez le médecin et... j'ai failli éclater de rire. Il m'a prescrit des tablettes contre la douleur, il n'avait pas de thermomètre ! Enfin, j'ai pu mesurer ma température au Comité de la santé, mais j'avais 35,8. Elle avait beaucoup chuté en

quelques heures ! Bon, mais ça va mieux. Le plus grand
souci, c'étaient les clés. Nous sommes passées au secrétariat.
Il avait une répétition. Je n'y ai pas participé ! D'ailleurs, il
n'y avait que les petites à y prendre part. Ils ont un poème
que je dois transformer. C'est assez de dire que, à mon grand
contentement, je n'ai pas eu à aller rue Żydowska (elles y
sont allées), mais Mme Kaufman m'a demandé d'essayer
d'écrire quelque chose. À 15 h 30, j'étais à la maison. Mais
je ne savais pas où se trouvait Minia. Quand Chanusia est
rentrée après 17 heures, elle avait déjà été soldée pour les
pains azymes et il fallait encore les retirer dès hier. Je lui
ai dit que je ne pouvais pas y aller parce que je me sentais
mal, mais j'étais désolée pour elle parce qu'elle avait déjà
fait la queue pour les boîtes de conserves de viande. Ô surprise ! Elle m'a crue. Estusia aussi. Il s'en est fallu de peu
pour que je n'aille pas à l'atelier aujourd'hui. Mais bon,
on ne peut pas rater un jour sur deux. Elles sont allées
chercher le pain azyme. Et Minia n'est revenue qu'après
22 heures avec elles. Elle était contente et nous toutes aussi
parce que ça a été favorablement réglé. D'ailleurs, je ne vais
pas m'étendre sur ce sujet. Malgré tout, je voudrais que ce
soient déjà les fêtes. Un peu de repos. Et peut-être que je
pourrais aussi voyager un peu en pensée… quelque part où
je trouverais du réconfort… Trouver du réconfort ? ! Oui,
au moins pour un instant. Ou me consolider dans l'espoir.
Ô espoir, ne me quitte pas ! Ou bien, ah, il y a tant, tant
de choses qui m'attendent pendant les fêtes, des réunions,
peut-être même des leçons pendant les jours fériés. Oh,

quand je pense combien je dois encore apprendre, à quel point je sais peu de chose, j'en viens à avoir tellement hâte d'être en cours que... que je ne sais pas.

Ghetto de Litzmannstadt, 3 avril 1944

Ah, qu'est-ce que nous avons travaillé hier !... Surtout Estusia et moi. Le soir, nous avons aussi cuit du pain azyme... Mais grâce à Dieu, cent, mille fois grâce soit rendue à Dieu pour ce magnifique changement de temps ! Le balcon était ouvert dès hier. Ah, on a envie de vivre ! C'est vraiment autre chose ! Samedi, je me suis levée plus tôt (de toute manière, il a fallu que j'attende Surcia), je n'arrivais plus à rester couchée. Mon jeune sang bouillonnait dans mes veines. La jeunesse ! La jeunesse vers la vie ! Quelque chose à chanté en moi ! (Donc mon poème a fini par faire de l'effet ! Vendredi, j'avais composé un poème à propos du printemps.) Mon Dieu. Merci, merci pour cette merveilleuse transformation du temps. L'espoir renaît. Ah, vraiment, je n'ai pas assez de paroles de gratitude pour Dieu ! Je voudrais déjà que ce soient les fêtes ! Je voudrais déjà que ça soit l'été ! Je voudrais déjà... je ne sais plus moi-même. Je sais seulement que j'ai envie de vivre ! Je veux vivre ! Hier déjà, en cuisant le pain azyme, il ne faisait plus si froid. Ah, et tout ça ! Je crains seulement que ça ne se dissipe bien vite. Mais je chasse aussitôt cette pensée... Vivre de suite ! Vivre !

À part ça (quand j'y réfléchis, j'en deviens pensive d'étonnement), lors du dîner de samedi soir, Estusia m'a demandé : « Dis-moi, Rywka, pourquoi es-tu sortie avec de la fièvre ? Tu n'aurais pas pu te reposer un jour au lit ? »... J'ai ouvert sur elle mes yeux ébahis, j'ai failli, j'ai vraiment failli lui demander : « Est-ce que tu... tu es tombée sur la tête ? » Mais je n'ai rien dit par trop-plein d'étonnement. Je me suis demandé si ça pouvait avoir un rapport avec la semaine dernière, mais comment aurait-elle su, est-ce que... est-ce qu'elle aurait lu mon journal ? Eh, ça me paraît peu probable... mais sinon quoi ? Minia lui a demandé comment pouvait-elle savoir [pour ma fièvre], puisque je leur avais avoué que je ne l'avais pas mesurée, mais Estusia lui a répondu qu'elle se rassure, qu'elle savait tout... En tout cas, je n'ai pas pu en apprendre plus... (D'un autre côté, elle aurait pu me suggérer beaucoup si je m'étais laissé faire.) Hier, au pain azyme, Ewa m'approche ainsi : « J'apprends de sacrées choses à ton sujet. » À mon sujet ? Je voulais savoir. « Il paraît qu'hier, tu es sortie avec de la fièvre parce que Surcia est venue, n'est-ce pas ? » Ah, quelle drôle d'idée ? C'est Estusia qui a dû leur dire ça. Que c'est stupide. Oui, je me rappelle maintenant que quand Chajusia partait hier matin, me voyant nettoyer de plus belle, elle m'a demandé si j'allais déjà mieux ? Elles sont toutes devenues folles ! Mais peu m'importe. Et même si ? D'ailleurs, aujourd'hui plus que jamais, il n'y a pas de place pour mes « maladies » ! Ah, j'ai envie de vivre ! J'ai envie de chanter ! Printemps !

Printemps chéri ! (Je ne me rappelle pas de journée semblable dans mon journal. Si ce n'était cette encre épouvantable.) Tout se fond en ces quelques mots ! Mon petit printemps ! Mon petit printemps !

Ghetto de Litzmannstadt, 5 avril 1944

Il y a une telle agitation à cause des fêtes. Mais tout n'est pas positif, malheureusement. Parce que, hier, ils n'ont pas livré le pain à ceux qui s'étaient enregistrés pour le pain azyme[1] et, du coup, il faudra soit jeûner quelques jours, soit manger le pain azyme... Oui, pas facile d'être Juif. Des difficultés à chaque étape... Et le temps aussi nous fait un peu des siennes, même si ça va vers le mieux, sans hésitation aucune, mais... Les enfants adoptés reçoivent des coupons, donc Cipka et moi aussi. Ce que l'on reçoit, je ne sais pas encore, ça ne sera dévoilé qu'aujourd'hui. Dans certaines cuisines, on enregistrait déjà pour les soupes des fêtes, quelques filles de notre groupe s'y rendent aujourd'hui à 10 heures, on saura tout. Et tout ça !... Je voudrais déjà que ce soient les fêtes ! Et lors des fêtes, je ne saurais pas où aller en premier, chez Dora Zand, chez Mme Lebensztajn ou chez Dora Borensztajn ou... je ne sais plus moi-même, et maintenant...

---

1. Du 11 au 18 mars, on pouvait s'inscrire auprès des boulangeries pour retirer du pain azyme à la place du pain classique. Au lieu d'une miche de pain, on pouvait recevoir de 1 kilo à 1,2 kilo de pain azyme. Lucjan DOBROSZYCKI, *The Chronicle, op. cit.*

en fait, j'étais censée l'écrire jusqu'à demain, mais je ne sais pas si je pourrais ou si j'en aurais l'occasion.

Il y a trois ans, les fêtes tombaient les mêmes jours[1]. C'était la dernière fête, le dernier Séder[2] avec papounet... Oh, comme le temps passe vite ! Papa devait rentrer de l'hôpital à la maison pour les fêtes et, comme cette année, *Erev Peysekh*[3] tombait un vendredi, alors papa était rentré le jeudi (comme moi demain). Toute la journée, nous (les enfants), nous nous étions beaucoup impatientés, nous nous approchions sans cesse de la fenêtre ou du balcon pour voir si l'ambulance n'arrivait pas.

Dernièrement, papa me manque sans cesse davantage, c'est pourquoi je me le rappelle, j'étais extrêmement émue et excitée et vraiment, je n'arrivais pas à tenir en place, mais je me souviens surtout que j'étais très contente que papa revienne. Comme nous (les enfants) n'avions pas le droit de nous rendre à l'hôpital, alors nous écrivions des lettres et maman les lui portait. Ah, j'ai lu tant d'amour pour nous dans les lettres de papa ! Mon Dieu ! C'était peut-être à cause de l'éloignement, mais je l'ai aimé encore plus à cause de ces lettres. Durant l'hiver, je voyais papa par la fenêtre de l'hôpital, il était toujours plein de réconfort, il pouvait le déverser en moi avec facilité en me disant qu'il allait déjà mieux et que nous nous verrions bientôt, etc. D'ailleurs, est-ce que je ne

---

1. En 1941, Pessa'h commençait le samedi 12 avril et, en 1944, le samedi 8 avril.
2. Séder : rituel juif, observé lors du dîner de Pessa'h, usant de la nourriture pour faire revivre aux participants la libération après des années d'esclavage.
3. *Erev Peysekh* : veille de Pâques.

voyais pas que papa allait réellement mieux ? Oui, et c'est pourquoi je croyais d'autant plus les mots de papa et j'étais moi-même pleine d'espoir et de réconfort. Plus tard, il est vrai, l'état de papa a empiré et la situation aussi dans tout l'hôpital, ainsi papa a dû rentrer à la maison pour les fêtes. Durant tout le jeudi, je ne me souvenais plus, ou plutôt, je n'avais pas envie de me souvenir que papa allait moins bien qu'en hiver et j'étais ravie à l'idée que papa arrive enfin à la maison. Je ne me rappelais que des choses positives, c.-à-d. la manière dont il m'avait serré la main (à Yom Kippour), ces lettres et ces entrevues, etc. Je me demandais seulement ce que j'allais faire au moment où papa rentrerait vraiment. Je ne le savais pas. J'étais gênée par les témoins et, en même temps, je sentais que je devais dire quelque chose ou faire quelque chose avec papa. (Ah !) Peu avant le soir, l'ambulance s'est enfin arrêtée devant le portail, je me tenais sur le balcon et mon cœur s'est complètement arrêté de battre, puis il a commencé à cogner si brutalement que j'ai eu peur qu'il ne fasse exploser ma cage thoracique... Je ne savais plus du tout quoi faire, rester sur place ou courir jusqu'à la porte, je ne sais d'ailleurs plus précisément ce que j'ai fait... Je sais seulement que le laps de temps pendant lequel papa montait les escaliers m'a semblé très long. Enfin, papa était dans la chambre et... comment j'ai été déçue... ce n'était plus le même papa que l'autre fois à l'hôpital à la fenêtre, il n'a même pas souri, n'a pas répondu à notre accueil. Il était nerveux et visiblement épuisé par le trajet, il voulait se coucher le plus vite possible. Et nous étions obligés de sortir de la chambre. Mon Dieu ! Ce sentiment ! C'était déjà le soir, mais les lumières n'étaient pas encore allumées. Et dans cette pénombre, un voile plus sombre encore était tombé devant mes yeux, je ne distinguais plus rien ni personne, j'ai tangué comme ivre jusqu'à la deuxième chambre. Les sanglots me serraient la gorge, mais je les ai étouffés et je me tenais coite. Et des pensées diverses ont commencé à virevolter dans ma tête : qu'arrive-t-il à papa ? Comment a-t-il changé ? Je ne m'attendais pas du tout à ça. Un tel poids m'est tombé sur le cœur, celui-ci se serrait tant de toute part que, que... si j'avais pu, je me serais mise à pleurer, mais je ne pouvais pas, j'avais honte... Je craignais pour papa, et même si je me l'expliquais par le fait qu'il soit fatigué, une inquiétude étrange s'était emparée de moi. Et l'idée que papa ne pensait plus à nous à ce moment-là ne me laissait pas en paix. Non, vraiment, je ne m'attendais pas à ça. Ah oui, je m'en souviens, j'avais fait un petit bonnet pour Tamara et j'avais décidé d'en faire une surprise pour papa, c'est pourquoi je lui avais écrit à ce propos dans une lettre. Toute mon humeur étrange s'était évaporée. Il est vrai que je me suis un peu calmée plus tard, papa avait changé, nous avons même parlé avec lui, mais je suis restée très timide, tandis que dans mon cœur... une douleur est restée, un regret... je ne sais pas, je n'arrive pas à la nommer... De telles émotions m'affectent depuis toujours, elles affectent mon énergie, je suis incapable dans un tel cas de faire quoi que ce soit. Ainsi, quand il a fallu donner à papa une tasse de thé, je la lui ai donnée avec grande difficulté, mais je devais la lui donner, car de quoi ça aurait eu l'air si, dès que papa était revenu de l'hôpital, je devenais aussitôt indocile. Le lendemain, je me suis au moins appliquée à ce que tout soit « bien », même si papa était très nerveux, mais moi je m'efforçais de prolonger chaque instant agréable, de ne pas irriter papa. Oh, si les gens savaient combien d'efforts ça m'avait coûtés et qu'un froid « étrange » s'était emparé de moi. Mais personne ne savait. Oh, mon Dieu ! Et le Séder le soir ? Papa était très pressé et moi, depuis ces fêtes-là, je suis devenue plus sérieuse, je ne pouvais même plus dérober l'« Afiqoman[1] » en cachette. Quelque chose avait déjà voilé mes yeux qui semblaient embrumés, quelque chose avait voilé mes lèvres qui se serraient et restaient muettes. Les sanglots et cette autre chose avaient déplacé mon âme qui n'avait confié ses pensées à personne. Je m'étais renfermée. On ne pouvait rien tirer de moi, d'ailleurs, personne ne pouvait soupçonner que je me préoccupais autant. Ah, j'avais tant besoin d'un mot gentil, j'avais tant envie de rester seule avec papa, mais que papa soit comme d'habitude, tout cela me manquait et je me sentais si à l'étroit, si à l'étroit. Après quelques jours, il est vrai, l'humeur de papa s'était améliorée, et sa santé aussi, mais je n'ai déjà plus eu d'occasions spéciales de réaliser mes rêves, et quand nous avons pu nous asseoir dans la même chambre avec papa, ça a été un grand bonheur pour nous tous, alors (pas tant les paroles), mais nous avons échangé des regards entre nous. Ah, ces regards ! Je n'arrivais plus à parler,

---

1. Sorte de *matza* ou de pain azyme spécial, rompu en deux au début du Séder et laissé de côté dans le but d'être mangé en fin de repas en tant que dessert.

même le souhait que papa aille mieux, rien... rien du tout...
J'ai été maladroite en cela... Alors que je voulais tellement,
je voulais tellement. Dieu seul le sait, car je ne l'ai confié à
personne. Ah, quand je m'en souviens aujourd'hui, je ne peux
même plus regarder papa, ou alors en photo. Mais mon papa
vivant, mon papa vivant, je... je ne le regarderai plus... Mon
Dieu ! Comme c'est horrible ! Et maintenant, ça sera le troisième Séder sans papa, le deuxième sans aucun homme du
tout, mais l'an dernier, il y avait encore tatie Chaiska[1], alors
qu'aujourd'hui... aujourd'hui, il y a Estusia... ah, comme
c'est tragique ! Si au moins Abramek était là ! Ah, mon Dieu,
c'est justement lors de Pessa'h, pendant le Séder qu'on reconnaît le plus le manque de père. Oh, et quel manque...

Ghetto de Litzmannstadt, 7 avril 1944

Heureusement que j'ai écrit avant-hier... Mais aux choses
sérieuses ! *G-t farlozt nisht. Ven me tut zikh nisht fablozn [?]
un s'geyt zer in der/dem [?] ver zol ophitn helft G-t*[2] ! En sus
de nos coupons pour nous (les adoptées), nous en avons
reçu un autre du rabbinat. Des coupons merveilleux ! Il se
fait tard, je dois terminer le petit déjeuner !

---

1. Chaja Irka Lipszyc (née Segał en 1903), mère d'Estusia, de
Chanusia et de Minia, morte le 11 juillet 1943.
2. L'aphorisme en yiddish est tronqué mais pourrait signifier : « Dieu
ne nous abandonne pas. Si nous restons sereins et si nous observons [la
Torah], Dieu nous aide. »

Ghetto de Litzmannstadt, 11 avril 1944

J'ai d'ores et déjà tant à écrire que je ne sais vraiment plus quoi mettre au début. Bon, peu importe... C'est déjà la deuxième journée fériée. Et comment se sont passées nos premières fêtes ?... Comment s'est passé notre Séder ?... Séder ?... Et comment pouvait-il se passer ? ! *Nebekh*[1] ! Ah, le manque de papa s'est rudement fait sentir... Séder sans papa, mais pas seulement sans papa, car sans hommes en général... L'année dernière, il n'y avait pas eu d'hommes non plus, mais au moins, il y avait eu tatie, oh, elle pouvait remplacer un homme tant bien que mal, parce qu'elle était adulte, et puis elle connaissait tout assez bien, mais aujourd'hui ? Elle n'est même plus là... C'est Estusia qui a célébré le Séder. Je dois avouer qu'elle s'en est étonnamment bien sortie, mais... ah, ce « mais » est si triste ! Mon Dieu, est-ce que j'ai vraiment autant fauté pour être punie ainsi ? J'ai des camarades à l'atelier qui ont encore leurs pères, mais dont les pères ne célèbrent pas le Séder, et pour quelle raison ? Et moi, moi, j'aurais pu avoir un Séder (j'en ai eu un, mais...) si papa... Oh, mon Dieu ! C'est ainsi que va le monde !

Si mon papa m'avait accompli le Séder, oh, comment j'aurais été heureuse ? !... Cependant, quand d'autres ont des pères (ont cette chance) et ne désirent pas le Séder... Je suis

---

1. *Nebekh* : « Dommage », en yiddish. Ici, probablement utilisé au sens de « Misère ! ».

devenue tellement triste à la fin du second Séder ! Ah !...
J'aurais souhaité m'écrouler en pleurs... Et dire que plus
jamais, plus jamais papa ne célébrera le Séder pour nous. Bien
que trois années soient passées, je n'arrive pas à me faire à
cette idée... Papa ne célébrera plus jamais le Séder... Comme
c'est douloureux à entendre... Comme ça fait mal !... J'ai
quand même demandé à Dieu que le Séder de l'an prochain
soit au moins célébré par Abramek... Oh !... L'homme est
plus fort que le fer, que l'acier... Bon, assez avec ça...

À part ça, hier (lundi) on ne travaillait pas dans les ateliers : journée libre[1]. Nous avons retiré le reste du charbon,
ou plus précisément des briquettes. Le soir, il y a eu une
réunion chez Mme Milioner. Il y aura des cours pour les
aînés et pour les plus jeunes, ah, une telle excitation. Il faut
avouer que le temps fait de l'effet.

Grâce soit rendue à Dieu pour le printemps ! Et merci,
mon Dieu, pour cette ambiance ! Je ne veux pas écrire beaucoup à ce sujet car je ne veux pas décompresser tout ça, mais
je n'écrirai qu'une chose au sens si multiple : l'espoir !

---

1. *The Chronicle* mentionne les deux journées chômées (dimanche 8
et lundi 9 avril) : « Les ateliers ont été prévenus par le Bureau central
(au marché Bałucki) que, cette fois-ci, le dimanche et le lundi de Pâque
seront fériés. C'est la première fois que cela arrive depuis la création
du ghetto. En plus de cela, l'ordre a été donné d'interrompre le travail
dès midi aujourd'hui. La population n'a aucune idée de la manière
dont il faut interpréter ces dispositions. [...] En réalité, cela s'explique
probablement par le fait que, cette fois-ci, ces messieurs de la Gestion
du ghetto voulaient avoir leur Fêtes de Pâque fériées, auquel cas les
habitants du ghetto n'ont rien à craindre. » Lucjan DOBROSZYCKI, *The
Chronicle, op. cit.*

À part ça, nous aurons probablement un lopin de terre[1].

Chanusia a pris une dispense médicale pour les fêtes et elle est restée à la maison, j'ai dû courir partout hier à cause de ses soupes... Dimanche, nous avons eu une réunion, ah, j'en suis ravie et tout. Peut-être que ça ira mieux maintenant, peut-être que ça ira vraiment bien ? Ah, le plus vite possible ! Ah, cette excitation. Il semble qu'elle s'empare de nous tous. C'est ce merveilleux changement de temps qui nous influence si bien, pour ainsi dire. Oui, sans l'ombre d'un doute. Oh, on voudrait déjà tellement quelque chose, on ressent déjà tellement de manques, on a une si grande soif de ce quelque chose, on le voudrait tellement sans bien savoir quoi, ou peut-être même que si, mais c'est quelque chose d'insaisissable, quelque chose de céleste pour nous, ah, je ne sais pas le définir. Ah, en tout cas, c'est quelque chose d'épanoui, quelque chose... Le bon Dieu sait de quoi nous avons besoin et... oh, Dieu, donne-nous ce qu'il nous faut ! Oh, donne-le-nous !

(Oh tiens, il pleut une pluie d'été !)

---

1. Chaque parcelle de terre du ghetto était utilisée pour cultiver des fruits et des légumes. La plupart des plantations étaient localisées dans le quartier de Marysin, où des jardins privés se trouvaient dès avant la guerre. Les parcelles dépendaient de la Section des jardins et plantations qui fonctionnait à l'intérieur du Département du commerce ; elles étaient affectées à différentes familles. Les cultivateurs avaient l'obligation de fournir leurs légumes à la commune, mais pouvaient garder une partie de leur récolte pour eux-mêmes. Compte tenu de la pénurie chronique en aliments, les volontaires pour les parcelles étaient très nombreux.

Ghetto de Litzmannstadt, 12 avril 1944

Oh, quel temps merveilleux ! Merveilleux ! Merveilleux !
Ah, je suis si joyeuse grâce à ça, c'est d'un tel réconfort...
Hier, nous sommes passées chez Zemlówna avec Prywa.
On ne sait pas encore avec précision comment ça se passera, mais j'espère que si jamais c'est possible, ça sera réglé.
Pour le moment, cela fait près d'un mois que les examens
sont passés et non seulement nous ne sommes pas mutées
en production, mais nous restons assises et nous ne faisons
rien en termes d'usine, au contraire, nous arrivons quand
bon nous semble, nous partons quand bon nous semble et
nous faisons des choses privées. La liberté, le paradis. Oh,
si ça pouvait durer longtemps (au moins le temps des fêtes),
ça serait parfait. Mais bon ? Ce sont des affaires d'atelier
et, pour l'heure, il n'y a pas de temps pour ça (j'espère
en revanche qu'ils ne m'affecteront pas à une machine en
plein été), mais vraiment, ce n'est pas le moment de régler
ça. Hier soir, quand je rentrais à la maison (après [le pas-
sage] chez Zemlówna, nous sommes allées avec Prywa chez
Fela Działowska pour nous inscrire à des cours, justement,
nous avons convenu que nous allions probablement nous inscrire à la salle de lecture et nous allions étudier des livres.
Il s'avère que, si seulement nous réussissons à nous inscrire
à la salle, ça sera bien mieux que notre cercle littéraire. Et
je pense que Bala nous aidera un peu. Je voudrais tant que
ça marche !). Donc, quand je rentrais à la maison, j'ai senti

que la jeunesse est fabuleuse. Il est possible que si j'avais eu un morceau de papier sous la main, j'aurais écrit quelque chose. Puis je me suis rappelé l'*Ode à l'amour*[1] et j'avais par hasard ce recueil de Mickiewicz sur moi. Dans un premier temps, on a tant envie de vivre, on devient étrangement moins triste, mais on ressent si précisément notre infortune, alors un tel abattement recouvre notre âme... il faut vraiment beaucoup de force pour ne pas se laisser aller. Car en voyant ce monde magnifique et ce printemps adorable et tout cela ensemble, et en voyant en même temps à quel point nous sommes privés de tout, ici au ghetto, et même des choses naturelles, car nous sommes réellement privés de tout, nous n'avons pas la plus petite des joies parce que nous sommes, par malheur, des machines, et des instincts animaux très développés vivent en nous, on peut les reconnaître à chaque pas (surtout autour de la nourriture) et tout cela ensemble nous affecte tant que nous devenons de plus en plus sots, car, en nous regardant, on peut s'apercevoir d'entrée à quel point, c.-à-d. combien nous coûte (à condition de le vouloir très fort) cette création de vie, en plus de celle quotidienne, d'une vie un peu différente, meilleure, telle que... à quoi bon écrire à ce sujet ? Après tout, j'ai tellement envie, j'ai réellement énormément envie. Et c'est précisément au moment où cette pensée me traverse l'esprit, que nous sommes privés de tout, que nous sommes esclaves,

---

1. *Ode à l'amour* : poème d'Adam Mickiewicz (1798-1855), l'un des plus grands poètes de l'histoire polonaise.

alors, à ce moment-là, avec toute la force de ma volonté, j'essaye de chasser au loin cette pensée et de ne pas gâcher ce bref instant de joie de vivre. Mais c'est tellement difficile ! Ah, mon Dieu, combien de temps encore ? Je crois que le seul véritable printemps viendra quand nous serons libérés. Ah, combien ce cher et grand printemps me manque...

D'abord Mme Hania (de l'administration) nous a prévenues que celles qui le voudraient, nées en 1927 et 1926, pourraient travailler 10 heures et recevoir le Lang, mais elles doivent retirer un certificat d'année de naissance de la Section d'enregistrement[1]. J'ai l'impression que presque personne ne s'est présenté. Pour le moment, je suis ravie que l'affaire prenne une telle tournure, parce que ici je suis de l'année 1927[2], ou plutôt...

---

1. La Section d'enregistrement était responsable du logement et de l'enregistrement des habitants du ghetto. Tous les changements d'adresse étaient retranscrits sur des cartes d'enregistrement spécifiques.

2. Rywka est née le 15 septembre 1929. On ne sait pas précisément pourquoi elle a écrit qu'elle était née en 1927. Elle a pu l'écrire à la va-vite, mais il se peut aussi qu'elle comptât donner une fausse date de naissance afin de prétendre à l'allocation de *Langsarbeiter* qui accompagnait les 10 heures de travail par jour.

Łódź, ville de Rywka, ghetto de Rywka

Łódź, la ville natale de Rywka, a accueilli le ghetto le plus isolé et le plus opprimé de toute l'Europe nazie. Pourtant, avant la Seconde Guerre mondiale, sans parler du demi-siècle précédant la Première Guerre mondiale, la métropole jouissait d'une réputation méritée pour son pluralisme culturel et son dynamisme économique. Entre 1865 et 1914, quatre groupes ethniques ont cohabité et la population s'est multipliée par 17, un chiffre ahurissant.

Durant cet âge d'or, la communauté juive représentait un élément non négligeable de la riche mosaïque multiculturelle de Łódź. La ville faisait partie de l'Empire russe depuis 1815, mais il fallut attendre 1862 pour que les Juifs obtiennent les droits politiques fondamentaux. Le développement commercial est alors rapide. Les industriels juifs, à l'exemple d'Israel Poznanski, qui fut un des premiers à remplacer les métiers à tisser par des machines à vapeur, jouèrent un rôle essentiel dans l'essor de Łódź dans le textile. Cette histoire est racontée en détail par le grand romancier yiddish Israël Joshua Singer dans son renversant *Les Frères Ashkenazi*[1]. D'autres Juifs, comme les familles Rosenblatt, Ginsberg, Konstadt et Joracinski, étaient aussi d'importants fabricants de tissu, tandis que d'autres se spécialisèrent dans les banques, l'immobilier, les services publics ou le transport.

En 1900, les Juifs comptaient pour presque un tiers de la population et la moitié des hommes d'affaires de Łódź. Ils échangeaient avec les Polonais, bien sûr, mais aussi avec deux autres minorités importantes : les Allemands de souche, qu'on appelait *Volksdeutsche*, et les Russes. Les relations entre ethnies se passaient relativement bien en Europe de l'Est, car aucune ne possédait la majorité. Même si les Polonais étaient le groupe le plus important, réunis, les Juifs, les Allemands et les Russes les surpassaient en nombre[2]. Les communautés ne se mélangeaient guère, mais la tolérance était souvent de mise et on entendait les quatre langues (polonais, yiddish, allemand et russe) dans les rues et les magasins.

Après la Première Guerre mondiale, Łódź fut rattachée à la nouvelle République de Pologne. Entre la fuite des Russes et l'émigration de la plupart des *Volksdeutsche*,

---

1. I. J. Singer, *Les Frères Ashkenazi*, trad. Marie-Brunette Spire et Anne Rabinovitch, Paris, Denoël, 2005. Pour un autre panorama social de Łódź pendant la révolution industrielle, voir le roman du Prix Nobel Władysław Reymont, *La Terre promise* (1899), bâti autour de trois personnages : un Allemand, un Juif et un Polonais.

2. À peu de chose près, la religion coïncidait avec l'ethnie, mais pas tout à fait : il y avait des Allemands catholiques et des Polonais protestants. Voir Julian K. Janczak, « The National Structure of the Population in Lodz in the years 1820-1939 », *in* Antony Polonsky, éd., *Polin : Studies in Polish Jewry*, vol. 6, Portland, Oregon, 2004, p. 25.

l'équilibre démographique pencha en faveur des Polonais. Dès 1918, ils étaient une majorité incontestable et, après plus d'un siècle de domination étrangère, enfin maîtres chez eux. Pourtant, les différentes populations juives de Łódź, avec un quart de million d'âmes, occupaient toujours près d'un tiers de la ville. Entre les hassidim, les orthodoxes, les bundistes et les folkistes, sans oublier les sionistes divers et les assimilationnistes, Łódź abritait la deuxième communauté juive de Pologne. Seule celle de Varsovie était plus nombreuse.

L'antisémitisme prit de l'ampleur à Łódź comme dans le reste du pays, surtout après la mort en 1935 de Józef Piłsudski, chef de l'État polonais, qui avait cherché pendant ses neuf années au pouvoir à protéger les minorités. Les principaux acteurs en étaient le gouvernement, l'Église et les groupes de pression nationalistes. Mais Rywka Lipszyc, née en 1929, scolarisée dans une école juive traditionnelle pour filles, échappa probablement à la haine et à la discrimination. Son enfance fut marquée par sa famille rabbinique, fort respectée, ses amies et ses études. Elle se sentait sûrement en sécurité.

Toutefois, lorsque Hitler envahit la Pologne le 1er septembre 1939, le monde de Rywka s'effondra. Dès la première semaine de la Seconde Guerre mondiale, la Wehrmacht conquit Łódź, située à moins de 160 kilomètres de la frontière allemande. Les Polonais, accompagnés des *Volksdeutsche*, profitèrent immédiatement de l'Ordre nouveau pour battre et humilier les Juifs dans les rues. Après un jour ou deux d'occupation, on pilla également leurs maisons et commerces. Les vandales s'en prenaient surtout aux Juifs pratiquants et s'amusaient à couper la barbe des orthodoxes comme le distingué oncle de Rywka, Yochanan Lipszyc, président du tribunal rabbinique, ainsi que son célèbre beau-père, le rabbin Mosze Menachem Segał[1]. D'autres subirent encore bien pire. Le père de Rywka, Yankel, fut roué de coups par des Allemands. On ne sait pas très bien s'il s'agissait de soldats ou de *Volksdeutsche*, mais les séquelles de ses blessures précipitèrent sa mort, un an et demi plus tard.

Débordants de joie, les *Volksdeutsche*, environ 10 % de la population de Łódź en 1939, montrèrent leur loyauté au Reich en faisant le salut nazi et en décorant la ville de bannières et de drapeaux ornés de svastikas. On leur accorda des privilèges spéciaux tandis qu'on abolissait rapidement les droits des Juifs, par exemple en gelant leurs comptes bancaires et en saisissant leurs usines et magasins. Les synagogues furent toutes fermées, et les Juifs bannis des parcs, des cinémas et des transports en commun. Ils n'avaient même plus le droit de parcourir la rue Piotrkowska, le boulevard le plus à la mode de Łódź où, avant la guerre, la plupart des commerces étaient tenus par des Juifs. On le sait, les Allemands imposèrent le port de la scandaleuse étoile jaune, sur la poitrine et dans le dos, ce qui facilitait l'application du couvre-feu très strict. On arrêtait tout Juif dehors entre 17 heures et 8 heures du matin.

Dans l'état d'urgence de la guerre, on installa des centres de distribution de nourriture, où les habitants de

---

1. « Lodz » in *Encyclopedia of Jewish Communities in Poland I*, www.jewishgen.org/yizkor/pinkas_poland/pol1-00004.html.

la ville devaient faire la queue pendant des heures pour de simples provisions. Là aussi, les préjugés et la méchanceté régnaient : même après une longue attente, les Juifs se voyaient souvent éjecter de la file par des Polonais ou des *Volksdeutsche*, quand ils n'étaient pas brutalisés.

Face à une telle hostilité de leurs concitoyens, sans parler du danger posé par les envahisseurs nazis, des dizaines de milliers de Juifs fuirent vers l'est. Beaucoup espéraient atteindre la Pologne orientale, conquise par l'Armée rouge le 17 septembre et annexée par l'URSS suite à un des protocoles secrets du pacte germano-soviétique signé par les deux puissances totalitaires le mois précédent. Les transports publics étant interrompus, les fugitifs juifs entassaient leurs possessions sur des chariots tirés par des chevaux ou partaient à pied, balluchon sur le dos. Le peu qui réussirent à rejoindre l'URSS furent capturés par les nazis au cours de l'été 1941.

Mais la plupart des Juifs de Łódź, dont la famille de Rywka, restèrent chez eux malgré la situation qui se dégradait de jour en jour. La majeure partie de la Pologne occupée était officiellement un protectorat dirigé par les militaires, mais restait quand même la « patrie des Polonais », tandis que Łódź subirait un sort bien différent. À cause de son importance stratégique, de sa forte population d'Allemands de souche et de ses liens avec l'ancien royaume de Prusse, la ville et la région à l'ouest furent annexées par le Reich et intégrées à l'Allemagne proprement dite.

Un aspect clé du plan, à peine secret, était de changer l'équilibre démographique pour la deuxième fois en une génération, en attirant des *Volksdeutsche* d'autres parties de la Pologne d'avant-guerre afin de créer une majorité allemande[1]. On découpa quatre provinces allemandes dans la Pologne occidentale, et Łódź fut attribuée à l'une d'elles, le Wartheland, d'après le fleuve Warthe. Les nouveaux dirigeants exclurent les Polonais des écoles et des cinémas. Ils modifièrent également le nom des rues pour leur donner une consonance germanique – la célèbre rue Piotrkowska devint Adolf-Hitler-Strasse –, allant même jusqu'à changer le nom de la ville en Litzmannstadt, en l'honneur de Karl Litzmann, le général qui avait repris Łódź aux Russes pendant la Première Guerre mondiale. Le nouveau nom fut vite adopté, y compris par les Juifs. Rywka commence d'ailleurs chaque entrée en mentionnant Litzmannstadt puis la date.

L'annexion officielle signifiait que Łódź ne répondrait pas seulement aux SS, mais aussi à la Gestapo et à la « Kripo », la police criminelle interne. Les locaux de cette dernière, situés dans un bâtiment de brique rouge, reçurent l'innocent surnom de « la petite maison rouge ». Pour les Juifs de Łódź, toutefois, ils avaient la réputation terrible d'abriter torture et meurtres.

Pourtant, la plupart du temps, les autorités allemandes n'exerçaient pas leur tyrannie en personne. Les Juifs de Łódź passèrent près de cinq ans sous la houlette d'un dictateur lui-même juif, un « Roi des Juifs », comme le titre que lui attribue un roman historique qui lui est

---

1. Gordon J. HORWITZ, *Ghettostadt : Lodz et la formation d'une ville nazie*, Paris, Calmann-Lévy, 2012, p. 35, trad. Jean-Pierre Ricard.

consacré[1]. Chaim Rumkowski, âgé d'une soixantaine d'années, anciennement directeur d'un orphelinat, arborait une tignasse de cheveux blancs et donnait souvent l'impression d'une figure paternelle. En réalité, il était ambitieux et égotiste. Il se montrait dans un *drojki* (voiture tirée par des chevaux) laqué de noir pour recevoir les hommages de groupes aussi bien d'écoliers que d'ouvriers. Son portrait décorait presque chaque bâtiment public.

Le 13 octobre 1939, Rumkowski reçut le titre de président (techniquement, il était « Doyen des Juifs », dans le sens de chef) d'un Judenrat de trente hommes semblable aux conseils juifs que les Allemands installeraient bientôt partout en Europe de l'Est pour faire appliquer leurs décrets. Sauf qu'à Łódź les autres membres du Judenrat, qui représentaient le large spectre de la vie politique et religieuse de la communauté juive, furent rapidement éliminés, déportés ou assassinés. Rumkowski resta seul au pouvoir. Il dirigeait la colossale administration du ghetto, qui employa jusqu'à 10 000 personnes. Il donna l'ordre d'imprimer une monnaie (des rumkis, qui n'avaient aucune valeur en dehors du ghetto) et des timbres à son effigie. Il supervisait aussi les pompiers, la justice, la prison, et même le département de la police juive qui comptait plus de 1 000 hommes armés de matraques[2]. Par la suite, il établira les listes de déportés, s'arrogeant ainsi le droit de vie et de mort sur chaque Juif de la ville.

---

1. Leslie EPSTEIN, *Le Roi des Juifs*, Paris, Belfond, 1979, trad. Dominique Peters.
2. Lucjan DOBROSZYCKI, *The Chronicle, op. cit.*

Certes, les Juifs devaient répondre à Rumkowski, mais lui devait répondre aux Allemands. Il a sûrement essayé d'alléger la peine de sa communauté (il croyait posséder les qualités de meneur indispensables lors de cette crise), mais la sauvagerie des nazis ne cessa de le prendre de court. À la mi-novembre 1939, à peine deux mois après les débuts de l'Ordre nouveau, les deux plus belles synagogues de Łódź, une réformiste et une orthodoxe, furent réduites en cendres. Mais avant de mettre le feu à cette dernière, les Allemands forcèrent le rabbin Segał, un parent lointain de Rywka, à revêtir un talit et des tefillin et à désacraliser les rouleaux de la Torah[1]. Une foule de synagogues, de chapelles et de salles d'étude de moindre importance partirent également en fumée. L'affreuse destruction des lieux de culte se produisit peu après le premier anniversaire de la Nuit de Cristal, durant laquelle des centaines de synagogues furent incendiées en Allemagne. Pour les Juifs de Łódź, ces événements étaient un indice intolérable de la vie à l'intérieur du Reich, ainsi que de l'impuissance totale de leur président face aux Allemands.

Le mois suivant survint un choc encore plus violent : la création du ghetto par décret, qui concernait l'ensemble des Juifs de Łódź. Selon les affiches, deux mois plus tard, le 8 février 1940, tous les Juifs (175 000 personnes malgré les nombreuses fuites) devraient vivre dans une zone de moins de 4 kilomètres carrés. Une ségrégation pire

---

1. « Lodz » in *Encyclopedia of Jewish Communities in Poland I*, www.jewishgen.org/yizkor/pinkas_poland/pol1-00004.html.

encore que l'isolation imposée aux Juifs européens cinq cents ans plus tôt. Les ghettos du Moyen Âge et de la Renaissance ne fermaient que la nuit, ils restaient ouverts la journée pour les affaires et les échanges entre les Juifs et les autres. Les portes des ghettos nazis, elles, demeureraient closes.

Łódź compta parmi les premiers des 200 ghettos mis en place par les envahisseurs et détiendra le record de longévité. Il était le seul de taille « sur le "sol" Allemand[1] », et donc le plus impénétrable. Les Allemands démolirent toutes les maisons avoisinantes pour créer un terrain vague entre la barrière de barbelés et les quartiers aryens. Une police spéciale, la *Schutzpolizei*, ou Schupo, montait la garde autour du périmètre avec ordre de tirer à vue sur quiconque s'approcherait de la barrière. Des centaines de personnes furent ainsi abattues, qu'elles essaient ou non de s'échapper.

Établi l'année suivante, le ghetto de Varsovie sera plus célèbre, notamment à cause de son soulèvement héroïque. Mais dans le ghetto de Łódź, qui n'avait même pas d'égouts, il était presque impossible de faire passer des armes ou de la nourriture, ni d'ailleurs de s'échapper. Le 30 avril 1940, la fermeture était complète, et le ghetto ne reçut plus ni courrier ni journaux ni colis du monde extérieur. Les contacts par téléphone ou télégraphe étaient interrompus et la possession d'une radio constitua un crime capital dès le premier jour.

---

1. « Anonymous Girl : Lodz Ghetto » in *Salvaged Pages : Young Writers' Diaries of the Holocaust*, Alexandra Zapruder (éd.), New Haven/ Londres, Yale University Press, 2002, p. 227.

Cependant, le ghetto de Łódź n'était pas seulement entièrement isolé. Les conditions de vie y étaient également ignobles. Les Allemands avaient choisi de parquer les Juifs dans l'un des pires taudis d'Europe. Baluty, un quartier du nord de la ville qui venait d'être intégré, était même dépourvu de lampadaires. De piètres immeubles s'alignaient le long des ateliers et des usines dans des rues tortueuses, dénuées de pavés, sans souci d'hygiène, de ventilation ou de risque d'incendie. Le quartier appartenait à la vermine, aux maladies et au crime ; c'était un nid de trafiquants de drogue, de prostituées et de voleurs. Avant la guerre, « être de Baluty », c'était être un dégénéré.

Assez tôt, Rumkowki pressentit que l'unique chance de survie pour la population juive (éviter une lente mort de faim ou une déportation vers l'est) était de se rendre utile aux Allemands. « Le travail est notre seule voie[1] », déclarait-il régulièrement. Il profita des larges infrastructures industrielles de Baluty et des nombreux artisans juifs de talent pour faire du ghetto un centre de fabrication essentiel à l'Allemagne. Et en un sens, il réussit : avec plus de cent usines, les Juifs de Łódź produisirent des biens nécessaires qui permirent au ghetto de survivre bien après la liquidation de la plupart des autres ghettos, y compris ceux de Varsovie et de Cracovie. Le Doyen travaillait sous les ordres du chef allemand de l'administration du ghetto, un dénommé Hans Biebow, homme d'affaires, d'une quarantaine d'années, corrompu et particulièrement dur. Il fournissait des produits finis à la Wehrmacht

---

1. Gordon J. HORWITZ, *Ghettostadt, Lodz et la formation d'une ville nazie, op. cit.*

et à des entreprises privées allemandes à des prix défiant toute concurrence, s'arrogeant au passage une commission illégale pour lui et ses associés. Il n'hésitait pas non plus à frapper Rumkowski si celui-ci contestait ses ordres.

Rywka, quant à elle, commença par travailler dans un bureau de comptabilité pour l'administration du ghetto. Mais peu après le début de son journal en octobre 1943, elle raconte avoir utilisé ses contacts (désignés par le mot hébreu *protectzia* et souvent inestimables dans le ghetto) pour obtenir une place dans un grand atelier de vêtements et de linge de la rue Franciszkanska. Elle y travaillait sous la direction d'un employeur généreux, Leon Glazer. La jeune fille, traumatisée par les deux dernières années, avait enfin un peu de chance.

Après 1941, la plupart des écoles du ghetto étaient fermées, mais l'atelier de Glazer proposait une solution. Comme Alexandra Zapruder l'indique au début de son essai, les centaines d'enfants parmi les 1 500 employés recevaient une éducation professionnelle et apprenaient à se servir de machines à coudre et à fabriquer des vêtements. Au début, ils étudiaient aussi l'hébreu et les mathématiques. Il y avait des réunions générales et des pièces, et les élèves mirent en place une bibliothèque. Ils réalisèrent même un remarquable album illustré appelé la *Légende du prince*. Il s'agit d'un long poème, richement illustré en couleurs, dans lequel la vie quotidienne étouffante du ghetto se dissimule sous une fable enfantine[1].

---

1. Irena KOHN, « The Book of Laughter and Unforgetting : Countersigning the Sperre of 1942 in the Legend of the Lodz Ghetto

Mais le cas de Rywka était une exception. Peu des travailleurs exploités de Łódź pouvaient exprimer leur créativité, et encore moins recevaient une formation. Dans l'ensemble, ils étaient épuisés, mal nourris et souvent malades. Les conditions de travail étaient généralement atroces. On peut d'ailleurs comparer le ghetto de Łódź à un camp de travail urbain. Rywka appréciait sa chance d'apprendre un métier à l'atelier de Glazer, mais même elle se plaignait de l'absence de matières académiques dès 1944. L'adolescente de quatorze ans n'aimait pas non plus l'ennui infini de la confection d'habits, et l'obligation de travailler le jour de shabbat l'irritait par-dessus tout.

Elle avait l'immense avantage de la soupe de midi, servie dans l'atelier de Glazer comme dans la plupart des usines. Néanmoins, la nourriture constitua un problème dès le commencement. Rien qu'en 1941, plus de 2 000 Juifs de Łódź moururent de faim[1]. Pourtant, à l'automne 1941, le ghetto avait encore plus de bouches à nourrir à cause de l'arrivée de dizaines de milliers de Juifs – des travailleurs lettrés venus de grandes villes comme Berlin, Vienne ou Prague, que le Reich déplaçait vers Łódź. Comme ils apportaient beaucoup de bijoux et d'objets de valeur, leur arrivée provoqua une hausse drastique du prix de la nourriture sur le marché noir. Les ouvriers recevaient des coupons de rationnement, mais l'apport calorique moyen du ghetto ne représentait que les deux tiers de ce qu'un

---

Children », in *Partial Answers : Journal of Literature and the History of Ideas*, vol. 4, n° 1, janvier 2006, pp. 41-78.

1. Isaiah TRUNK, *Lodz Ghetto : A History*, Bloomington et Indianapolis, Indiana University Press, 2006, p. 208.

homme doit absorber pour être opérationnel. C'était donc loin de suffire à un travail manuel[1]. En 1942, le taux de famine avait presque doublé par rapport à l'année précédente et, maladies de cœur exceptées, la faim était la première cause de décès dans le ghetto[2].

La nourriture était de qualité médiocre, mais la disette générale créa une nouvelle hiérarchie sociale. On distribuait des rations complémentaires pour les heures supplémentaires et le travail de nuit, ainsi qu'aux ouvriers qualifiés ou à des postes de responsabilité. Parfois, certaines familles importantes recevaient des coupons supplémentaires. C'était le cas de celle de Rywka, dont les oncles étaient d'éminents rabbins et l'arrière-grand-père, le rabbin Chaim Eliyahy Meisel, avait été grand rabbin de Łódź au XIXe siècle. Mais, avec ou sans coupons, la malnutrition était générale et montait les membres d'une famille les uns contre les autres. La tension à ce sujet entre Rywka et ses cousines n'était que trop répandue[3].

Les maladies n'étaient pas rares non plus. Si la tuberculose mentionnée par Rywka était monnaie courante, la dysenterie, le typhus et la pneumonie envahissaient également le ghetto. Il va sans dire qu'il était particulièrement difficile de se procurer des médicaments, et les Juifs

---

1. Walter LAQUEUR et Judith TYDOR BAUMEL, *Holocaust Encyclopedia*, Willard, Ohio, Yale University Press, p. 260.

2. Isaiah TRUNK, *op. cit.,* p. 208.

3. Parmi de nombreux exemples, voir Eva LIBITZKI et Fred ROSENBAUM, *Out on a Ledge : Enduring the Lodz Ghetto, Auschwitz and Beyond*, River Forest, Illinois, Wicker Park Press, 2010, pp. 81-82. Une travailleuse de vingt ans vole un morceau de pain à sa mère malade, mais est vite en proie aux remords.

de Łódź s'en remettaient souvent à des remèdes qui comprenaient aussi bien les épluchures de pommes de terre qu'une vitamine synthétique baptisée Vigantol. Les deux étaient censés posséder des vertus extraordinaires. Malgré cela, au cours de l'existence du ghetto, presque un quart de ses habitants périrent de faim ou de maladie[1].

Le plus grand péril restait quand même la déportation. En hiver 1942, des dizaines de milliers de Juifs jugés inaptes au travail par l'administration de Rumkowski reçurent des convocations (des « demandes en mariage », en argot du ghetto) pour se présenter aux autorités. Personne ne savait ce qui attendait les déportés, mais la majorité supposait qu'il s'agissait de pire encore que le ghetto, par exemple du travail forcé dans des mines. D'autres craignaient des exécutions, à raison, puisque la mort était le sort de la plus grande partie des exclus par Rumkowski et la police juive. La plupart furent tués à une soixantaine de kilomètres de Łódź, à Chełmno, un prototype pour les camps de la mort plus élaborés à venir. On les asphyxiait dans de grands camions en rejetant le monoxyde de carbone du pot d'échappement à l'intérieur au moyen d'un tuyau.

En septembre 1942, arriva la plus cruelle des déportations. Des milliers de Juifs, y compris les plus âgés, furent enlevés à leurs foyers, les malades furent traînés hors de leur lit d'hôpital et, horreur suprême, les enfants de moins de dix ans arrachés des bras de leur mère. Comme l'écrit Alexandra Zapruder, cette *Szpera*, ou « couvre-feu général »

---

1. Raul Hilberg, *La Destruction des Juifs d'Europe*, trad. Marie-France de Paloméra et André Charpentier, Paris, Fayard, 1988, p. 234.

(*shpere* en yiddish, *Gehsperre* en allemand), traumatisa Rywka à vie : deux de ses trois frères et sœurs, à savoir son jeune frère Abramek de dix ans et sa sœur Tamarcia de cinq ans, firent partie des captifs. En tant qu'aînée, Rywka était devenue une mère de substitution pour eux. Mais, n'ayant même pas treize ans, elle ne put rien faire pour empêcher leur déportation. Son journal, commencé moins d'un an après la *Szpera*, évoque sans cesse les sentiments de culpabilité, de perte et de colère face à cette séparation insupportable. Sa sœur Cipka, neuf ans, échappa à la capture ; elle n'en deviendra que plus précieuse à Rywka, qui partageait avec elle et ses trois cousines un petit appartement dans la rue Wolborska, près de la limite sud du ghetto.

Au lancement de la *Szpera*, Rumkowski, lui-même veuf et sans enfants, donna un discours à plus de 1 000 habitants du ghetto réunis dans un parc, les implorant de cette phrase devenue célèbre : « Donnez-moi vos enfants ! » Même à la toute fin, il pensait avoir raison : « Je dois couper des membres pour sauver le corps. Remettez-moi des victimes afin d'épargner d'autres victimes. » Le président arrogant, en pleurs, déclara être un « Juif brisé », rappela qu'il avait dirigé un orphelinat et admit qu'il ne savait pas comment survivre ou « trouver la force[1] ». Mais lorsqu'un homme dans la foule cria qu'il fallait laisser au moins un enfant à chaque famille, il resta sourd à ses appels. « Frères et sœurs, confiez-les-moi[2] », exigea-t-il.

---

1. Chaim Rumkowski, « Give me your Children ! » in *Lodz Ghetto : Inside a Community Under Siege*, Alan Adelson et Robert Lapides (éd.), New York, Viking, 1989, pp. 328-331.
2. *Ibid.*, p. 31.

Certains parents tentèrent de cacher leurs enfants, d'autres de corrompre les autorités. Ceux qui refusèrent tout bonnement de se séparer de leur progéniture furent abattus sur place. La police juive, en charge de la rafle, dut faire appel à d'autres employés des services publics du ghetto, tous Juifs. Leurs enfants et parents furent épargnés. Selon l'historien reconnu Isaiah Trunk, la semaine d'« orgie de meurtre », commencée le 5 septembre 1942, conduisit à 15 859 déportations vers Chełmno et à un minimum de 600 exécutions dans le ghetto[1]. Après l'opération, il restait environ 90 000 Juifs à Łódź. Presque tous avaient perdu un enfant ou un parent dans la *Szpera*.

Tandis que la morosité et la misère s'installaient dans le ghetto, il n'en demeura pas moins un centre de fabrication essentiel aux Allemands pendant encore deux ans. Ce n'est qu'au printemps 1944, l'Armée rouge se trouvant à moins de 150 kilomètres à l'est de la Vistule, que Berlin décida de liquider les Juifs de Łódź tant qu'il était encore temps. Entre mi-juin et mi-juillet, plus de 7 000 Juifs furent envoyés par train à Chełmno pour y être gazés. Mais l'anéantissement pur et simple du reste de la communauté se déroula en août.

Plus de 67 000 Juifs, y compris Rumkowski lui-même, montèrent dans des trains pour Auschwitz, où la plupart furent tués quelques heures après leur arrivée. À Łódź, ils furent nombreux à se cacher, sortant seulement la nuit pour chercher prudemment de la nourriture, mais

---

1. Isaiah TRUNK, *op. cit.*, p. 247.

la police juive, assistée par les pompiers, reçut l'ordre de les arrêter[1].

Les autorités réussirent à tout point de vue et, fin août, il ne restait que 1 500 Juifs dans le ghetto[2]. Certains travaillaient dans un atelier de textile encore en activité, mais la plupart prenaient directement leurs ordres des Allemands et triaient les affaires laissées par les déportés. En cinq ans seulement, une communauté de presque un quart de million de membres avait été éradiquée dans sa quasi-totalité. Les Soviétiques finirent par libérer Łódź en janvier 1945, environ six mois trop tard. Ils ne recensèrent que 877 survivants[3].

Rywka, sa sœur et ses trois cousines quittèrent Łódź au début d'août 1944 dans un compartiment à bétail en direction d'Auschwitz. Chaque déporté pouvait emporter 20 kilos d'affaires. Parmi celles de Rywka, son journal.

Fred ROSENBAUM,
fondateur de Lehrhaus Judaica,
la principale école juive pour adultes
de la région de la baie de San Francisco,
coauteur avec Eva Libitzky de *Out on a Ledge :
Enduring the Lodz Ghetto, Auschwitz and Beyond*,
paru chez Wicker Park Press en 2010,
ainsi que de six autres livres.

---

1. Eva LIBITZKY et Fred ROSENBAUM, *op. cit.*, p. 96.
2. Isaiah TRUNK, *op. cit.*, p. 267.
3. « Anonymous Boy : Lodz Ghetto », *in* Zapruder, p. 368.

La famille se souvient

Bien plus qu'un nom

Je ne connaissais que son nom : Rywka Lipszyc.

Comme le dit la poétesse israélienne Zelda : « Chaque personne a reçu un nom de ses parents, et un nom de Dieu. »

Tout ce que je savais de Rywka, c'est qu'elle avait vécu pendant la guerre. Rien d'autre. Je ne pouvais que deviner le reste. Comment était-elle ? Jolie ? Extravertie ? Avait-elle des tresses ? Des rêves ? Était-elle mince ou ronde ? J'étais libre de l'imaginer à ma guise.

Malgré l'insistance de mes questions, ma mère ne m'a jamais rien dit au sujet de Rywka. Elle la connaissait très bien : elles étaient de la même génération. Elles ont passé les années difficiles de la guerre ensemble jusqu'à la toute fin. Elles dormaient même sur la même couchette, dans le même lit de misère. Et pourtant, ma mère ne pouvait rien me dire à son sujet, pas plus qu'elle ne pouvait parler des autres disparus de sa famille, montés aux cieux par les fours d'Auschwitz.

Ma mère, Mina, fille de Hadassah et de Yochanan Lipszyc, est née à Łódź en Pologne en 1926 après ses sœurs Esther et Channah. Elle a grandi dans la maison de son grand-père, Mosze Menachem Segał, de mémoire bénie, qui était le rabbin de la ville. Ce grand-père avait cinq enfants, mais c'est son aînée, Hadassah, qui est restée à ses côtés, même après son mariage avec le rabbin Yochanan Lipszyc de mémoire bénie. Ce dernier était juge à la cour rabbinique de Łódź. Le grand-père de Mina, Mosze Menachem, tout comme son père Yochanan Lipszyc, se consacraient à la communauté.

Mère nous décrivait une maison pleine de vie, pleine de Torah. Elle nous racontait les armoires regorgeant de livres sacrés, les tables ornées de plats en argent chargés de délices divers et variés pour le shabbat et les fêtes. Les gens dans le besoin qui comptaient sur leur aide. Et puis elle mentionnait sa grand-mère, Tseluva Leya de mémoire bénie, qui dirigeait la maisonnée d'une main ferme. Les gens venaient chez eux, nous disait-elle, pour poser des questions au rabbin, et pas seulement sur la Halakha (la loi juive), mais aussi sur des problèmes matériels. Elle évoquait une maison qui s'efforçait de donner aux autres et, surtout, de servir Dieu.

Quand Mère parlait de sa maison, elle s'attardait surtout sur sa *yichus* (sa prestigieuse hérédité). Son arrière-grand-père maternel, rabbin de Łódź, s'appelait Chaim Eliyahy Meisel de mémoire bénie. Il était célèbre pour son habileté, sa sagesse et sa vivacité d'esprit. Il dirigeait les juifs de Łódź avec modestie et bonté. Le gouvernement polonais l'a d'ailleurs distingué pour ses nombreuses contributions à la société. Et récemment, la ville de Łódź lui a dédié un parc pour le centième anniversaire de sa mort.

Mère ne parlait pas beaucoup de la famille de son père, le rabbin Yochanan Lipszyc, peut-être parce que personne n'a survécu, du moins à ma connaissance. La douleur de la perte, insupportable, n'est que rarement évoquée. Mes questions recevaient souvent des réponses distantes. Mère se rappelait les noms des oncles, mais pas ceux de leurs femmes ni de leurs enfants.

En 1990, ma fille Tamar s'est rendue en Pologne pour une mission de jeunes. À son retour, débordant d'expériences à partager, elle a demandé à écrire une histoire de la famille. C'est la première fois que Mère a accepté de nous aider à reconstituer l'arbre généalogique de la famille et à ressusciter, au moins sur papier, les membres de sa famille perdus lors de la Shoah. De cette remarquable famille de taille considérable, seules deux filles ont survécu : Esther et Mina. Dieu merci, elles ont créé de nouvelles familles qui perpétuent le nom des victimes.

Avraham Dov et Esther Lipszyc avaient huit enfants. Le troisième fils, Yochanan, a épousé Hadassah. Le cinquième, Yankel, a épousé Miriam Zelwer (la mère de Rywka). Tous vivaient près de Łódź et se voyaient régulièrement. Au début de la guerre, le danger était partout, et chacun essayait de sauver sa famille. La panique et le chaos régnaient ; certains voulurent s'enfuir, sans savoir où aller. La vie n'était plus que peur, crainte, et recherche désespérée de solutions.

Yankel Lipszyc a tenté de fuir avec Noach Vladmirsky, son beau-frère. Mais une bombe s'est écrasée sur une maison près de Łódź, tuant Noach dans l'explosion. Après les funérailles, Yankel est rentré. Un jour qu'il sortait, des Allemands l'ont attrapé et brutalement roué de coups. Il fut gravement blessé tant au corps qu'à la tête. Le personnel de l'hôpital a fait de son mieux pour lui rendre la santé, et il a pu rentrer chez lui (moment décrit par Rywka dans son journal). Mais les problèmes pulmonaires n'ont jamais disparu et il est mort de ses blessures un an plus tard. Il a été enterré à Łódź le 2 juin 1941.

Miriam s'est retrouvée seule avec quatre enfants : Rywka, ses sœurs Cypora (Cipka) et Tamarcia, et son frère Abramek (Abram). Quatre jeunes enfants, dans ce ghetto sordide. Malgré l'aide des nombreux membres de sa famille qui demeuraient encore dans le ghetto, la famine a exigé son dû, et Miriam est décédée le 8 juillet 1942, soit un mois avant la *Szpera*.

Lui ont survécu quatre orphelins âgés de deux à treize ans. Trois semaines plus tard a eu lieu la déportation. Abram et Tamarcia ont été emmenés vers leur mort, tandis que Rywka (treize ans) et Cypora (dix ans) étaient abandonnées à elles-mêmes. Elles étaient censées rejoindre l'orphelinat du ghetto, mais la famille s'est chargée de les recueillir : ma grand-mère, Hadassah, les a adoptées.

Hadassah elle aussi avait perdu son mari, le rabbin Yochanan de mémoire bénie, emmené et assassiné à Chełmno. En plus de Rywka et Cypora, Hadassah a pris sous son aile une autre nièce de trois ans qui s'appelait Esther. Elle vivait désormais avec six filles : ses trois enfants Esther, Channah et Mina, celles de Yankel :

Rywka et Cypora, ainsi que la petite Esther, fille de Tova Vladimirsky, la sœur de Yochanan et de Yankel Lipszyc.

Selon ma mère, Hadassah était tellement dévastée par la perte de son mari qu'il incombait à Esther de s'occuper de la maison et des enfants. Elle est tombée gravement malade à cause du manque de nourriture, et les filles se relayaient à son chevet. Ma mère nous a raconté qu'elles acceptaient du travail supplémentaire afin de lui procurer de la nourriture, et qu'elles faisaient tout pour lui sauver la vie. Mais le 11 juillet 1943, son cœur s'est arrêté.

Il restait alors cinq filles dans la maison : Esther, Channah, Mina, Rywka et Cypora. (La petite Esther, trois ans, est partie vivre chez une autre tante du côté paternel. Elle est morte avec le reste de la famille.)

À quoi ressemblait leur vie ? Je n'en avais aucune idée. Comment était le ghetto ? « Difficile. » Voilà la seule réponse que j'obtenais. Esther, qui n'avait que vingt ans à l'époque, était l'aînée et remplaçait les mères des autres, mais je n'ai jamais vraiment su ce que la perte de leurs parents ou leur lutte pour la survie leur avaient coûté, à elle et à ma mère. J'ai l'impression qu'Esther se sentait responsable, et que Mère avait quelqu'un sur qui compter.

Il y a environ un an, un membre de Yad Vashem m'a contactée pour me demander si j'avais déjà entendu parler de Rywka Lipszyc. Je connaissais son existence, mais guère plus. C'est alors que j'ai appris qu'une famille de Moscou avait conservé un journal que leur grand-mère avait retrouvé au milieu des cendres d'Auschwitz. C'était un journal que Rywka tenait dans le ghetto de Łódź. Elle y avait décrit ses expériences durant ces heures terribles.

> *Écrire !... Ne faire qu'écrire !... Alors, j'oublie la nourriture et tout le reste, j'oublie tous mes tourments (j'exagère un peu). Que Dieu donne la santé et le bonheur à Surcia, rien que pour m'avoir soumis cette merveilleuse idée d'écrire un journal... (11 février 1944)*

Dans cet incroyable témoignage, Rywka décrit les souffrances et la faim atroce qu'elle endure. Elle dépeint la vie d'une adolescente qui découvre le monde et ses habitants, qui les observe en essayant de comprendre la réalité inconcevable de ces circonstances hors du commun. Et surtout, elle explique à quel point lui manquent sa mère, son père et son petit frère. Ses parents sont morts devant ses yeux, mais le sort de son petit frère reste un mystère. Elle sait qu'elle ne le reverra sans doute jamais. Avec qui partager ses pensées ? À qui confier sa douleur ? Son journal la réconforte, il devient son double secret. Elle écrit qu'elle doit le cacher à ses cousines. C'est le seul moyen de préserver son âme : dissimuler sa vraie nature aux yeux de tous.

Comment être authentique dans une réalité inconcevable ?

Dans la réalité de la guerre — une réalité trop changeante pour être fiable —, Rywka cherchait un repère. Elle l'a trouvé en Dieu. C'est à Dieu qu'elle adressait ses prières et sa foi. Si elle n'avait pas grandi dans une maison de foi, une maison où la vie religieuse constituait la liberté suprême, elle aurait été privée de tout réconfort dans cette époque incompréhensible. En lisant son journal, on s'aperçoit que la douleur et la faim empiraient sans cesse. La nourriture se faisait de plus en plus rare, elle n'avait pas d'outil de travail (toutes les machines à coudre étaient cassées, sans personne pour les réparer), et le temps devenait une ressource précieuse. Elle n'avait de temps ni pour elle ni pour écrire ; elle vivait de prière et de foi. L'étude de la Torah et la préparation du Séder l'aidaient à tenir bon. Elle regrettait que son besoin de travailler l'ait empêchée de respecter le shabbat, et elle demandait à ne plus jamais subir une horreur pareille :

> *Ah, c'est à nouveau vendredi !... Comme le temps file vite !... [...] Qu'est-ce qui nous attend dans le futur ? Je me pose cette question avec crainte, mais aussi avec une curiosité juvénile. Et si ? Et à ça aussi, il y a une réponse, la grande réponse : Dieu et la Torah ! Dieu le père et Torah la mère ! Voici nos parents ! Tout-Puissants, Omniscients, Éternels ! [...] j'ai un soutien, parce que j'ai ce grand, cet immense soutien, la foi, parce que je crois ! Et de cette manière, je suis plus forte, je suis plus riche et plus valable que les autres... Dieu, comme je Te suis reconnaissante ! (11 février 1944)*

Tout au long du journal, Rywka se révèle être une jeune fille juive emplie de sa foi en Dieu. Elle voit Dieu dans tout ce qu'elle accomplit.

Je n'en reviens pas qu'une fille si jeune (elle n'avait que quatorze ans) soit si proche de ses émotions. Rywka se battait pour vivre. Pas seulement pour survivre, elle choisissait la vie ! Elle savait que ce choix lui coûterait du chagrin et de la douleur, mais pour elle, cela valait mieux que de choisir de vivre sans sentir.

Hier, durant la nuit, j'ai pensé : Tout va bien pour celui qui est inconscient, mais totalement inconscient, qui est un enfant, mais rien ne va pour celui qui est conscient de son inconscience... Et j'appartiens précisément à cette catégorie de gens... Je ne vais pas bien. Et le pire, c'est que je ne trouve aucun conseil, que je ne sais pas quoi faire... Et toujours, toujours la même chose... Je n'ai qu'une seule réponse à tout : Surcia. Ah, Surcia... (23 décembre 1944)

On reste bouche bée devant la manière qu'elle a d'analyser sa vie à travers le prisme de ses émotions. Elle n'a de cesse d'observer les gens : leur façon de se comporter, leur façon d'incarner l'image divine. Elle les étudie et scrute leurs actions. Elle conseille même à sa jeune sœur Cypora de tenir un journal et lui apprend à l'imiter. Et dans la réalité cruelle qui est la sienne, elle découvre, à son grand désarroi, que, pour survivre, les gens peuvent se transformer en animaux, en tricheurs, en menteurs, voler la nourriture et sacrifier leurs amis. Ces constatations lui pèsent et, parfois, lorsque la vie n'a plus de sens ou devient trop intolérable, elle voudrait mourir.

La cohabitation avec ses cousines n'est pas facile. Elle sait qu'on l'accueille par charité. Elle ne se sent pas chez elle et regrette de ne pas avoir de foyer. Comme elle ne sent pas à sa place, elle n'aide pas autant que ce que les autres attendent d'elle. Ses cousines lui en veulent, surtout Esther qui dirige la maisonnée. Les autres se fâchent, elle ne réagit pas, elles se plaignent à ses professeurs. Elle fait de son mieux en espérant que tout ira bien. Elle pense que personne ne la comprend. Son journal devient son sanctuaire. Le papier supporte tout.

Esther se souvient d'un jour où Rywka avait disparu de l'appartement juste au moment où on avait besoin d'elle. Rywka s'isolait pour écrire. Mina, par contre, était sceptique quant à l'existence du journal, parce qu'elle ne voyait jamais Rywka écrire. Cette dernière se sentait comme une étrangère chez elle. La pauvre.

Elle avait décidé d'aller à l'école : elle était de nature curieuse. Elle aimait lire, écrire, réfléchir au sens de la vie. L'école était un refuge. Elle y étudiait la littérature, échangeait des livres, écrivait des pièces, composait des chansons. L'école est devenue son lieu de travail et c'est là qu'elle recevait ses rations. C'est aussi là qu'elle a trouvé l'amour, celui de Surcia. Surcia était sa conseillère et, de la même manière que les adolescentes admirent leur idole, Rywka admirait Surcia.

Nous savons que Surcia est Sara Selver-Urbach. Elle faisait partie de l'Association des Juives de Łódź et est devenue le guide spirituel de Rywka. Elle aussi tenait un journal et elle a publié des Mémoires à destination de sa famille : *Through My Window : Memories from the Łódź Ghetto.* Son journal a semble-t-il été détruit dans les flammes d'Auschwitz. Dans son autobiographie, elle raconte que, après l'agonie du camp de concentration, on l'a envoyée dans un camp de travail. Là, elle a écrit l'histoire de sa vie sur des bouts de papier qu'elle trouvait par terre. Ces fragments ont survécu, et elle a pu les garder. On les trouve dans son livre. À la lecture de ces pages dépareillées, on constate une grande similarité avec le style de Rywka.

Nous (ma tante, ma mère et moi) avons rencontré Sara après avoir reçu le journal. J'espérais qu'elle nous parlerait de Rywka. Malheureusement, son état ne lui permettait pas d'en parler clairement, et une question me taraude encore : Sara avait-elle un lien avec Rywka du côté de sa mère ? Savait-elle à quel point Rywka l'aimait, ou cet amour est-il resté secret ?

À l'issue de ma lecture du journal de Sara, je me sentais très triste à l'idée de cette occasion manquée. Je ne connaissais toujours pas Rywka. J'avais essayé d'obtenir plus d'informations de Mère, mais ne recevais jamais qu'un laconique « Elle est morte ». Mère a laissé les morts tranquilles pour se construire une nouvelle vie.

Je n'ai pas renoncé. Je lui ai demandé de me raconter ce qui leur était arrivé après leur départ du ghetto. Mère m'a raconté sa version, et Esther la sienne. Elles se ressemblent mais ne sont pas identiques. La mémoire est subjective, et elles n'ont pas gardé les mêmes souvenirs.

En août 1944, après la destruction du ghetto, cinq filles attendaient à la gare un train vers l'inconnu. On a donné à l'une d'elles une miche de pain qu'elles ont emportée à Auschwitz. J'ai demandé ce qu'elles avaient pu emmener. Mère a dit avoir oublié, Esther se souvient avoir pris des photos de sa famille. Rywka, apparemment, avait gardé son journal. À leur arrivée à Auschwitz, elles ont enduré la sélection scandaleuse de Mengele (que son nom soit effacé). Cypora a été envoyée à gauche. Esther, en tant que « mère » protectrice, a tenté de la suivre, sans succès. Il ne restait alors que les trois cousines et Rywka. Au bout de sept jours d'enfer indescriptible, on les a toutes transférées au camp de travail de Christianstadt pendant six mois. Elles installaient des canalisations d'égouts. Réduites à l'état de squelette, elles accomplissaient ce labeur sans rien pour protéger leur corps de l'hiver glacial 1945. Par miracle, elles ont survécu à cette atrocité. Pendant la défaite des Allemands, on les a emmenées pour une marche de la mort. En six semaines, elles ont parcouru entre quarante et cinquante kilomètres par jour pour rejoindre Bergen-Belsen, où on les a abandonnées à leur sort. Toutes étaient gravement malades.

Esther, Mina et Rywka partageaient la même couchette ; Channah, en condition critique, a été hospitalisée. Chaque jour, Mère allait la voir et s'en occupait. Elle essayait de lui remonter le moral, la suppliait de tenir bon. Mais Channah est morte le jour de la libération par l'armée britannique, le 15 avril 1945. Apprenant cela, Mère est rentrée s'allonger sur le sol à côté de Rywka et d'Esther ; elles faisaient de leur mieux pour partager la chaleur corporelle. Lorsque Esther a demandé si elle avait vu Channah, Mère lui a répondu d'y aller elle-même, ce qu'elle a fait. À son retour, elle aussi s'est allongée par terre à côté des autres. Personne n'a parlé. Aucun mot ne pouvait exprimer leur chagrin. La perte était incommensurable, la douleur insupportable. Encore aujourd'hui, personne ne parle de la douleur. Elle est enfouie en nous et se transmet de génération en génération.

Le plan de libération et de réhabilitation des survivants du camp consistait à les transporter vers la Suède, où ils recevraient des soins plus poussés. Tout le monde était très malade. Mère a dit qu'au moment où elle s'est retrouvée à l'hôpital allongée près d'Esther, elle a perdu conscience pendant deux semaines. Esther était elle aussi mal en point et risquait de ne pas survivre au voyage. Alors Mère a dû signer un formulaire pour prendre sur elle la responsabilité du transport. Avant le départ, ayant recouvré un peu de forces, Mère a cherché Rywka. Elle se souvient qu'à son arrivée à l'hôpital le docteur lui a dit que Rywka était mourante, et qu'il ne lui restait que quelques jours à vivre. Mère est partie en croyant que sa cousine ne survivrait pas à cette maudite guerre. Ainsi Rywka, elle aussi, tomba dans l'oubli.

Jusqu'à la découverte de son journal.

« J'avais enfin réussi à l'oublier, et voilà que tout à coup elle revient. » Telle a été la réaction de Mère en entendant que le journal de Rywka avait été retrouvé par un médecin soviétique après la libération d'Auschwitz et était arrivé aux États-Unis soixante ans plus tard. Grâce à des documents que Mère avait remplis après la guerre et où elle avait inscrit le nom des personnes de sa famille mortes pendant la Shoah, on nous avait retrouvées comme étant ses plus proches parents.

« Quel souvenir as-tu d'elle ? » ai-je demandé à ma mère. Elle m'a répondu que Rywka avait l'air plus âgée qu'elle, alors qu'elle avait deux ans de moins. Elle se rappelle que pendant la sélection à Auschwitz le cas de Rywka n'avait soulevé aucune question parce qu'elle faisait plus que son âge et qu'elle semblait apte à travailler. Tandis que pour Mère, les choses n'avaient pas été si simples. Esther, elle, se souvient que le ventre de Rywka était enflé, et que Mengele, que son nom soit effacé, lui avait demandé si elle était enceinte. Esther a alors expliqué que c'était la faim qui lui gonflait ainsi le ventre. Mère dit qu'elles partageaient toutes la même couchette de paille, aussi bien à Auschwitz qu'au camp de travail.

Le Dr Anita Friedman, directrice des JFCS de San Francisco, nous a envoyé le journal. La petite-fille du médecin soviétique l'avait remis à la Tauber Holocaust Library du JFCS pour qu'ils le mettent à l'abri. Depuis, la directrice de la bibliothèque, Judy Janec, mène des recherches pour savoir ce qui est arrivé à Rywka. C'est en suivant la piste des documents qu'elle a trouvé la preuve que Rywka avait survécu à la guerre. Mais pour la suite, personne n'est sûr de rien.

Au cours des recherches, un document portant son écriture a été retrouvé. Il a été rempli cinq mois après les adieux de Mère à Rywka, lorsqu'elle était sûre qu'elle allait mourir. En voyant le document, le doute nous a assaillis. Mère parlait du choix impossible qui s'était posé à elle : rester à ses côtés alors que les médecins ne lui donnaient aucun espoir, ou aller en Suède avec sa sœur et entamer les démarches de réhabilitation. Et elle avait choisi ! Mais voilà que, avec ces nouvelles informations, elle était poursuivie par le doute.

Rywka était-elle toujours en vie ? S'était-elle installée en Israël ? Pourquoi n'a-t-elle pas cherché Mina et Esther ? Les croyait-elle mortes, de la même manière qu'elles la pensaient disparue ? Avait-elle une famille ? Où ?

Ces questions demeurent sans réponse.

Et moi ? Je suis très triste de ne pas avoir eu l'occasion de la connaître. Je suis sûre qu'elle et moi nous serions entendues. Je crois qu'elle m'a appris qu'on peut, qu'on doit vivre quel que soit le contexte. Même dans des circonstances hors du commun, sous le régime nazi, jamais Rywka n'a perdu la foi. La force qu'elle trouvait en Dieu, dans la Torah et la vie quotidienne qui allait de pair avec sa vie spirituelle, c'était de savoir que la vie éternelle fait corps avec l'âme.

Rywka a eu la chance de nous revenir. Encore aujourd'hui, je la sens en moi. J'ai un immense besoin de raconter son histoire, de la transmettre aux générations à venir. Esther et Mère ont eu la chance de construire de grandes familles. En Israël, elles ont des petits-enfants et des arrière-petits-enfants qui leur permettent de maintenir le souvenir des êtres qui leur sont chers. Rywka a reçu le don d'un nom – un don de Dieu. Tous ceux qui liront son journal garderont son nom en vie.

Hadassa Halamish
fille de Mina Boyer, une des deux cousines
qui vivaient avec Rywka Lipszyc
dans le ghetto de Łódź et ont survécu à Auschwitz,
Christianstadt et Bergen-Belsen à ses côtés.

Rencontre avec le passé

C'est incroyable ! Après tant d'années, nous avons vu le journal de Rywka qui avait été enterré à Auschwitz !

En apprenant l'existence du journal, j'étais stupéfaite. Je n'arrivais pas à croire à un tel miracle. Sa lecture m'a ramenée à l'époque du ghetto, à la peur, à la faim et au travail pénible incessant. J'ai l'impression que ceux qui ne l'ont pas vécu ne pourront jamais concevoir l'enfer que nous avons vécu pendant ces années de guerre.

Je n'étais qu'une enfant alors, dix-neuf ans seulement. Mais j'ai grandi vite. J'étais responsable de toutes les filles de ma famille, deux sœurs et deux cousines, et la charge n'était pas légère. C'était d'autant plus difficile avec Rywka qui, étant l'aînée de sa fratrie, se considérait comme une « grande fille » et avait du mal à accepter mon autorité. Elle a décrit nos disputes dans son journal. Je comprends maintenant que la situation, où j'étais la plus ancienne et la responsable, n'avait rien de confortable pour elle.

Elle nous a rejointes en septembre 1942 après la mort de ses parents. C'était une fille très douée, qui aimait lire et écrire. Apparemment, elle a commencé son journal au début de l'année 1943 sous l'influence de son modèle, Sara Selver-Urbach. Mais le cahier retrouvé à Auschwitz est daté d'octobre 1943 à avril 1944. Nous avons quitté le ghetto pour Auschwitz en août 1944. Peut-être y avait-il un autre cahier ?

Écrire faisait beaucoup de bien à Rywka. Elle en oubliait la faim et la douleur. Dans le journal, on remarque sa foi immense, celle qui la soutenait et lui donnait l'espoir de meilleurs lendemains. Sans une telle foi, on risquait de perdre l'esprit.

Aujourd'hui, il est difficile de croire ce que nous avons enduré. Nous nous sommes vengés en survivant malgré ceux qui voulaient nous détruire. Nous avons une grande famille... *une tribu dans la gloire d'Israël*. Malheureusement, nous ne savons pas ce qui est arrivé à Rywka. En 1945, ma sœur Mina et moi sommes parties en Suède pour nous soigner, tandis que Rywka est restée dans un hôpital, très malade. Grâce à la découverte du journal et aux enquêtes qui l'ont suivie, nous avons appris qu'elle a survécu plusieurs mois après notre départ. Sur un document de septembre 1945, elle indique vouloir venir en terre d'Israël. Mais nous ne savons toujours pas où elle est allée.

Peut-être que ce livre, une fois publié et diffusé, aidera à éclaircir le mystère.

Esther Burstein
l'aînée des deux cousines qui vivaient
avec Rywka Lipszyc dans le ghetto de Łódź ;
elle et sa sœur Mina Boyer sont les seules
de leur famille à avoir survécu à la Shoah.

L'entourage de Rywka

La famille de Rywka

Rywka Lipszyc (prononcer « Rif-ka Lip-shitz ») : née le 15 septembre 1929 ; date de décès inconnue.

Yankel Lipszyc (père) : né le 14 octobre 1898 ; mort dans le ghetto de Łódź le 2 juin 1941.

Miriam Sarah Lipszyc (mère) : née le 15 décembre 1902 ; morte dans le ghetto de Łódź le 8 juillet 1942.

Abramek (Abram) Lipszyc (frère) : né le 13 janvier 1932 ; déporté et mort à Chełmno en septembre 1942.

Cipka (Cypora) Lipszyc (sœur) : née le 9 octobre 1922 ; morte à Auschwitz en août 1944.

Tamarcia (Estera) Lipszyc (sœur) : née le 10 septembre 1937 ; déportée et morte à Chełmno en septembre 1942.

La famille des cousines de Rywka

Yochanan Lipszyc (père) : né le 31 octobre 1894 ; déporté et mort à Chełmno en septembre 1942.

Hadassah Lipszyc (mère) : née le 8 mars 1903 ; morte dans le ghetto de Łódź le 11 juillet 1943.

Estusia Lipszyc (Esther Burstein) : née le 31 octobre 1923 ; vit en Israël.

Chanusia Lipszyc : née le 3 janvier 1925 ; morte à Bergen-Belsen le 15 avril 1945.

Minia Lipszyc (Mina Boyer) : née le 18 juin 1926 ; vit en Israël.

Les modèles de Rywka dans le ghetto de Łódź

Surcia : Sara Selver-Urbach ; vit en Israël.

Chajusia (sans doute Haya Guterman) : amie de Surcia ; sort inconnu.

Mlle (Fajga) Zelicka : professeur ; sort inconnu.

Qu'est-il arrivé à Rywka Lipszyc ?

Rywka a écrit dans son journal pour la dernière fois en avril 1944. Nous savons qu'elle a ensuite été déportée vers Auschwitz pendant la liquidation du ghetto de Łódź à la fin de l'été 1944. Après tout, c'est là que le journal a été trouvé. Mais comment a-t-il survécu au rude hiver polonais entre l'arrivée de Rywka à Auschwitz en août 1944 et le printemps 1945, moment de sa découverte par le médecin soviétique Zianaida Berezovskaya ?

Quantité de récits par des survivants de la Shoah nous apprennent qu'à leur entrée à Auschwitz-Birkenau les déportés avaient deux destins possibles. Soit Rywka était choisie pour la chambre à gaz et périssait immédiatement, soit elle était épargnée et rejoignait l'immense main-d'œuvre réduite en esclavage par les nazis. Mais on lui aura de toute façon enlevé ses possessions. Et une fois ses affaires réunies, y compris son journal, il est très probable qu'on les ait apportées à Kanada, l'atelier de triage d'Auschwitz-Birkenau. Là, d'autres détenus examinaient les vêtements, les colis et les valises : ils avaient pour tâche de mettre de côté tout ce qui serait utile à l'effort de guerre nazi.

Quelqu'un à Kanada aurait-il trouvé le journal et décidé de le garder ou de le cacher ? L'aurait-on délibérément enterré près du crématorium dans l'espoir qu'il serait un jour retrouvé ? Résoudre les mystères de Rywka et de son journal a fini par réunir les efforts d'historiens et d'archivistes du monde entier de 2008 à 2013.

Une fois qu'Ewa Wiatr, la transcriptrice du journal, eut identifié Rywka en 2009, j'ai parcouru la base de données des victimes de la Shoah de Yad Vashem à la recherche d'informations sur la jeune fille. Les noms de cette base proviennent de récits historiques, de documents et de « Feuilles de témoignage » fournis par les familles, les amis et les chercheurs afin que les victimes de la Shoah ne soient pas oubliées. J'y ai trouvé la trace de Rywka Lipszyc ainsi que celle de ses parents proches, grâce à un registre d'après-guerre des habitants du ghetto de Łódź. En juin 2011, le journal avait été traduit en anglais, et j'ai décidé de consulter à nouveau la base de données de Yad Vashem dans l'espoir qu'une recherche deux ans plus tard fournirait de nouvelles informations. Un document que je n'avais jamais vu me revint : à l'en croire, Rywka était morte à Bergen-Belsen à seize ans ! Il se fondait sur deux Feuilles de témoignage envoyées par Mina Boier (Boyer), la première en 1955 et la seconde en 2000. Mina s'y présentait comme la cousine de Rywka ; elle était sûrement la Minia régulièrement mentionnée dans le journal.

La Feuille de témoignage de 2000 indiquait que Mina résidait près de Tel-Aviv, dans la communauté religieuse de Bnei Brak. J'ai contacté le Dr Anita Friedman, directrice générale des JFCS, pour la prévenir qu'une des cousines apparaissant dans le journal pourrait être encore en vie. Le Dr Friedman se trouvait alors en Israël et s'est immédiatement mise en relation avec la famille. Non seulement Mina vivait encore, mais Esther, l'aînée des cousines (Estusia dans le journal) vivait elle aussi ! Il y avait tant à apprendre en parlant avec quelqu'un qui avait connu Rywka, sans parler des cousines avec qui elle avait vécu et subi tant de choses ! Et quelle découverte extraordinaire pour les cousines que d'apprendre l'existence du journal après tant d'années…

À travers des conversations avec Hadassa, la fille de Mina, nous avons appris ce qui était arrivé à Rywka, sa sœur Cipka et à leurs trois cousines à leur arrivée à Auschwitz en août 1944. Cipka fut immédiatement sélectionnée pour la chambre à gaz et donc séparée de Rywka. Celle-ci, tragiquement, avait dès lors perdu tous les membres de sa famille proche.

On envoya Rywka avec ses trois cousines à Christianstadt, un camp de femmes près de Gross-Roden. Après des mois de travail forcé, elles durent marcher jusqu'à Bergen-Belsen. Les jeunes femmes, qui avaient entre quinze et vingt-deux ans, avaient alors survécu au ghetto de Łódź, à Auschwitz, à Christianstadt et à une marche de la mort vers Bergen-Belsen. Trois d'entre elles ont également tenu assez longtemps pour être libérées par les troupes britanniques en avril 1945 – Chanusia, la cadette des cousines, avait succombé au typhus dans le camp. Selon Mina, Rywka était morte à Bergen-Belsen.

Entre-temps, nous avions envoyé des demandes d'informations sur le sort de Rywka à l'USHMM ainsi qu'au Service international de recherches (ITS) et à de nombreuses autres archives, dont le mémorial de Bergen-Belsen. Le nom de Rywka fut retrouvé sur une liste des personnes libérées à Bergen-Belsen. Toutefois, il restait introuvable sur les listes des morts de Bergen-Belsen, ce que Bernd Horstmann, le responsable du registre, jugea étrange : on savait plus ou moins qui était mort après la libération.

Grâce à l'aide de Steven Vitto, de l'USHMM, on découvrit une fiche de personne déplacée parmi les documents de l'ITS. Ces documents ont été réunis après la guerre par la Croix-Rouge internationale et l'administration des Nations unies pour le secours et la reconstruction.

La vaste source d'informations contient 50 millions de documents concernant 17,5 millions de victimes du nazisme, y compris celles des camps de personnes déplacées. Cette fiche soulevait de nombreuses questions. Tout d'abord, elle avait été remplie le 10 septembre 1945 au camp de transit de Lübeck. Il semblait donc qu'en fin de compte Rywka n'était pas morte à Bergen-Belsen et qu'elle vivait encore plusieurs mois après la libération. Une note manuscrite sur la fiche indique qu'elle a été transférée dans un hôpital de Niendorf, à une trentaine de kilomètres au nord de Lübeck, sur la côte de la mer Baltique, le 25 juillet 1945.

Les copies des fiches de personnes déplacées des cousines montrent qu'elles aussi ont été envoyées à Lübeck, mais le 5 juillet 1945, soit près de trois semaines avant

Rywka. De Bergen-Belsen, elles ont rejoint le camp de transit de Lübeck, avant de se rendre en Suède, où de nombreux survivants de la Shoah étaient envoyés pour se faire soigner et récupérer après la guerre. Rywka, quant à elle, fut apparemment transférée plus tard, et rejoignit Niendorf depuis Lübeck.

Après d'autres échanges avec l'ITS, nous avons obtenu une liste de patients d'hôpital envoyés vers l'hôpital de Niendorf le 23 juillet 1945 parce que « trop faibles pour être évacués vers la Suède ». Le nom de Rywka figure sur cette liste.

Pourquoi ses cousines pensaient-elles qu'elle était morte à Bergen-Belsen ? Mina a raconté à sa fille que, avant qu'elle et sa sœur ne partent pour la Suède, elle avait rendu visite à Rywka à l'hôpital et que le médecin lui avait dit qu'elle n'avait plus que quelques jours à vivre. Ce fut la dernière fois que Mina et Esther eurent de ses nouvelles.

Rywka est-elle morte à l'hôpital de Niendorf ? Si c'était le cas, il nous fallait trouver un document en attestant. (Jusqu'à preuve du contraire, il restait encore l'espoir qu'elle ait survécu jusqu'à un âge avancé.) Bernd Horstmann nous a suggéré de prendre contact avec Timmendorfer Strand, la commune dont dépend Niendorf. Les archivistes lui répondirent que l'hôpital n'existait plus et que Rywka n'apparaissait nulle part sur les registres de leur commune ou de leur cimetière.

J'ai alors contacté les archives municipales de Lübeck : aucune trace de Rywka, malgré des recherches poussées. D'autres messages et requêtes furent envoyés à l'ITS et à l'USHMM, sans nouveau résultat. J'écrivis aux archives nationales de Suède, au cas où Rywka serait retournée au camp de transit de Lübeck avant d'être envoyée en Suède. Rien là non plus.

Bernd Horstmann suggéra que, si l'hôpital de Niendorf n'existait plus, alors il devait s'agir d'un hôpital militaire britannique. Toutefois, après avoir contacté les archives nationales du Royaume-Uni, j'appris que l'armée britannique n'avait pas conservé les registres des camps de personnes déplacées de la zone d'occupation britannique après la fin de la guerre. C'est désormais l'ITS qui les détient.

On trouve une trace de l'hôpital de Niendorf dans une lettre rédigée par Bertha Weingreen, travailleuse sociale du British Jewish Relief Unit (JRU), et publiée dans la base de données académique « *Post-War Europe : Refugees, Exile and Resettlement 1945-1950* ». Elle y raconte que l'hôpital était dirigé par le fonds Save the Children et que la plupart des patients juifs morts là-bas avaient été enterrés dans le cimetière juif de Lübeck. Pourtant, les archivistes de l'université de Birmingham, où l'on conserve les archives institutionnelles de Save the Children, ne trouvèrent aucune autre information sur l'hôpital. Un membre de la communauté juive de Lübeck nous donna une liste des personnes déplacées enterrées dans ce cimetière, mais Rywka n'y figurait pas. En compagnie d'employés de plusieurs archives en Allemagne, nous avons cherché en vain sa trace sur les registres de personnes déplacées ou de demandes de compensation.

Que faire ensuite pour découvrir ce qui était arrivé à Rywka ? Nous avons décidé de nous mettre en relation avec l'éditeur du *Lübecker Nachrichten*, le journal local, et de lui demander de publier un article sur Rywka, son journal et nos recherches. L'article parut le 19 février 2012. Aucune information ne se fit jour, mais une étudiante du département d'études juives de l'université de Potsdam, Daniela Teudt, lut l'article et nous offrit ses services. Elle était née à Lübeck et avait écrit sa thèse sur les Juifs de Lübeck. Enthousiaste, elle connaissait parfaitement les alentours de Lübeck et de Niendorf, étudiait l'histoire des Juifs allemands de la région et se proposa pour consulter les archives locales plus en profondeur dans l'espoir de découvrir le sort de Rywka. Ce fut elle qui, en comparant la liste de transfert vers l'hôpital de Niendorf et celle des enterrés à Lübeck, s'aperçut que, sur les neuf filles de la liste de l'hôpital, cinq reposaient désormais au cimetière juif de Lübeck. Mais pas Rywka.

En octobre 2012, j'entamai un voyage de découverte sur les traces de Rywka, de Łódź à Auschwitz, de Bergen-Belsen à Lübeck et Niendorf. En consultant les archives locales de ces endroits, en voyant les documents, en visitant les cimetières et les mémoriaux, j'espérais découvrir quelques réponses aux mystères du destin de Rywka.

Łódź

J'ai commencé au même endroit que Rywka, à Łódź. En compagnie d'Ewa Wiatr, ma première partenaire de recherche ainsi que la transcriptrice du polonais à l'anglais, et son collègue Adam Sitarek, j'ai visité l'ancien site du ghetto. La maison de Rywka, au 38, rue Wolborska, a été démolie et depuis longtemps remplacée par des immeubles d'habitation. Je me suis rendu compte que la rue Wolborska est très proche de la limite sud du ghetto, et que tous les bâtiments en face de l'appartement de Rywka, y compris une des belles synagogues de Łódź, avaient été détruits par les nazis afin de protéger le reste de la ville des maladies qui infestaient le ghetto.

Nous avons visité l'ancien lieu de travail de Rywka (le *Wäsche- und Kleiderabteilung*), au 13/15, rue Franciszkanska. Nous avons vu l'endroit où elle vivait avant le ghetto, et l'immeuble de ses cousines. La zone du ghetto ne garde que peu de marques des années terribles endurées par la communauté juive entre 1940 et 1944. Nous avons ensuite visité la gare de Radegast, d'où Rywka, Cipka et leurs cousines, parmi des milliers d'autres, ont été envoyées dans des wagons à bestiaux vers Auschwitz-Birkenau.

Nous nous sommes aussi rendus au cimetière juif de Łódź, le deuxième en taille du monde, où 160 000 personnes sont enterrées. C'est un cimetière magnifique, débordant d'histoire et de mystère. Les sections plus anciennes sont recouvertes par les arbres et la végétation, ce qui rend difficile d'imaginer le cimetière entièrement dénué d'arbres, ainsi qu'Ewa m'a appris qu'il était à l'époque. (Pendant le ghetto, la communauté avait abattu tous les arbres pour se chauffer.) La partie réservée au ghetto, qui abrite près de 43 000 tombes, se trouve dans une section à part. Même si les défunts sont morts dans des circonstances extrêmement difficiles (blessures, maladie, malnutrition), chaque personne est honorée d'une tombe individuelle. Au cours d'une conclusion éprouvante de la visite, près du mur du cimetière, nous sommes tombés sur quatre fosses creusées par les derniers habitants du ghetto, qui pensaient en faire leur tombe commune. L'arrivée des troupes de libération soviétiques leur épargna ce sort.

Les Archiwum Państwowe w Łodzi (archives nationales de Łódź, APL) détiennent un million de documents des années 1940-1944, ce qui fait de Łódź un des ghettos nazis les mieux documentés. Microfilms de registres, de notices, de certificats, de cartes d'identité, de documents de logement et de travail, de certificats médicaux, et des centaines de photographies permettent de se plonger dans la vie quotidienne de ceux qui vivaient et travaillaient dans le ghetto de Łódź dans toute sa complexité. Là, je trouvai un nouveau document sur Rywka, à propos de ses allocations en tant qu'orpheline.

Auschwitz et Bergen-Belsen

Au début de notre enquête, Robert Moses Shapiro avait émis l'hypothèse que le journal de Rywka pouvait faire partie des manuscrits enterrés par les Sonderkommandos. Victimes de ce que Primo Levi considère comme « le crime le plus démoniaque du national-socialisme[1] », les Sonderkommandos étaient les prisonniers chargés d'escorter les Juifs qui venaient d'arriver vers les chambres à

---

1. Primo LEVI, *Les Naufragés et les Rescapés*, Paris, Gallimard, 1989, p. 53, trad. André Maugé.

gaz, d'emporter leurs corps au crématorium puis de disposer de leurs cendres. Isolés du reste du camp, ils travaillaient sous une pression psychologique, émotionnelle et spirituelle absolument indicible.

Se sachant condamnés, quelques membres de ces équipes spéciales écrivirent ce qu'ils vivaient et, en vue de laisser des preuves des crimes nazis après leur mort, placèrent leurs manuscrits dans des boîtes de conserve avant de les enterrer dans le sol près du crématorium III. Après la guerre, on retrouva plusieurs de ces manuscrits. Le premier, écrit par Zalmen Gradoski, qui périt au cours du soulèvement des Sonderkommandos en octobre 1944, fut déterré par Shlomo Dragon, lui-même ancien membre d'un Sonderkommando, qui l'indiqua aux enquêteurs soviétiques. Au total, entre 1945 et 1981, huit manuscrits furent retrouvés.

Presque tous étaient de la main de Sonderkommandos, mais un homme, Zalmen Lewental, avait aussi enterré autre chose : un journal écrit dans le ghetto de Łódź par un adulte. Avant de l'enterrer, M. Lewental rédigea une note datée du 14 août 1944 et l'enveloppa autour du journal. Découverts en 1961, le manuscrit et la note avaient été très endommagés par l'eau, mais on pouvait encore lire que d'autres manuscrits restaient à déterrer : « [...] Cherchez encore ! Vous en trouverez encore[1]. »

---

1. Robert Moses Shapiro, éd., « Diaries and Memoirs from the Lodz Ghetto in Yiddish and Hebrew », in *Holocaust Chronicles : Individualizing the Holocaust Through Diaries and Other Contemporaneous Personal Accounts*, Hoboken, New Jersey, KTAV Publishing House, Inc., 1999, p. 106, trad. fr. in *Des voix sous la cendre*, Paris, Calmann-Lévy, 2005, p. 90.

Faisait-il entre autres allusion au journal de Rywka ? J'ai rendu visite au Dr Wojciech Płosa, directeur des archives au Musée national d'Auschwitz-Birkenau à Oświęcim, en Pologne. Après avoir examiné les scans du journal et l'article que Zinaida Berezovskaya avait gardé avec, il m'a confirmé qu'il était probable que le journal de Rywka soit le neuvième manuscrit des Sonderkommandos.

Le journal est resté à Auschwitz-Birkenau, mais pas Rywka. Après des mois de travail pénible au camp de concentration de Christianstadt, elle et ses cousines partirent pour une marche forcée vers Bergen-Belsen. C'est là que, après des années de famine, de souffrances et de deuils, Rywka fut libérée en avril 1945. Elle a tenu bon jusqu'à sa libération ; elle a vécu assez longtemps pour être emmenée à l'hôpital et y recevoir des soins ; elle a vécu assez longtemps pour quitter Bergen-Belsen. J'ai rencontré Bernd Horstmann au mémorial. Nous avons parcouru le site, au milieu des buttes formées par les tombes communes remplies des corps des disparus. Ils sont toujours là, dans le silence de la campagne. Chanusia, la cousine de Rywka, se trouve parmi eux.

Lübeck

C'est surtout à Lübeck que j'espérais en apprendre plus sur la vie de Rywka. Malheureusement, mes visites aux archives municipales n'ont rien révélé. Aucun registre de personnes déplacées n'était en lien avec des personnes déplacées juives. J'ai également visité le cimetière juif de

Lübeck dans le quartier de Moisling, à la périphérie de la ville. C'est là qu'on enterrait les morts de l'hôpital de Niendorf. Dans un coin reculé de ce cimetière discret se trouvent les tombes de 87 Juifs morts entre 1945 et 1950. Nous avons arpenté ces allées pour voir chaque nom. La plupart étaient de jeunes Polonais, entre seize et vingt-quatre ans, certains n'étaient que des enfants. C'est dans ce coin isolé que j'ai retrouvé les tombes des cinq filles qui étaient à l'hôpital de Niendorf en même temps que Rywka, et qui y étaient mortes : Tusela Muschkatenblum, Bella Goldberg, Halina Burgztyn, Celina Milstein et la plus triste, la tombe d'une jeune femme inscrite comme *Deaf, Mute* (« Sourde, Muette ») sur la liste, mais dont la pierre tombale indique *Seaf, Mute*. Aucune trace de la tombe de Rywka.

Nous avons poursuivi les recherches au cimetière municipal de Lübeck, ainsi que dans ceux des villes voisines de Travemünde, Timmendorfer Strand, Niendorf et Neustadt. Nous y avons trouvé une seule stèle juive, les tombes des victimes de la tragédie du *Cap Arcona*[1], celles de prisonniers de guerre polonais et néerlandais, de victimes des camps de concentration, et celles de soldats allemands, mais pas celle de Rywka Lipszyc.

Nous sommes passés au port de Travemünde, d'où l'on envoyait les rescapés de la Shoah comme les cousines de Rywka en Suède, de l'autre de côté de la Baltique. Pour

---

1. Le 3 mai 1945, le bateau allemand *Cap Arcona,* transportant les survivants des camps de concentration, fut bombardé par les Britanniques et coulé dans la Baltique. Près de 4 000 prisonniers périrent.

finir, nous avons visité le site d'un hôpital, construit en 1911, qui aurait servi entre 1938 et 1948 et qui pourrait être celui qui nous cherchions. Aujourd'hui, on en a fait un centre d'accueil pour mères et enfants. Il fait partie du système de santé allemand, et est dirigé par les Franciscaines de Saint-Georges. Personne là-bas ne savait à quoi avait servi l'hôpital en juillet et août 1945, moment où Rywka aurait pu s'y trouver.

Londres

Pour finir, mes recherches m'ont emmenée à Londres, où j'ai examiné les documents de la Wiener Library et des archives nationales. J'y cherchais des bribes d'informations sur les activités de l'hôpital de Bergen-Belsen en juin et juillet 1945, les transferts vers la Suède en passant par Lübeck, ou sur les hôpitaux militaires britanniques dans le Land allemand du Schleswig-Holstein, surtout celui de Niendorf. J'ai appris énormément sur les efforts héroïques des troupes britanniques pour sauver les vies fragiles des survivants, mais rien qui ne m'éclaire sur le sort de Rywka.

Après des années de recherche, et malgré les efforts joints d'archivistes et d'historiens du monde entier, le mystère reste entier. Mais il y a toujours de nouvelles pistes à explorer. Nous continuerons notre enquête sur cette jeune rescapée, en espérant qu'un jour nous saurons ce qui est arrivé à Rywka Lipszyc.

Si jamais un lecteur a des informations qui nous seraient utiles pour retrouver Rywka Lipszyc, merci de contacter le JFCS Holocaust Center, au 2245, Post Street, San Francisco, Californie, 94115 (www.jfcs.org).

Judy JANEC

Bibliographie

BENTWICH, Norman, *They Found Refuge*, Londres, The Cresset Press, 1956

BEZWIŃSKA, Jadwiga, éd., *Amidst a Nightmare of Crime : Notes of Prisoners of Sonderkommando Found at Auschwitz*, Publications du Musée national d'Oświęcim, 1973, trad. anglaise Krystyna Michalik

COHEN, Nathan, « Diaries of the Sonderkommandos in Auschwitz : Coping with Fate and Reality » *in* Yad Vashem Studies, XX, Jérusalem, 1990, Aharon Weiss éd.

CZECH, Danuta, *Auschwitz Chronicle : 1939-1945*, New York, Henry Holt and Company, 1990

Das Gesicht Des Gettos : Bilder Jüdischer Photographen aus dem Getto Litzmannstadt 1940-1944 : Le visage du ghetto : photos par des photographes juifs du ghetto de Łódź de 1940 à 1944, musée Topographie de la terreur, 2010

DIDI-HUBERMAN, Georges, *Images malgré tout*, Paris, éditions de Minuit, 2003

DOBROSZYCKI, Lucjan, éd., *The Chronicle of the Łódź Ghetto 1941-1944*, New Haven, Yale University Press, 1984, trad. anglaise Shane B. Lillis

GREIF, Gideon, *We Wept Without Tears : Testimonies of the Jewish Sonderkommando from Auschwitz*, New Haven, Yale University Press, 2005

GROSSMAN, Mendel, *With a Camera in the Ghetto*, Zvi Szner et Alexander Sened (éd.), New York, Shocken Books, 1977

GUMKOWSKI, Janusz, *Brief auf Litzmannstadt*, Adam Rutkowski et Arnfrid Anste (éd.), Cologne, Friedrich Middelhauve Verlag, 1967

HORWITZ, Gordon J., *Ghettostadt : Lodz et la formation d'une ville nazie*, Paris, Calmann-Lévy, 2012, trad. Jean-Pierre Ricard

LANGBEIN, Hermann, *Hommes et femmes à Auschwitz*, Paris, Fayard, 1975, trad. Denise Meunier

LAVSKY, Hagit, *New Beginnings : Holocaust Survivors in Bergen-Belsen and the British Zone in Germany, 1945-1950*, Détroit, Wayne State University Press, 2002

LEVI, Primo, *Les Naufragés et les Rescapés : quarante ans après Auschwitz*, Paris, Gallimard, 1989, trad. André Maugé

LIBITZKY, Eva et Rosenbaum, Fred, *Out on a Ledge : Enduring the Lodz Ghetto, Auschwitz, and Beyond*, River Forest, Illinois, Wicker Park Press, 2010

Litzmannstadt Getto, www.lodz-ghetto.com, consulté le 28/10/2014

MANKOWITZ, Zeev W., *Life between Memory and Hope : The Survivors of the Holocaust in Occupied Germany*, Cambridge, Angleterre, Cambridge University Press, 2002

MARK, Ber, *Des voix dans la nuit : la résistance juive à Auschwitz-Birkenau*, Paris, Plon, 1982, trad. Esther Mark, Joseph Fridman et Liliane Princet

PATT, Avinoam J. et Berkowitz, Michael éds., « *We Are Here* » : *New Approaches to Jewish Displaced Persons in Postwar Germany*, Détroit, Wayne State University Press, 2010

Bibliographie

Post-War Europe : Refugees, Exile and Resettlement : 1945-1950, e-book, Gale Cengage Learning, 2007

PRESSAC, Jean-Claude, *Les Crématoires d'Auschwitz : la machinerie du meurtre de masse*, Paris, CNRS éditions, 1993

PRSTOJEVIC, Alexandre, « L'indicible et la fiction configuratrice », *Protée*, volume 37, numéro 2, automne 2009, p. 33-44, http://www.erudit.org/revue/pr/2009/v37/n2/038453ar.html?vue=resume, consulté le 03/12/2014

REES, Laurence, *Auschwitz : A New History*, New York, PublicAffairs, 2005

ROSENFELD, Oskar, *In the Beginning Was the Ghetto*, Hanno Loewy (éd.), Evanston, Illinois, Northwestern University Press, 2002, trad. anglaise Brigitte Goldstein

SELVER-URBACH, Sara, *Through the Window of My Home : Recollections from the Lodz Ghetto*, Jérusalem, Yad Vashem, 1986, trad. anglaise Siona Bodansky

SHAPIRO, Robert Moses éd., *Holocaust Chronicles : Individualizing the Holocaust Through Diaries and Other Contemporaneous Personal Accounts*, Hoboken, New Jersey, KTAV Publishing House, 1999

SHEPHARD, Ben, *After Daybreak : The Liberation of Bergen-Belsen*, 1945, New York, Schocken Books, 2005

SHEPHARD, Ben, *Le Long Retour, 1945-1952 : l'histoire tragique des déplacés de l'après-guerre*, Paris, Albin Michel, 2014, trad. John E. Jackson

SINGTON, Derrick, *Belsen Uncovered*, Londres, Duckworth, 1946

STONE, Dan, « The Sonderkommando Photographs », *Jewish Social Studies*, New Series vol. 7, n° 3, printemps-été 2001, pp. 131-146, http://www.jstor.org/stable/4467613, consulté le 04/12/2014

STRUK, Janina, *Photographing the Holocaust : Interpretations of the Evidence*, Londres, I. B. Tauris en partenariat avec l'European Jewish Publication Society, 2005

STRZELECKI, Andrezej, *The Deportation of Jews from the Lodz Ghetto to KL Auschwitz and Their Extermination : A Description of the Events and a Presentation of Historical Sources*, Oświęcim, musée national d'Auschwitz-Birkenau, 2006

—, *The Evacuation, Dismantling and Liberation of KL Auschwitz*, musée national d'Auschwitz-Birkenau, 2001, trad. anglaise Zbirohowski-Kościa

TRUNK, Isaiah, *Lodz Ghetto : A History, Bloomington*, Indiana University Press en partenariat avec l'USHMM, 2006, trad. et édition anglaise Robert Moses Shapiro

UNGER, Michal, *The Last Ghetto : Life in the Lodz Ghetto 1940-1944*, Jérusalem, Yad Vashem, 2004

WYMAN, Mark, DPs : *Europe's Displaced Persons, 1945-1951*, Ithaca, New York, Cornell University Press, 1989

ZELKOWICZ, Josef, *In Those Terrible Days : Notes from the Lodz Ghetto*, Michal Unger éd., Jérusalem, Yad Vashem, 2002

Remerciements

Les remerciements doivent commencer par le début. Par-dessus tout, nous devons remercier et mettre en avant Rywka Lipszyc, l'auteur du journal ; le Sonderkommando anonyme qui a sauvé le journal de la destruction en l'enterrant près du crématoire III de Birkenau ; et Zinaida Berezovskaya, le médecin soviétique qui l'a retrouvé et gardé à l'abri.

Notre reconnaissance va à la petite-fille de Zinaida, Anastasia Berzovskaya, qui nous a apporté le journal en 2008, nous permettant ainsi de partager les mots de Rywka avec le public. Sans son dévouement et ses soins, le journal aurait peut-être été à jamais perdu.

Nous remercions chaleureusement Leslie Kane, ancienne directrice générale de l'Holocaust Center de Californie du Nord, pour son soutien et ses conseils au début du projet de publication ; Zachary Baker, bibliothécaire assistant pour le développement de la collection en sciences humaines et sociales, conservateur pour la famille Reinhard de la collection judaïque, de Stanford University, pour son expertise ;

Robert Moses Shapiro, professeur, Études juives, Brooklyn College, pour avoir partagé sa vaste connaissance du ghetto de Łódź, pour nous avoir mis en contact avec des universitaires et des historiens en Pologne, et pour son dévouement à l'étude de la Shoah ; Marek Web, ancien archiviste au YIVO, pour avoir examiné et authentifié le journal ; Tracy Randall et Fenwick and West, pour les consultations sur la propriété intellectuelle ; E. M. Ginger et 42-line, experts en numérisation, pour leurs incroyables reproductions du journal de Rywka et les versions provisoires ; ainsi que Karen Zukor, de Zukor Art Conservation, pour son évaluation du journal et ses recommandations pour en assurer la conservation.

Ewa Wiatr, du Centre de recherche judaïque à l'université de Łódź, notre partenaire depuis le début. Elle a traduit le journal, identifié Rywka et sa famille, et annoté le journal. Elle a montré un soutien sans faille au projet et lui a apporté son expertise sur l'histoire du ghetto de Łódź et les ressources des gigantesques Archives nationales de Łódź, où sont gardées les archives du ghetto. Merci aussi à son collège Adam Sitarek pour son aide enthousiaste pendant les recherches en Pologne.

Beaucoup ont aidé à traduire : Ewa Basinska, du polonais ; John Bass, de l'allemand ; Alon Altman, Shira Atik et Inga Michaeli, de l'hébreu vers l'anglais ; Malgorzata Szajbel-Kleck, première traduction du journal ; et Malgorzata Markoff, traduction en anglais du journal.

De nombreuses personnes nous ont toujours soutenus et encouragés : Gunda Trepp, Adrian Schrek et Eda et Joseph Pell. Le leadership moral et le soutien financier d'Ingrid Tauber sont aussi essentiels au succès de ce projet, ainsi qu'au JFCS Holocaust Center et à Lehrhaus Judaica en général.

Nous remercions aussi l'équipe de la Campagne de recherche des noms des victimes de la Shoah de Yad Vashem, et tout particulièrement Cynthia Wroclawski et Debbie Berman, dont le travail exceptionnel a conduit au contact avec les deux cousines de Rywka. Ces cousines, Mina Boyer et Esther Burstein, qui après la guerre ont reconstruit leur vie en Israël, nous ont fourni des témoignages sur Rywka dans le ghetto et les camps. Leur détermination et leur esprit sont une source d'inspiration. Nous sommes également reconnaissants à Hadassa Halamish, la fille de Mina Boyer, pour sa contribution aux souvenirs de la famille et pour son exemple de dévouement à la sensibilisation à la Shoah.

De nombreux archivistes, historiens, étudiants et chercheurs nous ont fourni une aide précieuse, des informations essentielles et des pistes :
Bernd Horstmann, responsable du registre des noms du camp de concentration de Bergen-Belsen, qui a lancé les recherches sur le destin de Rywka en découvrant que son nom ne figurait pas sur la liste des morts à Bergen-Belsen ;
Steven Vitto, Holocaust Survivors and Victims Resource Center, USHMM, Washington, D.C. ;
Susanne Urban et Elfi Rudolph, ITS, Bad-Arolsen, Allemagne ;
Daniel Kazez, Czestochowa-Radomsko Area Research Group ;
Nathan Tallman et Kevin Profitt, American Jewish Archives ;
Dr Wulf Pingel, Landesarchiv Schleswig-Holstein ;
Marco Lach et Meike Kruze, Hansestadt Lübeck Archives ;
Franz Siegle et John Pierce, pour leurs recherches à l'université de Heidelberg ;

Jürgen Sielemann, ancien archiviste des Archives nationales de Hambourg ;

Helke Hennigsen, Friedhofsverwaltung, Kirchengemeinde Niendorf/Ostsee ;

Leonid Kogan, Conservateur du musée, Congrégation juive de Lübeck ;

Peter Honigmann, Zentralarchiv zur Erforschung der Geschichte der Juden in Deutschland, Heidelberg, Allemagne ;

Anke Hönnig, Saatsarchiv, Hambourg ;

Marek Jaros et Howard Falksohn, Wiener Library, Londres ;

Angela Skitt et Anne George, Project Archivists, Collections spéciales, Cadbury Research Library, université de Birmingham ;

Bruno Derrick, Remote Enquiries Duty Officer, Archives nationales, Royaume-Uni ;

Jan Brunius, Riksarkivet, Suède ;

Oliver Vogt, *Lübecker Nachrichten*.

Récemment, Daniela Teudt s'est jointe aux recherches, nous apportant son dévouement et sa créativité pour découvrir et fournir plus d'une piste. Merci aussi à Ewa Wiatr, Adam Sitarek, Bernd Horstmann, Dagmar Lieske, Leonid Kogan et Christoph Carlson pour leur soutien et leur aide en octobre 2012 pendant les recherches en Europe.

Merci aussi à l'équipe de production de Victoria Cooper, chef de projet au JFCS et à Vicki Valentine, qui a conçu ce livre.

Notre gratitude va également à ceux qui ont travaillé ensemble pour porter ce journal à la lumière. Merci à Fred Rosenbaum, fondateur de Lehrhaus Judaica, pour son érudition, ses connaissances et son dévouement, ainsi que pour son essai sur le ghetto de Łódź ; à Alexandra Zapruder pour sa sensibilité et sa compréhension du journal de Rywka, son édition délicate et experte et sa belle introduction. Un grand merci à Judy Janec, ancienne directrice de la bibliothèque et des archives de la Tauber Holocaust Library du JFCS Holocaust Center. Depuis qu'elle a vu le journal en 2008, Judy coordonne les efforts pour la publication. Sans son engagement, son dévouement et ses ressources, nous n'aurions sans doute jamais retrouvé les cousines de Rywka ni les traces de sa survie après sa libération à Bergen-Belsen.

Merci aussi aux conseils d'administration du JFCS (Susan Kolb, présidente) et de Lehrhaus Judaica (Eva Bernstein, présidente) et à l'équipe du JFCS Holocaust Center pour leur rôle essentiel dans la sensibilisation à l'Holocauste.

Nous sommes particulièrement reconnaissants pour les conseils du Council of Children of Holocaust Survivors, dont les membres sont Dennis Albers, Riva Berelson, Robert Blum, Elliott Felson, Adean Golub, Davina Isackson, Moses Libitzky, Susan Lowenberg, Joyce Newstat, Paul Orbuch, Karen Pell, Didier Perez, Lydia Shorenstein, Ingrid Tauber et Susan Wilner Golden.

La publication de ce livre a nécessité beaucoup de travail et d'amour, soutenus par des philanthropes généreux et visionnaires. Merci à :
The Pell Family Foundation ;
The Laszlo N. Tauber Family Foundation ;
The Irving and Gloria Schlossberg Family Fund of the Community Foundations of the Hudson Valley ;
The Tartakovsky Family Fund ;
The Taube Foundation for Jewish Life & Culture ;

Mina Boyer ;
The Koret Foundation ;
The Joseph & Rita Friedman Family Fund ;
The Rozsi & Jeno Zisovich Fund.

Enfin, un grand merci à la directrice générale du JFCS, le Dr Anita Friedman, pour sa direction et son engagement pour la sensibilisation à la Shoah afin d'inspirer les générations à venir à faire preuve de davantage de courage moral. Sans sa direction, ce livre n'aurait jamais été publié.

Table des matières

Composition et mise en pages
Nord Compo à Villeneuve-d'Ascq

Impression réalisée par
CPI Brodard et Taupin
La Flèche

pour le compte des Éditions Calmann-Lévy
31, rue de Fleurus, 75006 Paris
en mars 2015

calmann-lévy s'engage
pour l'environnement en réduisant
l'empreinte carbone de ses livres.
Celle de cet exemplaire est de :
1,140 kg éq. CO_2
Rendez-vous sur
www.calmann-levy-durable.fr

PAPIER À BASE DE
FIBRES CERTIFIÉES

N° d'éditeur : 4466746/02
N° d'impression : 3010304
Dépôt légal : avril 2015
Imprimé en France